Ronald

RONALD

Ronald

Ronald

La Colección de L. Ronald Hubbard

BRIDGE PUBLICATIONS, INC.
5600 E. Olympic Blvd.
Commerce, California 90022 USA

ISBN 978-1-61177-565-5

Se da un encarecido agradecimiento a la L. Ronald Hubbard Library por el permiso para reproducir fotografías de su colección personal.

Reconocimientos adicionales: pp. 1, 15, 59, 83, 105, 217, 229 contraportada Tribalium/Shutterstock.com; pp. 12/13 trekandshoot/Shutterstock.com; p. 14 Sport y General Press Agency; p. 17 Archivos Nacionales; pp. 18, 24, 28, 32, 36, 40, 48 Slobodan Djajic/Shutterstock.com; pp. 56/57 europhotos/Shutterstock.com; p. 58 *East Grinstead Courier;* pp. 80/81, 84 Dimitri Vervitsiotis/Getty Images; pp. 102/103 Alex Gul/Shutterstock.com; p. 225 Keystone Press Agency/Hulton Archives.

Impreso en Estados Unidos

The L. Ron Hubbard Series: Freedom Fighter–Latam

RONALD

Ronald

La Colección de L. Ronald Hubbard

POR LA LIBERTAD ARTÍCULOS Y ENSAYOS

Bridge

Publications, Inc.®

CONTENIDO

Una Introducción a
L. Ronald Hubbard

DESDE MEDIADOS DE LOS AÑOS 60 HASTA LOS PRIMEROS años de los 80, y a partir de un estudio geopolítico más extenso sobre la peor plaga que asola a este mundo, L. Ronald Hubbard escribió una extraordinaria serie de ensayos sobre las "insuficiencias culturales" de finales del siglo XX. Este material, destinado principalmente a la revista *Freedom (Libertad),* donde de hecho, apareció la mayor parte de estas obras, prácticamente trata todos los aspectos de nuestra existencia social, política y económica: formas de gobierno, cuestiones sobre la libertad individual, la estructura de los sistemas monetarios y la preservación de los derechos humanos. Que el fundador de Scientology nos proporcionara estos ensayos (aparte de todo lo demás que nos proporcionó para el avance de Scientology durante esos años) va totalmente de acuerdo con su visión de la iglesia como una fuerza tradicional a favor de la libertad y la decencia. De modo que, como él nos dice: "Si existe una fuente generadora de supresión, entonces es un campo que se puede comentar de forma legítima". Que estos ensayos nos proporcionen además una comprensión completamente incisiva de qué fue exactamente lo que se desvió en este siglo XX, también va de acuerdo con la visión más amplia de LRH. Pues a fin de cuentas, él también nos dice: "La comprensión es una especie de solvente total. Es el solvente universal. Lo limpia todo".

FREEDOM SCIENTOLOGY
HUMAN RIGHTS
UNIVERSAL DECLARATION OF HUMAN RIGHTS
INDIVIDUAL RIGHTS

Abajo
la revista *Freedom* original de 1949, reintroduciendo la Declaración Universal de Derechos Humanos original de 1948. Hasta la llegada de la revista *Freedom,* la Declaración Universal se había olvidado e ignorado en gran medida.

Pero lo que no se ha conocido públicamente, o al menos hasta ahora, es el hecho de que estos ensayos sólo eran parte de un proyecto más amplio. De manera específica, LRH estuvo trabajando desde finales de la década de 1960 hasta la década de 1980 en un libro que tituló "La Causa y la Prevención de la Revolución". Por consiguiente, lo que en realidad representan estos artículos no es más que un *subproducto* de un conjunto mayor de investigaciones para una obra mucho mayor que se estaba realizando. En lo que a eso respecta, estos ensayos no representan un comentario sobre los males de la sociedad, sino los descubrimientos de LRH sobre lo que de hecho se encuentra en la raíz de esos males.

Abajo
El Capitolio de Washington como símbolo de la siempre anhelada libertad política; fotografía de L. Ronald Hubbard, 1958

Por lo tanto, en lo que constituye una publicación muy especial de la *Colección de L. Ronald Hubbard,* presentamos una selección de los ensayos de LRH sobre todo lo que él consideró culturalmente inadecuado: tiranía por parte del gobierno, justicia inadecuada, economía opresora y el terror penetrante de la psiquiatría. Aquellos que estén familiarizados con otras publicaciones de esta colección reconocerán la forma en que se presentan. Pues aquí tenemos aún otra perspectiva del hombre que por lo general no se conoce, o dicho con más exactitud, aquí tenemos una perspectiva de LRH tan amplia que ninguna otra publicación puede transmitirla de forma razonable. Quienes están familiarizados en particular con las publicaciones de la *Colección de L. Ronald Hubbard* que se centran en sus contribuciones filantrópicas, apreciarán de manera especial la trascendencia de esta publicación. Pues aquí tenemos la perspectiva desde la que él proporcionó sus medios para la rehabilitación de una sociedad inmersa en las drogas, su respuesta a la decadencia moral y a la criminalidad, y sus instrumentos para la alfabetización y el aprendizaje. En lo que a eso respecta, esta no es sólo otra condena a la represión y a la falta de equidad. Más bien, tenemos aquí la perspectiva desde la que nuestro filántropo más relevante examinó un mundo profundamente atribulado, y tenemos aquí lo que él tenía que ofrecer a modo de respuestas genuinas.

Cómo llegó a la perspectiva desde la cual escribir estos ensayos es, por supuesto, una historia muy extensa. Como parte de este panorama tenemos ahora sus legendarias aventuras entre 1927 y 1929. Aunque se les ha recordado principalmente por el largo camino de Ronald a través de las lamaserías del Tibet, donde muy pocos forasteros habían entrado desde Marco Polo, Asia fue también el lugar donde escribiría sobre la miseria dominante en tierras superpobladas y con un nivel bajo de educación. De ahí, aquellos pasajes incesantemente citados de L. Ronald Hubbard en "Mi Filosofía":

Izquierda
L. Ronald Hubbard de nuevo en su patria, después de casi un año entre los extremos del extraordinario esplendor y la amarga pobreza del Asia colonial antes de la Segunda Guerra Mundial

> *"He visto a gente desentenderse de hombres moribundos en las calles y pasar por encima de ellos. He visto a niños que eran poco menos que harapos y huesos. Y en medio de esta pobreza y degradación, encontré lugares sagrados en donde la sabiduría era magnífica, pero donde se ocultaba cuidadosamente y se daba a conocer sólo como superstición".*

Aquí también encontramos ensayos que son un presagio; se trata de sus artículos en la Universidad de Princeton, donde asistió a la Escuela Militar Gubernamental de Estados Unidos antes de servir con las fuerzas de ocupación de EE.UU. en 1945. Fue un periodo de transición para los dos, para Estados Unidos y para el teniente de la Marina de Estados Unidos L. Ronald Hubbard. Él había visto anteriormente el combate en tres parajes, por lo que fue muy condecorado y gravemente herido. Mientras que separadamente y en forma muy personal, llegó a odiar la guerra profundamente. Así, estos artículos reflejan esa pasión y compasión. Al mismo tiempo, la perspectiva es perfectamente paralela a lo que relatarán estas páginas, el mismo pregón franco por la humanidad, la misma súplica inquebrantable por la justicia y la misma Voz Fuerte en la Tierra. Y es más impactante porque él escribió en medio de la histeria de los tiempos de guerra y una avidez incontrolable por sangre, que finalmente costó la vida de alrededor de veinte millones de seres humanos.

Derecha
El Teniente L. Ronald Hubbard, 1944: empleó su considerable poder literario a beneficio de los "muertos deshonrados" y los "heridos que lloran"

De ahí, lo conmovedor de lo siguiente:

"Un niño se muere de hambre en cuestión de unos cuantos días; un hombre no puede durar más de sesenta horas sin agua; una epidemia puede comenzar en el instante en que uno piensa en ella. Sólo aquellos que han sido reducidos a los elementos fundamentales de la existencia pueden apreciar la vana estupidez de la política de esos tiempos".

Hubo más, que también fue relevante y sobre lo que él escribió: "Aquellos que han sido víctima de un bombardeo, de la artillería, de metralletas o tratados con brutalidad en otras formas, no piensan de forma abstracta. Piensan en términos de un estómago lleno; piensan en términos de supervivencia básica; piensan en términos de alimentos, higiene y protección ante los saqueadores. No piensan en términos de una desordenada *mezcla política* que la guerra ha creado.

Después, y de manera incesante, Ronald continuó utilizando su considerable fuerza literaria en nombre del impotente, el "muerto deshonrado" y el "herido lloroso", como él lo expresó lastimeramente: "el desubicado, desmoralizado y sin hogar".

Nunca dejó tampoco de utilizar su considerable perspicacia para revelar la raíz y las causas del conflicto y la opresión. Por qué las civilizaciones desaparecen, por qué las economías colapsan y por qué las poblaciones están sujetas a catástrofes imprevistas, todas estas cuestiones y muchas otras fueron temas que LRH examinó a finales de la década de 1960 y comienzos de la década de 1970.

Un claro ejemplo de esto fue su incisivo estudio sociológico de la sociedad estadounidense hacia 1973. Lo llevó a cabo en Manhattan y sus alrededores, y resultó ser muy revelador, pues este era el principio de una civilización ofuscada, de una cultura drogada y en extremo dañina que él describió evocadoramente como un "pueblo perdido".

Por tanto, como él mismo lo expresó evocadoramente: *"Miré prácticamente debajo de todo... para encontrar la sonrisa y la calidez que alguna vez hubo".*

Y por eso se inició el Programa de Ministros Voluntarios de Scientology bajo aquella frase que ahora se oye por todas partes: *¡Se Puede Hacer Algo al Respecto!*

Así que, en efecto, aquí tenemos una perspectiva más expansiva del mundo en que vivimos y de la historia secreta de cómo llegó a ser lo que es. Es decir, y de forma muy contundente: Aquí están las raíces de los disturbios populares. Aquí tenemos una red cuidadosamente entrelazada de enredos financieros, impuestos opresivos y políticas económicas para *crear necesidad.* También tenemos aquí injusticia judicial, caos político y decadencia social. Además, las raíces no sólo siguen intactas. Sino que, como veremos, mucho de lo que él previó en 1969, de hecho ha ocurrido... o continua ocurriendo hasta hoy día.

Como una nota histórica adicional sobre la era en que se escribieron estos ensayos, consideremos someramente lo que los historiadores han descrito como "un mundo que ha perdido el norte". Por ejemplo, vamos a leer sobre una "gran masa de motines y conmoción civil", y la frase es totalmente apropiada cuando doscientas ciudades de Estados Unidos estallaron en motines entre 1968 y 1969. (Aunque la cifra puede debatirse en cierta medida, ya que el Departamento de Justicia de Estados Unidos trató de reclasificar todos aquellos incidentes, los saqueos, los incendios premeditados y los estragos, que duraron menos de doce horas se consideraron sólo como "disturbios graves"). De todas maneras, el Departamento no pudo reclasificar los 35,000 asaltos a oficinas y a agentes federales, ni las cuatro mil bombas por motivos políticos. De manera similar, leeremos sobre una revuelta universitaria sin precedentes, y de nuevo la frase es apropiada, ya que setenta y tres campus de Estados Unidos sufrieron la violencia en masa y premeditada de estudiantes en la primera semana de mayo de 1970, y existen cifras equivalentes a lo largo de Europa occidental y de Europa oriental. Además, leeremos también sobre una comunidad empresarial que observa aletargadamente la "ruina económica",

Abajo
La Ciudad de Nueva York, 1973: sitio donde Ronald llevó a cabo su profunda investigación sociológica a partir de la cual brotaron tantos de sus programas de reforma social; fotografía de L. Ronald Hubbard

una rama ejecutiva de los Estados Unidos que desprecia la Declaración de Derechos y un FBI igualmente corrupto. Todo esto enfatizado aún más por los tópicos de la época, como el "Cinturón de la Herrumbre", "Watergate" y "La Lista Negra" de J. Edgar Hoover.

Abajo
El Monumento a Washington, en Washington, D.C.: símbolo perenne de la democracia de Estados Unidos; fotografía de L. Ronald Hubbard

Sin embargo, el verdadero cáncer a lo largo de estas "décadas de crisis", como también han llamado los historiadores a esta época, es lo que generalmente se le ha escapado al historiador que sigue la corriente principal, y que LRH revela con una profundidad que no se encuentra en ninguna otra parte; es decir, la subversión cultural más profunda que surge del establecimiento del sistema psiquiátrico y psicológico, como lo representan con diversas designaciones la Asociación Psiquiátrica Americana, la Asociación Psicológica Americana y la Federación Mundial de Salud Mental. Como veremos, LRH tiene además mucho que decir sobre la presencia psiquiátrica dentro de una comunidad de inteligencia en Estados Unidos, que originalmente se unió bajo el estandarte del control del comportamiento o control mental, pero que al final sirvió como una pieza del engranaje psicopolítico aún más siniestro dentro de la maquinaria de la Guerra Fría. Finalmente, también leeremos sobre una intrusión psiquiátrica en el campo educativo con una "ciencia de la saliva" y las conmensurables "implicaciones siniestras" de la invasión de la psiquiatría en los sistemas judiciales.

Pero el punto de mayor importancia es simplemente este: si el nombre de L. Ronald Hubbard llegaría finalmente a representar una obsesión psiquiátrica que hizo que para 1955 se destinaran al menos dos millones de dólares de la psiquiatría para la destrucción de su obra, e incontables millones a partir de entonces, esa obsesión es sólo un aspecto secundario de la historia que él revela. De hecho, estos ensayos se enfocan en gran medida en la psiquiatría, ya que encarna un terror a nivel mundial dirigido contra poblaciones y panoramas enteros. Además, y aún más pertinente: "*No* es un 'síntoma de los tiempos' que las cosas anden mal en occidente. Se han planificado así con todo cuidado".

Por lo tanto, sin duda nuestros pies van a caminar por un terreno fascinante, pues entre otros temas relacionados con estos planes elaborados con todo cuidado se incluye: elegir como blanco a las minorías, el deterioro de toda libertad individual, la manipulación de los medios de comunicación social para moldear la opinión popular, el manejo ineficiente de la economía con el fin de desgastar la estructura social, y modificar la personalidad humana mediante sustancias químicas, para convertirla en una mentalidad sumisa como la de un "buen perro".

Izquierda
En su afamada propiedad en el sur de Inglaterra: la inolvidable Saint Hill Manor

Como nota final de introducción, permítasenos reiterar que la mayor parte de estos ensayos fueron el resultado de un proyecto mucho mayor cuyo objetivo era escribir "La Causa y Prevención de la Revolución". Y aunque esa obra nunca se concluyó, sí tenemos lo que LRH intentaba usar como capítulo inicial: "Voces Fuertes en la Tierra".

En una palabra, ese capítulo parecería resumir, no sólo todas las obras de esta publicación, sino la cruzada más amplia de los scientologists de todas partes, o en lo que a eso respecta, la de cualquiera que sea un scientologist de corazón por su dedicación a la dignidad y a la libertad de la Humanidad. Pero en todo caso, la siguiente declaración de apertura, con toda seguridad refleja una visión perdurable de LRH de que todos los que trabajan a favor de la libertad individual representan una voz que ningún gobierno puede ignorar. También refleja el hecho de que, conforme LRH continuaba su investigación y escribía los ensayos que aquí se publican, la mayoría de los scientologists pronto se animaron también a elevar una fuerte voz y, así, merecieron también el título de Paladines de la Libertad. ■

Lo que viene a continuación estaba destinado a ser la parte inicial de "La Causa y la Prevención de la Revolución" y originalmente apareció en esta publicación.

VOCES FUERTES EN LA TIERRA

de L. RONALD HUBBARD

CUANDO LAS COSAS NO van bien, cuando el público, incapaz de percibir por qué, va a la deriva y cae hasta una apatía por debajo de la percepción, cuando una cultura ya descaminada se dirige más y más hacia la ruina, la nación es realmente afortunada de tener hombres con el genio suficiente para reconocer la catástrofe que se avecina y con el coraje suficiente para hablar sin miedo.

Combatidos, vilipendiados e insultados por un sistema ciego en manos de una élite de poder indiferente a todos los destinos salvo a su propia y efímera vida, a los filósofos contemporáneos se les llama "Revolucionarios", "Comunistas", "Agitadores", "Disidentes", "Provocadores de la Chusma" y cualquier otra palabra severa que la cautiva prensa y el pomposo, arrogante y ciego sistema puedan encontrar en sus diccionarios.

Negligentes, sordos a toda razón, psicóticos en cuanto a su "rectitud moral", los "pilares de la sociedad", los "hombres prudentes", como los carneros traidores del corral que guían a las ovejas al redil de la matanza, se niegan a oír las más leves críticas de su insensatez, y contraatacan con una ferocidad taimada que trata de acallar todos y cada uno de los pensamientos nuevos por cualquier medio que sea capaz de desacreditarlos.

Con todo, se debería advertir a la nación. Cuando los tiempos decaen y la marcha fúnebre para el sistema puede escucharse todavía tenue, pero haciéndose cada vez más fuerte, hay voces fuertes en la tierra.

El régimen, el gobierno, llámalo como quieras, es algo que ha acaparado para sí toda la "rectitud moral" egoísta de décadas. Es una acumulación de cosas del ayer y es el heredero de todos los errores, soluciones oportunistas y equivocaciones de otra época.

Los hombres nacen en él para mantener irreflexivamente la "tradición" (y privilegios) de sus líderes. Los hombres mueren en su nombre, nombres venerados en lápidas y en los nombres de las calles de las ciudades, cuya fama sólo fue notable por su estúpida y obstinada devoción a un gobierno de la mayoría por la minoría y para el provecho de la camarilla.

Las posesiones y recursos del estado en una "democracia" regulada por partidos se convierten en un premio que gana a intervalos definidos el vencedor de unas elecciones. La victoria política es una oportunidad para disfrutar del "botín de los vencedores" durante un periodo determinado. El sistema es una prostituta cuyos favores gana algún nuevo funcionario por "elección popular". Pero de alguna forma, cada ganador es simplemente un miembro de la misma maquinaria.

Mientras esto sea de provecho para la élite del poder, ¿a quién le preocupa qué consecuencias se acumulen? El "siguiente régimen" puede ocuparse de ellas. Basta simplemente con que se perpetúe el sistema y los ocupantes actuales de los despachos puedan asegurar favores para sí mismos y para sus amigos.

Tanto si se tiene una monarquía, como una aristocracia, una oligarquía, una república o una dictadura militar, la pauta se vuelve la misma.

Un sistema se establece mediante engaños, mediante falsas promesas o por la fuerza, normalmente ante un peligro para el estado por parte de una amenaza externa, real o imaginaria. Toma cierta forma. Se endurece. Deja de servir a su gente. Se hace evasivo. Deja de escuchar a cualquier voz excepto la suya, y sólo cree en lo que sirve para que los líderes y sus amigos saquen provecho a corto plazo. Ejerce una tiranía. Comienza a morir bajo el peso de decisiones oportunistas y crímenes inconscientes.

Y en algún momento durante su curso, comienzan a oírse voces fuertes de protesta que buscan desenmascararlo.

Pero la élite del poder sólo escucha las palabras muertas de los escritores aprobados que están a salvo, antiguamente muertos y que no ofrecen ningún peligro, de las cuales se pueden entresacar excusas y "razones" para hacer que las acciones del sistema parezcan correctas.

"George Washington dijo...", "Nuestros Padres Fundadores...", "Según Hegel...", "Pavlov dijo...", "Disraeli...", "Alexander Hamilton declaró...", "... hacer las cosas a la vieja usanza...".

"Esos agitadores modernos...", "... esos tontos...", "Agentes enemigos...", "... fueron encarcelados, sabes...". "No pueden soportar que...", "Los ciudadanos inteligentes saben que todo esto se basa en cheques...", "La prisión es la única solución...", "Llama al comando antidisturbios...", "... el ejército va a...", "Los cazaremos de otra manera". "Seguro que existe otra ley...", "Las evidencias recientes que la Policía Secreta...", "A partir de ahora los desertores del ejército serán ahorcados...", "Quizás una nueva guerra fuera de nuestro país hará que...", "Este es el Dr. Kastrakraneus, caballeros. Quiero que les hable de su nuevo método para tratar las mentalidades hiperactivas...".

Y habiéndose negado a escuchar las voces de hoy, etiquetando cada sugerencia, pregunta, reto o idea de cambio como "subversiva", "descaminada", "disparatada" o "inspirada por el enemigo", finalmente oímos el réquiem de los antiguos.

"Al menos podemos morir como caballeros...".

Y la rueda ha dado su larga, larga vuelta, y se ven caras nuevas en los carteles políticos, y se oyen nuevos nombres en los boletines oficiales del día.

Si un sistema pudiera oír, si hubiera alguien a quién hablar, si le importara, si los hombres al mando no se volvieran tan devotos de sus propios intereses excluyendo de la ecuación de forma insensible los sufrimientos de todos los demás, uno podría alcanzar una evolución política hasta niveles más cuerdos en vez de una revolución.

Hoy estamos bastante adelantados en el ciclo. El sistema presta poca atención a los tiempos, es ciego a las consecuencias del error, es desatento en su ceguera, y los hombres al mando, al menos para las grandes masas del público, más bien parecen locos al mando y no líderes del destino público.

Pero aún hay tiempo. Si aquellos que tienen influencia y autoridad escucharan, podría hacerse algo antes de que fuera demasiado tarde.

Porque hay voces en la tierra, voces de sabiduría, voces que indican un camino a seguir, que lleva a algún otro sitio y no a la inmensa fosa común donde están enterrados los viejos regímenes, normalmente sin la dignidad de una lápida más allá de una mancha en el libro de historia de la siguiente generación. Ronald

CAPÍTULO UNO

SOBRE EL GOBIERNO

Sobre el Gobierno

Aunque no abogaba por ningún sistema político en particular, excepto por un sistema por y para la gente, L. Ronald Hubbard tuvo mucho que decir sobre el gobierno de las naciones. Su preocupación por el tema se puede explicar de forma bastante sencilla, en vista de lo que descubrimos dentro del propio Credo de la Iglesia de Scientology:

> *"Nosotros, los de la Iglesia, creemos que todos los hombres de cualquier raza, color o credo fueron creados con los mismos derechos"*, y *"que todos los hombres tienen un derecho inalienable a pensar libremente, a hablar libremente, a escribir libremente sus propias opiniones, y a oponerse, pronunciarse o escribir sobre las opiniones de otros"*.

Además, tal y como hemos dicho, cualquier "fuente fructífera de supresión" se convierte en un "campo legítimo para comentarios". Pero al considerar los ensayos de LRH con relación a la forma gubernamental, las enmiendas gubernamentales y la tiranía gubernamental, estamos considerando un compromiso de LRH mucho más extenso para con la libertad del individuo. Como un ejemplo clásico, se refiere a su advertencia al ex primer ministro de Sudáfrica, el Dr. Hendrik Verwoerd, y su subsiguiente destierro de la nación. De hecho, los grupos psiquiátricos, tanto en Sudáfrica como en Rodesia, han declarado a L. Ronald Hubbard *persona non grata* por proponer constituciones que pedían el fin del apartheid y la adopción del sufragio universal.

Con relación al estado de los gobiernos en la época en que él escribió, agreguemos algunas palabras más, a modo de explicación. Al hablar del frente psiquiátrico dentro de los pasillos de las oficinas federales de Estados Unidos, Ronald menciona esa asociación secreta en tiempos de la Guerra Fría entre la milicia estadounidense y los psiquiatras de los departamentos dedicados a diseñar una guerra psicológica; principalmente una Junta de Estrategia Psicológica encargada de aportar sus opiniones sobre políticas de contragolpe nuclear y lo que se describió como los componentes psicológicos de un "farol" termonuclear. En la agenda había también recomendaciones psiquiátricas para el control de poblaciones asustadas e incluso la introducción de

Saint Hill Manor, Inglaterra, 1963

miedo: cómo hacer propaganda intencional sobre las capacidades soviéticas de ataque con misiles, con el fin de conseguir apoyo para los gastos militares anuales que ascendían a un 50% del presupuesto nacional.

Al hablar sobre un Gobierno de Estados Unidos que violaba tanto la Constitución de los Estados Unidos como la Declaración de Derechos, LRH menciona el sumamente turbio mandato del entonces presidente Richard M. Nixon. Entre otras intrigas totalmente anticonstitucionales tramadas en la Casa Blanca de Nixon (y una que es particularmente pertinente aquí) se encontraba la recopilación de la infame "Lista de Enemigos de Nixon", que incluía, curiosamente, a LRH y a la Iglesia de Scientology. Aquellos que aparecían en la lista de 1969, y por tanto los que se oponían al tipo de gobierno totalitario que ejercía Nixon, estaban sujetos a un intenso acoso federal por parte del Departamento de Justicia, el FBI y agentes co-conspiradores de la Oficina Fiscal de Estados Unidos. En general, ese acoso se convirtió en investigaciones implacables y continuas auditorías fiscales. Para dar una idea de la eficacia de estos métodos, se debe considerar esto: De los cien nombres que aparecían en la "Lista de Enemigos de Nixon", noventa y cinco acabaron en bancarrota, hundidos, disueltos como grupo o muertos. De hecho, de los nombres de personas y organizaciones que aparecían en la infame lista de enemigos, dos sobrevivieron y todavía existen hoy: L. Ronald Hubbard y la Iglesia de Scientology.

También es sumamente significativo el hecho de que LRH escribiera sobre estos temas ya en 1969, o cuatro años antes de que el mundo se hubiera enterado de cómo era verdaderamente "Dick, el Tramposo". Por si fuera poco, Nixon está entre las figuras más vengativas de la historia de Estados Unidos, y nadie lo criticaba si estaba totalmente convencido de lo que decía y era muy valiente.

Finalmente, al hablar de la revuelta popular durante estos años, LRH menciona temas como la Convención Nacional Democrática de 1968, donde alrededor de 12,000 disidentes, principalmente estudiantes que protestaban por la participación de Estados Unidos en Vietnam, llegaron en masa a Chicago en una confrontación sangrienta con la policía local, mientras otros ochenta millones de estadounidenses lo vieron todo por televisión. ■

We the People of the United

insure domestic Tranquility, provide for the common defence, promote th
and our Posterity, do ordain and establish this Constitution for the Unite

Article. I.

Section. 1. All legislative Powers herein granted shall be vested in a Co
of Representatives.

Section. 2. The House of Representatives shall be composed of Members
in each State shall have the Qualifications requisite for Electors of the most numerous

No Person shall be a Representative who shall not have attained to the
and who shall not, when elected, be an Inhabitant of that State in which he shall

Representatives and direct Taxes shall be apportioned among the several St
Numbers, which shall be determined by adding to the whole Number of free Person
not taxed, three fifths of all other Persons. The actual Enumeration shall be ma
and within every subsequent Term of ten Years, in such Manner as they shall by
thirty Thousand, but each State shall have at Least one Representative; and un
entitled to chuse three, Massachusetts eight, Rhode-Island and Providence Pla
eight, Delaware one, Maryland six, Virginia ten, North Carolina five, South

When vacancies happen in the Representation from any State, the Exec

The House of Representatives shall chuse their Speaker and other Officers

Section. 3. The Senate of the United States shall be composed of two Senators
Senator shall have one Vote.

Immediately after they shall be assembled in Consequence of the first E
of the Senators of the first Class shall be vacated at the Expiration of the second Y
Class at the Expiration of the sixth Year, so that one third may be chosen every seco
Recess of the Legislature of any State, the Executive thereof may make temporary App
such Vacancies.

No Person shall be a Senator who shall not have attained to the Age of th
not, when elected, be an Inhabitant of that State for which he shall be chosen.

The Vice President of the United States shall be President of the Senate, but

The Senate shall chuse their other Officers, and also a President pro tempore
President of the United States.

The Senate shall have the sole Power to try all Impeachments. When si
of the United States is tried, the Chief Justice shall preside: And no Person shall be convic

Judgment in Cases of Impeachment shall not extend further than to rem

En conformidad con todo lo que LRH describe como intrínseco para el espíritu patriótico, se encuentra todo lo que la Iglesia de Scientology ha llegado a representar como fuerza a favor de la honestidad y los derechos humanos en el gobierno. Es decir, y aceptando que ningún ciudadano puede apoyar a un gobierno dado al secretismo, la Iglesia de Scientology ha sido pionera en lo que es, de hecho, un movimiento a nivel mundial para aumentar la responsabilidad gubernamental. De manera más notable, mediante esfuerzos para ampliar el alcance del Decreto de Libre Información de Estados Unidos, con leyes similares a nivel estatal y la popularización de su uso. Además, por casi medio siglo, los scientologists han tenido un papel decisivo en hacer realidad la legislación sobre la Libertad de Información en países como: Francia, Canadá, Australia, Nueva Zelanda, Italia y Bélgica. Igualmente dignos de mención son los esfuerzos de los scientologists para apoyar una Declaración de Derechos de los Contribuyentes y una Semana de Libertad Religiosa anual, cuestiones que ahora están, ambas, reconocidas legalmente en Estados Unidos, así como otros incontables esfuerzos similares en numerosos países: todo ello con el propósito declarado de lograr que los derechos humanos sean realidad y no una cuestión retórica. O como declaró un ex funcionario del Departamento de Justicia de Estados Unidos: "El secretismo es el enemigo mortal de la democracia. Cuanto más secreto, menos democracia. Mediante su actuación como paladín de los derechos de todos los ciudadanos en lo que respecta a los archivos del gobierno, la Iglesia de Scientology ha contribuido de manera significativa a la preservación de la democracia para todos".

Finalmente y también siguiendo lo que LRH defiende, aquí se presenta todo lo que la Iglesia de Scientology ha venido a representar como la principal defensora de la Declaración Universal de los Derechos Humanos. Adoptado originalmente por las Naciones Unidas en 1948, el documento quedó en el olvido hasta la inauguración, en 1998, de la campaña de derechos humanos que Scientology llevó a cabo a nivel mundial. Se le dio el nombre de: Unidos por los Derechos Humanos, y es un programa multimedia que abarca muchos niveles, diseñado para aumentar ampliamente la conciencia de los derechos humanos en general y en particular los treinta artículos de la Declaración Universal. En general, ha dado a conocer los derechos humanos a casi mil millones de personas y también ha recibido alabanzas incondicionales por parte de la comunidad de derechos humanos. En realidad, incluso los defensores más explícitos de las Naciones Unidas están dispuestos a admitir que la Iglesia de Scientology ha logrado más en cuanto a aumentar la consciencia sobre los derechos humanos que las Naciones Unidas en sí.

PATRIOTISMO

de L. Ronald Hubbard

Para un oficial que trabajó duro y se expuso a peligros con el resto de los Aliados, e incluso sacrificó su salud para liberar al mundo de las violaciones nazis de los derechos humanos, es un poco difícil comprender que su propio gobierno y sus aliados después de la guerra no sólo cerraran los ojos a un nuevo brote de violaciones nazis en sus propios países, sino que esas violaciones se financiaran activamente hasta llegar a miles de millones de dólares, y comenzaran a aceptar órdenes de aquellos cuyas prácticas sólo diferían de las de los nazis por la ausencia de una esvástica.

Ver que un ministro de salud como Robinson escribe en su propio libro que las detenciones ilegales y fáciles de cualquier persona tenían que llegar a estar a la orden del día, saber que él era en realidad el vicepresidente de un grupo psiquiátrico privado, saber de las irregularidades financieras cometidas a nombre de su grupo, y aún ver a un gobierno que le obedece de forma incuestionable, es suficiente para dejarme con una amarga sensación de desengaño, por no decir más.

Durante más de veinte años he observado que los gobiernos de occidente facilitan más y más la detención ilegal de personas sin órdenes judiciales o procedimientos legales establecidos. He visto que la "demencia" se redefine como alguien que discrepa de la autonomía social. Con mis propios ojos, he visto torturar y asesinar a hombres y mujeres en "hospitales" psiquiátricos. He escuchado a los psiquiatras detallar sus inhumanos experimentos y alardear de sus orgías sexuales con pacientes y de la esterilización de aquellos que querían para un "pasatiempo".

En todo este tiempo, no he visto que ayudaran o curaran a UNA sola persona.

Pero he visto un gran número de pacientes arruinados por ellos.

No creo que el ciudadano medio pudiera observar uno de sus "tratamientos" de electrochoque sin vomitar.

En una zona, cuatro de cada nueve personas han sido dañadas brutalmente por psiquiatras.

Todos los días, mi correspondencia contiene varias cartas de pacientes suyos, suplicando que se les ayude y se les alivie de su agonía.

Así, teniendo todas estas pruebas, ¿cómo se puede creer todavía que algún gobierno de Occidente ignora el verdadero estado de las cosas?

Así que muchos de nosotros salimos, luchamos, sangramos y morimos para hacer que el mundo esté a salvo de los campos de exterminio nazis. Y nos damos la vuelta y encontramos que nuestros propios gobiernos no sólo los dirigen y los financian, sino que también cualquier esfuerzo honesto para ayudar, para encontrar mejores respuestas, recibe un gravísimo maltrato, se le dispara y se le rechaza.

Durante toda la Segunda Guerra Mundial, encontré apatía y gente que se encogía de hombros a mi alrededor, no sólo en nuestras tropas, sino también en las de los aliados. Estos oficiales y hombres no estaban luchando por nada. La mayoría luchaba bajo protesta. En el frente, el 50% de ellos nunca disparaba sus armas.

No comprendí esto entonces. Ahora, sí.

Estos hombres no tenían una causa real por la cual luchar. Estaban dispuestos a destruir al inhumano nazi. Pero de alguna forma, sabían con cierto amargo desengaño que sus propios dirigentes tenían defectos más que suficientes para neutralizar cualquier ventaja que se fuera a ganar para el mundo.

No eran patriotas. De vez en cuando, el enemigo los hacía sentirse ultrajados. Pero si se hubiera hecho una grabación de casi cualquier charla informal de algún grupo militar en la Segunda Guerra Mundial en cualquier sala de oficiales o comedor, y se hubiera enviado a casa, los generales probablemente les habrían hecho a todos un consejo de guerra.

¿Y qué ha sucedido desde entonces? Los gobiernos leales expatriados de nuestros aliados fueron olvidados. Sus países fueron entregados a manos comunistas o revolucionarias. Nómbralos, son muchos. 750 millones de seres humanos, en un cálculo moderado, fueron pasados dócilmente bajo el yugo comunista. Y mediante un inepto "proceso de paz" y unas relaciones exteriores incompetentes, desde 1945 ha habido guerras y más guerras.

Las Naciones Unidas dieron con la respuesta. La falta de derechos humanos manchó las manos de los gobiernos y amenazó sus reglas. Muy pocos gobiernos han llevado a efecto parte alguna de la Declaración Universal de los Derechos Humanos. Estos gobiernos no han comprendido que su verdadera supervivencia depende por completo de adoptar estas reformas y, así, darle a sus pueblos una causa, una civilización digna de su apoyo, digna de su patriotismo.

Es vital que todos los hombres pensantes insten a sus gobiernos (por el propio beneficio del gobierno, aunque no sea por otra razón) a hacer reformas de gran alcance en el campo de los derechos humanos.

Los derechos humanos *no* significan "pan y circo". Esa era la idea romana, y Roma quedó reducida a escombros por las guerras civiles, cuyas causas fundamentales fueron los abusos de los derechos, consentidos por la ley.

Las acusaciones falsas. La detención ilegal de personas y la confiscación injustificada de propiedades. La tortura y la opresión del individuo y de grupos sociales. Esto fue lo que destruyó el Imperio Romano.

Cosas así acabaron con cualquier orgullo de "ser romano".

Finalmente, sus tropas ya no volvieron a ganar batallas. No les importaba. Y así cayó el telón sobre la "majestuosa Roma".

Las infames "lettres de cachet", que concedían el derecho a detener y encarcelar de por vida a cualquier persona por el mero capricho de algún noble, llevaron al principal imperio de su época, Francia, a la carreta de los condenados y finalmente a la guillotina.

La mayoría de los gobiernos continúan viviendo en el mito de su propia tradición. Lo ven en los libros de jurisprudencia. Lo enseñan en la escuela. Alardean de ello en la prensa y en discursos patrióticos. Y la experiencia personal dice que es mentira. Un hombre es acusado. Algún embaucador con bata blanca ha dicho que está demente. ¡Pum!, está en prisión. ¡Zas!, su propiedad queda confiscada. Una lluvia de chispas o el rápido movimiento de un cuchillo y la persona queda castrada, despersonalizada. Y muy pronto estará muerta.

Un rumor malicioso en susurros. Un hombre es implicado en un asesinato y no sabe cómo. Es encarcelado "en espera del juicio". Su nombre y su reputación han quedado destrozados, su vida arruinada, cualquiera que sea el desenlace.

Incluso en el leve asunto de una multa por estacionamiento indebido, está en riesgo. La ponen en el limpiaparabrisas; no la entregan adecuadamente. Esta vuela. Él nunca la ve. Se le lleva al tribunal, multado por algo de lo que no sabía nada.

Así, a la larga, las injusticias, grandes o pequeñas, dan como resultado inseguridad, un sentimiento de que se le está atacando o de que quizá le ataquen. Se espera que el ciudadano proteja al gobierno. Mira su cheque de la paga hecho trizas por los impuestos; no ve ninguna salida. Decide que no es una situación de igualdad. Así que deja de proteger al gobierno y comienza a atacarlo. Sus ataques pueden ser tan pequeños como simplemente no actuar.

"Muy pocos gobiernos han llevado a efecto parte alguna de la Declaración Universal de los Derechos Humanos. Estos gobiernos no han comprendido que su verdadera supervivencia depende por completo de adoptar estas reformas y, así, darle a sus pueblos una causa, una civilización digna de su apoyo, digna de su patriotismo".

Cuando un gobierno muestra un ejemplo público flagrante de atacar a gente decente por ningún crimen, como en el caso de la Iglesia de Scientology, y cuando es obvio que tal ataque se hace bajo la influencia de un símbolo de terror bañado en sangre como el psiquiatra, el sentimiento de seguridad del hombre racional recibe una clara sacudida.

El tiempo pasa. Alguna fuerza insurgente susurra "ese gobierno no es bueno". Puede que el ciudadano medio no se una. Sólo asiente para sí en silencio: "Lo sabemos".

El tiempo pasa. Se levantan revolucionarios con una nueva causa.

Las ametralladoras comienzan a disparar en las calles. El ejército de reclutas forzados se aleja lentamente y en silencio.

El gobierno grita: "¡Ciudadanos! ¡Levántense! ¡Ataquen al invasor!".

Y a cambio, reciben una sonrisa cínica, si bien oculta.

Así que la nación cae. Los altos cargos del gobierno quedan despedazados por la muchedumbre.

¿Por qué? Porque dejaron que el patriotismo quedara aniquilado por las miles, los millones de acusaciones falsas, por hacer oídos sordos a las súplicas de que se respetaran los derechos humanos, por hacer caso omiso de las injusticias por pura arrogancia o desprecio.

No es por nada que se acuñara la frase "una causa justa". No merece la pena luchar por ninguna causa a menos que incluya justicia para todos.

En la Iglesia de Scientology estamos intentando ayudar a impedir el hundimiento de la civilización occidental.

Nosotros mismos hemos sido maltratados y oprimidos gravemente durante dos décadas de acusaciones falsas a manos de un enemigo tan salpicado de sangre que parece un vampiro más que un hombre.

"Incluso en el leve asunto de una multa por estacionamiento indebido, está en riesgo. La ponen en el limpiaparabrisas; no la entregan adecuadamente. Esta vuela. Él nunca la ve. Se le lleva al tribunal, multado por algo de lo que no sabía nada".

Nuestros estudios han sacado a la luz suficientes crímenes e injusticias contra las poblaciones de las naciones de Occidente, para condenar a muchos de los que se consideran "gente bien" si alguna vez fueran juzgados en un tribunal bajo el Código de Núremberg.

No somos débiles. No carecemos de poder. Somos millones. Pero nuestra fuerza principal es que somos gente decente con el más alto respeto por la ley y el orden.

Cuando mienten sobre nosotros y se nos proscribe, y vemos que los gobiernos que nos atacan dejan libres a nuestros acusadores, que quedan impunes de los crímenes más atroces, entonces sabemos lo tarde que es.

Hemos puesto en orden nuestros propios asuntos en cuanto a una justicia imparcial.

No estamos pensando en nosotros mismos. Estamos oprimidos, pero llenos de vitalidad.

Para nosotros, estos son sólo síntomas de una sociedad que, a menos que sea reformada, morirá.

Estamos emprendiendo con determinación la difícil tarea de hacer que la sociedad se dé cuenta, de hacer que reforme sus procesos legales de una manera justa y equitativa para que una vez más los hombres de occidente puedan decir que luchan por una causa justa. Ronald

Pese a las consecuencias de "Escribir a los Gobiernos", los lectores deberían tener en mente lo siguiente: al hacer hablar de la "redada a punta de pistola", LRH se refiere a la incautación, en 1963, de E-Metros y literatura de la Iglesia Fundacional de Scientology en Washington, D.C. por parte de la Administración de Alimentos y Drogas (medicamentos) de Estados Unidos. Lo que vino a continuación perdura como una de las confrontaciones legales más polémicas entre el Gobierno de Estados Unidos y cualquier organización religiosa. Al final, sin embargo, la iglesia no sólo emergió con un aplastante reconocimiento de su autenticidad religiosa, sino que el tribunal ordenó la devolución de todos los materiales incautados. Sin embargo, a modo de explicación, se podría hacer notar que los últimos de estos materiales incautados no fueron devueltos de hecho, sino hasta después de cuatro años o hasta mediados de la década de 1970. Además, y aunque nunca se dieron explicaciones por esos cuatro años de retraso, hay muchos aspectos que sugieren que esos E-Metros no sólo estuvieron guardados en un almacén del gobierno, sino que de hecho fueron objeto de un estudio federal intenso y fascinante.

Al hacer hablar de la indagación parlamentaria británica de Scientology en 1969, LRH se refiere a una prohibición posterior que afectaba a todas las personas que solicitaban entrar al Reino Unido para estudiar Scientology. No obstante, una vez más, y como resultado de los extensos esfuerzos de la Iglesia durante más de una década, esa prohibición fue finalmente declarada totalmente discriminatoria en 1980, y levantada por el Ministro del Interior. Finalmente, y respecto al rechazo de Ronald en Sudáfrica por considerársele una amenaza al apartheid, no olvidemos que el apartheid ya no existe y Sudáfrica ahora disfruta precisamente de aquello por lo que Ronald había trabajado: sufragio universal, o como él decía, un hombre, un voto.

Sin embargo, si hay una lección mayor que aprender del resultado de los acontecimientos, es esta: esa desafortunada redada a la Iglesia, la desafortunada prohibición a los estudiantes de Scientology en Gran Bretaña y los intentos de suprimir los esfuerzos de LRH a favor de la libertad en Sudáfrica, todo ello demuestra simple y finalmente lo que LRH declaró desde el principio:

"Lo antiguo tiene que dar paso a lo nuevo, la falsedad tiene que quedar desenmascarada por la verdad, y la verdad, aunque se le combata, siempre prevalece al final".

2 DE MARZO DE 1969

SOBRE ESCRIBIR A LOS GOBIERNOS

de L. RONALD HUBBARD

HOY EN DÍA LOS gobiernos actúan de forma muy extraña cuando uno les escribe.

A finales de 1962, escribí al Presidente de Estados Unidos después de pasar un año trabajando con cirujanos de vuelo en un escuadrón de aviación, el cual, gracias a Scientology, se mantuvo durante todo ese periodo sin un sólo accidente, para afirmar que podíamos ayudar a los pilotos.

La carta era cortés y constituía un ofrecimiento de ayuda al gobierno.

Poco después, unos estibadores, haciéndose pasar por policías, armados con una orden de confiscación falsa, hicieron una redada a punta de pistola en nuestra Iglesia de Washington e incautaron libros de oraciones e instrumentos.

En 1966 escribí al Dr. Verwoerd, Primer Ministro de Sudáfrica, una carta en la que le decía que tenía información según la cual podría existir una situación peligrosa en su área cercana. Me contestó por escrito dándome las gracias.

De pronto fui nombrado *persona non grata* en el sur de África.

Poco después el Dr. Verwoerd fue asesinado por un paciente psiquiátrico.

Hacia julio de 1967, escribí al Ministerio del Interior para Inmigración ofreciéndole mi ayuda en cualquier problema de inmigración de estudiantes, ya que había descubierto que algunos estudiantes que decían que eran scientologists no lo eran, y que quizás podría hacer que los directores de la Iglesia del Reino Unido cooperaran. Fue una carta muy cortés.

El Ministerio del Interior rápidamente le dijo a los periódicos que mi visa para el Reino Unido estaba cancelada, e incluso me lo informaron unas tres semanas después. Habían cerrado la puerta a todos los estudiantes, incluso a los que eran ciudadanos de la Commonwealth, y prohibieron la entrada a mi hija que es súbdita británica.

En diciembre de 1968, el Parlamento del Reino Unido dijo que no habría ninguna comisión de investigación sobre Scientology.

En enero de 1969, como se me habían cerrado las puertas tan sólo por lo que dijo el ahora despedido Kenneth Robinson, el representante más importante de la psiquiatría, escribí con cortesía al Ministerio del Interior preguntando por favor si podría recuperar mi tarjeta de desembarque ilimitada, ya que el gobierno no había presentado ninguna evidencia contra mí.

El nuevo Ministro de Sanidad rápidamente nombró una "Comisión de Investigación sobre Scientology", y el Ministerio del Interior denegó mi solicitud.

Estas son las cuatro únicas cartas que he escrito a gobiernos.

Todas fueron amables, corteses, de rutina.

Cada una parece haber causado una explosión violenta e incluso de terror, totalmente desproporcionada.

Es como si alguien en las líneas del gobierno, en cada caso, tuviera miedo de que Scientology fuera aceptada o usada.

Los grupos principales de la psiquiatría controlan los servicios de inmigración a través de conexiones relacionadas con la "sanidad". Ellos inundan los archivos de inmigración y sanidad con acusaciones falsas contra cualquier posible rival. Yo he visto los archivos y contienen documentos falsos y escritos falsificados.

Todo lo que puedo sacar en limpio de esto es que los grupos principales de la psiquiatría están usando todos sus recursos para proteger los miles de millones anuales que reciben y cualquier actividad eficaz debe abstenerse de solicitarlos.

Si Estados Unidos hubiera aceptado nuestra ayuda a los pilotos, tal vez no habrían perdido un avión diario en Vietnam.

Si el Dr. Verwoerd hubiera aceptado mi aviso, no estaría muerto.

Si Inmigración en el Reino Unido hubiera aceptado mi ofrecimiento de ayuda con los estudiantes, Robinson quizá todavía sería el Ministro de Sanidad.

No sé lo que pasará en esta Comisión de Investigación "Inquisitorial". Pero si tiene cualquier parecido con el resto, no tendrá éxito para la oposición.

Eso es todo lo que puedo sacar en limpio de esto. Nuestros hermanos psiquiatras, alerta en el frente respecto a cualquiera que pudiera desbaratar su dominio absoluto, no van a permitir que nadie que sepa lo que está haciendo se ponga en comunicación con un gobierno. Esto podría desbaratar sus subvenciones gratuitas y los mejores planes cuidadosamente urdidos por las ratas y los hombres.

Pero no pueden mantener esto para siempre. El asesinato saldrá a la luz.

Aunque lo que percibimos es más bien una imagen graciosa de los gobiernos en una especie de jaula con un psiquiatra como centinela. Ronald

*"Aunque lo que percibimos
es más bien una imagen graciosa de
los gobiernos en una especie de jaula
con un psiquiatra como centinela".*

GOBIERNO Y REBELIÓN

de L. RONALD HUBBARD

La historia de las rebeliones ha tenido algo en común: una política de gobierno por parte de la minoría, a favor de la minoría y opresión a la mayoría.

Grupos con privilegios especiales dominaron y fueron escuchados por cada gobierno en la historia que ha caído ante una rebelión del pueblo.

Las ideas fundamentales de esos grupos especiales se basan en que la ayuda no es para nadie más que para sí mismos, y el odio es para todos, incluidos ellos mismos.

Los équites de Roma, la aristocracia de Francia y Rusia, los superselectos nazis de Alemania, los financieros internacionales y los grupos de pantalla de la psiquiatría que ahora dominan los gobiernos occidentales tenían mucho en común.

Funcionaban sólo para favorecerse a ellos mismos y utilizaban a la gente como si fueran animales.

No es coincidencia que los grupos pantalla de la psiquiatría enseñen que los hombres son sólo animales a los que se debe llevar en manada, utilizar y escabechar por capricho.

Los équites de Roma, las clases superiores de Francia y Rusia, los nazis y los psiquiatras estaban todos obsesionados en este tipo de idea. El hombre era un animal.

Con esto querían decir, por supuesto, que el hombre era su animal personal. Cualquier otro que intentara comunicarse con el hombre era considerado un ladrón de animales, un intruso.

Pero los aristócratas, los nazis y los psiquiatras tienen otra cosa en común: están obsesionados, son gente esnob, no pueden cambiar, no creen que los demás cambien y pasan por alto completamente que los tiempos cambian.

Esta gente se vuelve anticuada con facilidad. Se queda estancada en el ayer. La actitud de que "los viejos tiempos fueron mejores" detiene todo progreso. Por ejemplo, el psiquiatra está totalmente estancado en el siglo XIX. Sus prácticas y actitudes no han cambiado en todo este tiempo.

"No es coincidencia que los grupos pantalla de la psiquiatría enseñen que los hombres son sólo animales a los que se debe llevar en manada, utilizar y escabechar por capricho. Los équites de Roma, las clases superiores de Francia y Rusia, los nazis y los psiquiatras estaban todos obsesionados en este tipo de idea. El hombre era un animal".

Se consideran "gente bien". Sólo se asocian con el rico. Y consideran al hombre su animal personal para utilizarlo o escabecharlo a voluntad. Y se creen (delirios de grandeza) parte del gobierno, del cual, por supuesto, no son parte como tampoco lo es el carnicero local.

Los gobiernos compuestos por "gente bien" (o esnobs, si así lo prefieres) son de hecho muy inestables.

En lugar de avanzar con los tiempos y estar al día del progreso, juegan a parar el reloj.

A cualquiera que tenga una idea nueva se le mira con ferocidad, como un ladrón de animales.

Por lo tanto, a cada persona nueva que da un paso adelante con mejoras o sugerencias, se le convierte al instante en un enemigo tratándolo violentamente.

Así, en un escenario gubernamental con privilegios especiales, todos los desarrollos nuevos están fuera del círculo cerrado. Los pocos ungidos se quedaron cada vez más solos debido a este rechazo.

Un día la gente y los que tienen ideas nuevas se encuentran todos a un lado de la valla. Los esnobs se encuentran al otro lado.

Por lo tanto toda la gente progresista se ve obligada a asociarse íntimamente con el hombre.

El grupo con privilegios especiales ve el peligro, contrata pistoleros, matones, gorilas, guardaespaldas e intenta controlar con fuerza a "sus animales".

El hombre, no estando de acuerdo con que sólo es un animal doméstico, se resiente. Se vuelve hacia los inteligentes y los progresistas que están con él al mismo lado de su valla y dice: "¿Qué hacemos ahora?".

Bien, la historia está demasiado llena de ejemplos sangrientos para hacer que una mayor descripción de lo que sucede sea de provecho.

¡Pero claro que sucede!

Un gobierno siempre puede estimar lo cerca que está de ocurrir una rebelión en su contra, contando a cuántos hombres brillantes y con buena disposición les está impidiendo participar. No importa cómo se haga la exclusión: los aristócratas usaban el linaje; los nazis, la raza aria; los psiquiatras usan "rangos académicos"; el resultado es el mismo. Los brillantes están con la gente; los especiales sólo tienen armas.

Y ese es el verdadero origen de la rebelión.

Los gobiernos que se llevan a cabo a base de privilegios especiales, para ellos y de ellos, están perdidos en el momento en que establecen la primera barrera a la mayoría. Se convierten en una barricada.

DESTRUCCIÓN CONSTITUCIONAL

de L. Ronald Hubbard

Que cualquier grupo se involucre total e intencionalmente en la destrucción de la Constitución y de cualquier derecho o libertad que esta pueda garantizar es menos asombroso que estas acciones también sean aceptadas como la fuerza dominante que respalda a muchos políticos.

Todos los grupos "Nacionales" de Salud Mental de cualquier país son miembros de la Federación Mundial de Salud Mental. El presidente anterior de la Federación Mundial de Salud Mental, el comunista Brock Chisholm, y todos y cada uno de los funcionarios de este grupo y sus miembros "nacionales" de salud mental, confiesan abiertamente que tienen como objetivo primario la erradicación de la Constitución de su país.

En Estados Unidos es un delito criminal apoyar el derrocamiento de la Constitución. Pero muchos políticos sin principios a nivel estatal y federal, no sólo hacen caso omiso de esto, sino que además consienten que estos grupos detengan, torturen y asesinen ilegalmente a los ciudadanos.

En una ocasión, Hitler dijo que su arma principal era lo "increíble". Nadie creería lo que en realidad hacían las fuerzas saboteadoras del Tercer Reich, ya que sus planes eran increíbles.

Estos grupos pantalla psiquiátricos tienen un programa muy detallado para la destrucción de Occidente.

1. La destrucción de la Constitución.
2. La erradicación de las fronteras.
3. La fácil detención de cualquier persona.
4. El "derecho" a torturar o matar.
5. La erradicación de todas las iglesias.
6. La destrucción de la moralidad sexual.
7. Privar a la sociedad de futuros líderes mediante la creación de la drogadicción en las escuelas.

Todas estas cosas, y más, se encuentran en toda la literatura de sus campañas, en los consejos que dan a sus miembros y a los títeres políticos que los apoyan.

Los ministerios de "Salud" de casi cada nación occidental están en manos de personas nombradas por ellos.

La "tecnología" que usan es exclusivamente tecnología de *control*. De ninguna manera pretenden curar a nadie. Para ellos "tratamiento" significa dañar o matar.

Han redefinido la *demencia* como "cualquiera que sea incompetente". Definen *competente* como: "gente que no se opone a ellos".

Ahora en California, cualquier ciudadano puede ser detenido, retenido durante horas y se le puede torturar o matar. Se aseguran de que los "profesionales" y los funcionarios secretos que ejecutan la acción sean inmunes a cualquier demanda, de acuerdo a la ley*.

Todo esto parece muy familiar. Aproximadamente dos tercios de los agentes secretos de Hitler eran "doctores".

Hitler desarrolló el electrochoque y las operaciones cerebrales para despersonalizar a los elementos disidentes. Nunca fueron curativos.

La agitación en las escuelas y universidades tiene su origen en los agentes de estos grupos y sus consejos a títeres políticos corruptos.

Esa es la utopía que ahora está en acción.

La destrucción de toda libertad y derechos civiles. La hipocresía de que esta es la "gente bien", la que sabe lo que más conviene, son los ingredientes de la revolución.

Pero todos estos grupos, cuyo control es uniforme en todo el mundo, y cuyas líneas van directamente a Rusia, podrían estar a punto de recibir una terrible sorpresa.

Desde que Scientology se enteró de sus planes, han perdido a siete de sus doce líderes principales.

Desde que se pusieron al descubierto sus documentos y sus planes, se han estado enfrentando a la bancarrota.

Se ha descubierto que la fuente directa de cada mentira, acusación falsa y ataque contra Scientology, sin excepción, ha sido un miembro de este grupo. Durante diecinueve años, han tratado, a un gran costo, de aplastar y erradicar cualquier desarrollo nuevo en el campo de la mente. Están obstruyendo activamente cualquier eficacia en este campo.

Pero siete de sus principales hombres están completamente inactivos.

Y su grupo está cayendo en la bancarrota porque hemos cortado sus subvenciones.

El día que empezaron a atacar a Scientology fue un día desafortunado para ellos. Ni siquiera estábamos dentro de su campo de acción. No estábamos interesados en ellos.

La amenaza primaria a la libertad en occidente ha sido combatida sólo por un grupo: los scientologists.

Si quieres libertad y paz en occidente, únete a Scientology.

Los scientologists son la única fuerza nueva, efectiva y vital en el mundo de hoy.

Y Scientology es el único juego en la Tierra en el que todos triunfan. 

**En concreto, LRH está haciendo alusión a la ley de Lanterman-Petris, que aprueba la reclusión psiquiátrica durante 72 horas de ciudadanos sospechosos de comportamiento desequilibrado. La ley aprueba también el uso de drogas y el tratamiento electroconvulsivo en los detenidos. A mediados de la década de 1970, sin embargo, y mayormente debido a los esfuerzos de los scientologists, esa ley se retiró mediante la legislación 1032 de la Asamblea del Estado de California. —Editor*

"Aproximadamente dos tercios de los agentes secretos de Hitler eran 'doctores'. Hitler desarrolló el electrochoque y las operaciones cerebrales para despersonalizar a los elementos disidentes. Nunca fueron curativos. La agitación en las escuelas y universidades tiene su origen en los agentes de estos grupos y sus consejos a títeres políticos corruptos".

Aunque como él lo señala previamente, los scientologists representan la "única fuerza nueva, efectiva y vital en el mundo de hoy", LRH reconoció durante mucho tiempo los esfuerzos de otros para, al menos, condenar la opresión y la tiranía. En particular, parecía que estaba haciendo referencia a las numerosas organizaciones de estudiantes que entonces trabajaban para acabar con la presencia de la CIA en los campus, las numerosas organizaciones de derechos civiles que trabajaban por las minorías, y varias organizaciones de ciudadanos que se oponían a los impuestos opresivos. En todo caso, el panorama político de 1969 se vio, de hecho, inundado por centenares de grupos de protesta, frecuentemente en competencia mutua y rivalizando por conseguir que se les escuchara.

ÚNETE Y VENCERÁS

de L. RONALD HUBBARD

HAY INNUMERABLES GRUPOS Y sociedades independientes en occidente que luchan por detener las tiranías usurpadoras y las opresiones que nos amenazan.

Estas voces aisladas son relativamente ineficaces, sólo porque cada una trata de actuar por sí sola.

El enemigo es el planificador económico y social de mentalidad utópica*, cuya arrogancia está destruyendo los estándares culturales de la gente y suplantándolos con los conceptos no probados y dementes del control social total.

La civilización de occidente fue creada por hombres libres. La tiranía la está deshaciendo.

La mayoría de los líderes gubernamentales de hoy en día, cuentan con organismos económicos o sociales que pretenden imponer controles insensatos y que no se han puesto a prueba sobre una sociedad que antes era libre.

En cuanto se les nombra, hombres que no podrían llevar una cuenta de gastos menores o controlar a un perrito aunque su vida dependiera de ello, le prometen al político resultados maravillosos y de color de rosa.

Esos utopistas de ojos desorbitados casi han destruido las universidades occidentales, las economías occidentales y la civilización occidental en sí.

Cada organismo público que protesta, está gritando contra su propio opresor particular. Sin embargo, todos esos opresores juntos son el verdadero objetivo colectivo.

Los grupos públicos deberían unirse en un foro, elegir un objetivo particular y después aplicar todos sus esfuerzos a corregir ese tipo de injusticia mediante un esfuerzo unido. Después deberían elegir otro objetivo y ocuparse de él.

* *Una palabra sobre el "planificador económico y social de mentalidad utópica" a quien se refiere el Sr. Hubbard, en enero del mismo año él explicó: "Hoy en día tenemos gobierno por intereses especiales. En gran medida ignora lo que el ciudadano promedio quiere en realidad. Esto usualmente acaba en una confusión extraña de utopías de intereses especiales, como el libro 1984, de George Orwell. El número de quienes planifican utopías te asombraría. El individuo promedio evita las utopías como a una plaga. Uno se tiene que dirigir al individuo y a muchos estratos sociales para encontrar lo que realmente se quiere. Habitualmente es bastante simple". (Nota: Tomado de la carta de política de la Oficina de Comunicaciones Hubbard del 31 de enero de 1969, OBJETIVO HUMANITARIO Y GRUPOS GUNG-HO). —Editor*

Se encontrará que el enemigo está muy unido y que usa toda la fuerza de gobiernos crédulos e incompetentes para aplastar a todo el mundo.

No es un "síntoma de los tiempos" el que las cosas vayan mal en occidente. Se han planificado así con todo cuidado.

Hoy en día, cada grupo público que protesta está dividido del resto, de modo que no hay una voz pública unida que pida cuentas a los organismos transgresores.

En occidente, nuestros asuntos están en manos de gente que experimenta en el área de control social. El resultado es desorden y desastre.

Existe tal cosa como un gobierno occidental libre, como solía ser, de utopías económicas y sociales.

De un modo u otro, todo grupo que protesta tiene como propósito la interrupción de más experimentación imperfecta y la recuperación de políticas sensatas y sabias en el gobierno.

Mientras todavía nos quede algo por qué luchar, todos los grupos y sociedades públicas se deberían unir para detener la tiranía y la opresión que amenazan con engullirnos y destruir para siempre la sociedad de la que dependemos.

Occidente alcanzó la grandeza bajo el estandarte de la libertad. Pero todas las libertades se marchitan gradualmente cuando la gente no está alerta.

La rebelión *no* es la respuesta. Sólo un asesoramiento firme y unido al gobierno por parte de los grupos que defienden nuestra cultura y nuestra libertad, puede prestarnos ayuda a todos. Ronald

"Occidente alcanzó la grandeza bajo el estandarte de la libertad. Pero todas las libertades se marchitan gradualmente cuando la gente no está alerta".

Al describir al presidente Richard Nixon en este ensayo de junio de 1969 como "alguien que escupía sobre la Declaración de Derechos", LRH en verdad representó una voz sin temor. Como la historia lo muestra, tenía además toda la razón del mundo. Porque además de los excesos antes mencionados en relación con la Constitución de Estados Unidos y la Declaración de Derechos, Nixon fue finalmente declarado cómplice de al menos lo siguiente: intervención ilegal de las líneas telefónicas de los oponentes políticos, allanamiento de oficinas privadas, malversación de fondos de campañas, uso indebido de organismos gubernamentales para fines personales, y lo que equivalía a chantajear a sus enemigos. Aunque el siguiente presidente (y ex vicepresidente de Nixon), Gerald Ford, al final le concedió el perdón por los crímenes cometidos en el cargo, muchas personas del equipo directivo de Nixon finalmente cumplieron condenas en una penitenciaría federal.

GOBIERNO ANTICONSTITUCIONAL

de L. RONALD HUBBARD

LA EXISTENCIA DE UNA Constitución no garantiza al pueblo un Gobierno Constitucional.

Escritas o no, las Constituciones generalmente establecen la forma de gobierno y le garantizan al pueblo ciertos derechos.

Por lo general, los gobiernos las formulan y las señalan como evidencia de su liberalidad. A menudo, para ganar el apoyo popular, les añaden declaraciones de derechos muy valiosas que garantizan la libertad individual, un juicio con jurado, la confrontación con los acusadores, la libertad de religión y de expresión y otros elementos deseables.

Pero el producto final es un "fraude" de gran alcance.

Se descubre que los miembros del gobierno elegidos y nombrados, y sus empleados, están todos "por encima de la ley". *Ellos* no están obligados en modo alguno a actuar según la Constitución o según una Declaración de Derechos.

Los departamentos y oficinas del gobierno actúan de manera habitual sin ningún respeto por la Constitución.

En EE.UU. el tribunal supremo está para revocar la anticonstitucionalidad del gobierno. Pero uno rara vez llega a él con un caso, a menos que tenga decenas de miles de dólares para costos legales; e incluso cuando uno gana una sentencia del tribunal supremo, el empleado u oficina gubernamental cuyas acciones anticonstitucionales causaron el problema en un principio quedan sin ser castigados ni reprendidos.

Casi todos los problemas de un país se deben a que el gobierno, por medio de sus empleados, está actuando de un modo perfectamente anticonstitucional.

Esto provoca en la población una desconfianza en el gobierno existente y se desentiende de él.

Ya que los empleados del gobierno, elegidos o nombrados, no actúan en el marco de la Constitución, el público los considera farsantes o conquistadores e intrusos.

Surgen grupos revolucionarios. Cualquier enemigo extranjero encuentra seguidores. El público protege a los criminales. Nadie se acerca a la policía. Y el producto final es, en el mejor de los casos, una rebelión y, en el peor, la muerte de una civilización.

En una democracia se supone que el "servidor público" gubernamental actúa con el pueblo, para el pueblo y por el pueblo. Pero el público ve en él a alguien extrañamente exento de la ley y a un servidor exclusivo de grupos de interés especial.

La imagen de un gobierno que habla sobre la Constitución pero actúa como una casta de superhombres, mina el patriotismo pues desafía la credibilidad. El público reacciona frente a esta falsedad con resistencia manifiesta. Cada vez se necesita más fuerza para controlar a la población, y finalmente hay una rebelión o la nación se degenera y muere.

Como el público no puede golpear al individuo del gobierno que está actuando de manera anticonstitucional, golpea a todo el gobierno. Ningún gobierno puede permitirse tener ni siquiera un empleado tirano, y mucho menos un comportamiento inconstitucional en todos sus departamentos.

En Estados Unidos, el pueblo muestra gran afecto a las libertades constitucionales prometidas por los Padres Fundadores.

Sin embargo, el gobierno actual, en todos sus departamentos ejecutivos, escupe mil veces al día sobre la Declaración de Derechos. Y las órdenes ejecutivas la desafían constantemente. Estos departamentos están en guerra activa contra la religión, la libertad de expresión y los procedimientos legales ordinarios, a tal grado que el cumplimiento de la Declaración de Derechos es una excepción notable a su conducta normal.

Los tribunales no aceptarán acusaciones ni citaciones contra estos "servidores públicos"; no se les puede demandar. No hay crimen que no puedan cometer con total impunidad personal. Y ellos controlan las bayonetas y toda la fuerza del estado, y la usan para su beneficio y el de sus amigos.

Al reunir historias de casos de conducta anticonstitucional por parte de estos organismos, uno se abruma con la cantidad de casos y siente que no sirve de nada siquiera comenzar a hacer una lista de los mismos.

Son tan flagrantes los abusos de poder y las violaciones de los derechos a nivel de estado y de provincia, que ciertamente pocas voces se atreven a alzarse en protesta.

Las leyes nacionales, del estado, de la provincia y municipales, cotejadas con la Constitución, presentan un espectáculo de estudiado desafío. La detención ilegal de personas y el embargo ilegal de propiedades, la detención sin juicio, constituyen la rutina normal de los funcionarios.

Sin embargo se extrañan de que el público no los apoye activamente, sino que tienda a alejarse asustado.

Cuando una población se enfrenta a funcionarios que no siguen la Constitución, entra en un estado de inseguridad. Cuando la inseguridad es lo bastante grande, se unen a cualquier fuerza revolucionaria. Cuando se les oprime con más opresión, se rebelan.

La respuesta usual de uno de estos gobiernos es dar limosnas en un esfuerzo por comprar apoyo. No funciona.

El intentar eliminar a todos los líderes o a la gente activa de una población a base de alguna alianza atroz con la psiquiatría, no sólo no funciona, sino que acelera la caída del estado pues implica, como lo hace, violaciones de derechos todavía más flagrantes.

Tantos imperios y naciones han seguido este camino (Roma, Francia, la Rusia zarista, Alemania, Polonia, Hungría, Checoslovaquia, etc., etc., etc., etc.), y tantos van tropezando furiosamente por la misma senda, que es asombroso que los hombres que están en el gobierno no hayan reconocido su problema.

"Cuando una población se enfrenta a funcionarios que no siguen la Constitución, entra en un estado de inseguridad. Cuando la inseguridad es lo bastante grande, se unen a cualquier fuerza revolucionaria. Cuando se les oprime con más opresión, se rebelan. La respuesta usual de uno de estos gobiernos es dar limosnas en un esfuerzo por comprar apoyo. No funciona".

LA GRAN MAYORÍA DE LOS EMPLEADOS DEL GOBIERNO SON GENTE HONESTA Y DECENTE, PERO SE VEN OBLIGADOS A ACTUAR DE FORMA ANTICONSTITUCIONAL, A MENUDO CONTRA SU VOLUNTAD, POR ALGUNOS DE SUS LÍDERES O POR SUS COMPAÑEROS DE TRABAJO QUE SE MOFAN DE LAS REGLAS DE LA DECENCIA EN NOMBRE DEL ESTADO.

Quizás el sabor de la tiranía sea tan delicioso y el sadismo del despotismo entrañe una adicción tal, que incluso sabiendo que sus vidas dependían completamente de adherirse y actuar de acuerdo a sus Constituciones y a sus Declaraciones de Derechos, aun así no podrían renunciar a ello.

Tal vez el drogadicto sepa que su vicio lo está matando. Sin embargo, no puede acabar con él. Posiblemente esto sea lo que ocurre con la burocracia anticonstitucional.

Los hombres se vuelven bastante locos con el poder. Y los locos cometen suicidio fácilmente. De hecho nunca hacen ninguna otra cosa.

Uno se pregunta con bastante tristeza por qué estos tipos insisten en cometer suicidio a tal precio.

Pero la democracia, las repúblicas, incluso las monarquías, continuarán decayendo y muriendo (y matándonos al resto de nosotros) hasta que se obligue al funcionario del gobierno a actuar en todos sus actos dentro del marco de la Constitución y de todas las garantías de los derechos del individuo.

No se puede perpetuar la monstruosa falsedad de una Constitución y una Declaración de Derechos que garantizan la seguridad y la libertad, cuando la clase más poderosa del país está por encima de la ley y no está sujeta a ella en modo alguno. Ronald

CONSTITUCIONES

de L. RONALD HUBBARD

UNA CONSTITUCIÓN ES UN instrumento que establece o modifica un gobierno.

La mayoría de las Constituciones nacionales están escritas, pero algunas están parcialmente escritas y parcialmente sobreentendidas. Algunas de las primeras Constituciones griegas no estaban escritas.

Casi todas las Constituciones modernas están incompletas, y sólo la Constitución de la República de Irlanda es obligatoria para sus líderes y empleados del gobierno, así como para al pueblo. En todos los demás estados, los políticos y empleados están "por encima de la ley", lo cual, por supuesto, resulta en una anulación total de la Constitución, ya que la gente que dirige el estado no está obligada por el instrumento que instituye al estado, haciendo de sus Constituciones una especie de "constitu-estafas". La discrepancia entre la Constitución y la conducta real del gobierno es una causa primaria de la rebelión.

Idealmente, una Constitución estaría compuesta de cuatro temas o partes:

A. El Propósito del Estado.
B. La Composición del Gobierno.
C. Los Derechos de los Ciudadanos.
D. Los Códigos Penales.

Al aplicar una Constitución la concentración está en hacerla atractiva. Quienes la fomentan tienen principalmente y ante todo el problema de persuadir a la población a aceptar un instrumento de gobierno.

Como muchas promesas políticas, el esfuerzo de persuadir no es del todo sincero. Por lo tanto, una o más de las partes esenciales de la Constitución se omiten y "los hombres que más saben" las añaden más tarde como "leyes".

Por ejemplo, no fue la intención de los Padres Fundadores de Estados Unidos tener otra cosa que una república, mientras que indicaron entonces y a partir de entonces, que habían fundado una "democracia". Una república es un gobierno donde la "mejor gente" representa al pueblo y actúa por "el bien del pueblo".

Una vez elegido, un "Representante del Pueblo" va por su propio camino siguiendo muy a menudo las órdenes de los grupos con intereses especiales que financiaron su carrera. Una democracia es el gobierno por parte del pueblo directamente, algo que se vio en Francia en épocas recientes, donde no se tomaba ninguna decisión importante sin un referéndum popular.

Los políticos parecen tener un problema recurrente sobre cómo aparentar que garantizan la libertad mientras se reservan, de hecho, el derecho al despotismo. Vemos esto en cualquier Constitución que omite una de las partes esenciales de una Constitución, o después se despreocupa de ella, mientras se la ofrece al pueblo.

La Constitución original de Estados Unidos omitió tanto la Declaración de Derechos del ciudadano como el Código Penal. Pocos años después de su adopción, la Rebelión de Shays y otra conmoción pública obligaron a Estados Unidos a añadir rápidamente una Declaración de Derechos que ahora se conoce como las diez primeras enmiendas.

No obstante, posteriormente los políticos se desentendieron de la parte A, diciendo: "el Prefacio no tiene fuerza legal", despojando así al estado de su propósito, condenándolo de ahí en adelante a divagaciones estériles en la política y estableciendo una nueva vía para la tiranía.

Las Constituciones de los estados australianos se ignoran desvergonzadamente en su totalidad, omitiendo así de inmediato todas las partes de una Constitución por negligencia flagrante. Estas Constituciones eran ejemplos puros de meras estratagemas de relaciones públicas sin otro significado.

A la reciente Constitución griega no sólo le faltan sus partes esenciales, sino que mientras aún revoloteaba en los carteles el referéndum que la adoptó, el gobierno la violó en su totalidad a pesar de su aceptación por el pueblo. Este es uno de los ejemplos más puros de estratagemas de relaciones públicas de los que haya constancia.

Cuando un pueblo ha aceptado una Constitución, ha renunciado a los derechos a actuar de otra forma. Por lo tanto, se puede achacar un despotismo intencional a una Constitución que omite partes esenciales o que delega su establecimiento a unos cuantos privilegiados.

Por lo general, los cambios en la Constitución se llevan a cabo con vistas a una mayor limitación de la libertad, y normalmente van acompañados de desastre.

El cambio que se hizo en 1905 a la Constitución de Estados Unidos, que anuló la cláusula que prohibía el "impuesto individual para el sufragio", abrió la puerta a la espantosa pesadilla de un sistema de impuestos sobre la renta que dirige sus propios tribunales y condena a cualquier ciudadano sin tener en cuenta la Declaración de Derechos.

La infame Acta de Prohibición, que prohibía el licor, comenzó la tendencia del crimen financiado y aceleró la decadencia de un país que ya estaba muriendo debido al cambio relacionado con el impuesto individual. Al final, la prohibición se retiró de la Constitución, pero no hasta que el crimen estuvo bien financiado.

Una Constitución que omite cualquiera de sus cuatro partes esenciales es una invitación a la tiranía, ya que esas partes que faltan serán proporcionadas por legisladores y cambiadas continuamente.

Una Constitución que no contiene cláusulas para hacer que el individuo público pueda presentar una acusación cuando la violan los miembros individuales del gobierno, ya sea que estén en ese puesto por elección, nombramiento o empleo, no merece el esfuerzo de imprimirla, ya que se convertirá en un foco de rebelión, pues fomenta en el público la creencia de que su gobierno no es su gobierno sino otra cosa.

Una Constitución es buena sólo si presta la atención debida y razonable a todo lo anterior. De lo contrario es algo malo y una invitación a una trampa en la que toda la población puede resultar oprimida.

"La infame Acta de Prohibición, que prohibía el licor, comenzó la tendencia del crimen financiado y aceleró la decadencia de un país que ya estaba muriendo debido al cambio relacionado con el impuesto individual. Al final, la prohibición se retiró de la Constitución, pero no hasta que el crimen estuvo bien financiado".

LA EVOLUCIÓN DEL TOTALITARISMO

de L. RONALD HUBBARD

TOTALITARISMO SE DEFINE COMO un "régimen político basado en la subordinación del individuo al estado, y en el control estricto de todos los aspectos de la vida y la capacidad productiva de la nación, especialmente mediante medidas opresivas (como la censura y el terrorismo)".

El mundo lo ha visto en la crudeza despiadada de muchos déspotas del pasado y en la Alemania de Hitler y la Rusia de Stalin en tiempos modernos.

Como el totalitarismo es, sin duda alguna, la forma de gobierno más detestada y de la que más cuesta liberarse, deberíamos tener en cuenta cómo evoluciona el totalitarismo.

La vida política de una nación se divide básicamente en dos tipos de grupos.

Primero está el GRUPO DE INTERÉS GENERAL. Este es un grupo amplio y abierto, como un partido político o una asociación de profesores o una iglesia. Lo que los distingue como grupo de interés general es el hecho de que ellos representan lo que dicen que representan y hacen lo que dicen que hacen. Tienen creencias, luchan por ahí, pero son abiertos y su influencia es directa y visible.

Luego hay otro tipo de grupo. Se le puede llamar GRUPO DE INTERÉS ESPECIAL. También se le podría llamar grupo de interés "oculto". Se caracteriza por tener una idea fija, pero fomentar otra cosa. Están compuestos de fanáticos que trabajan excluyendo cualquier otro interés, así como para excluir el bienestar de aquellos que no están "alineados" con la idea fija de ese grupo.

Generalmente se desconfía de estos grupos de interés especial puesto que no expresan sus intenciones reales y hacen que se acepte su idea fija tras una fachada de propaganda y acciones a menudo ingeniosas.

El ciudadano que de repente ve que el senador Regüéldez era de hecho una "pantalla" para los intereses del petróleo o que el ministro Rebuznes en realidad estaba tratando de incrementar los beneficios de la industria del armamento, normalmente queda consternado como un ciudadano bueno y confiado cuando "todo sale a la luz".

Las ideas fijas se encuentran normalmente enterradas en la mente, y una persona, por lo común, no es consciente de lo que subyace a sus aversiones y prejuicios. De manera similar, en las grandes masas de la sociedad, un "grupo de intereses especiales" está oculto a la vista: sólo se ven sus estratagemas y su "información" falsificada, y a la sociedad le corresponde creerlas, rechazarlas o no prestarles atención.

La sospecha de que los grupos de interés especial guían al gobierno más y más, y que los grupos de interés general como los partidos políticos o una intención social promocionada, lo determinan menos, se ha convertido en los tiempos modernos en un aspecto práctico de ser ciudadanos. Cuando las naciones parecen no estar guiadas con buen sentido común, el ciudadano comienza a sospechar que debe haber "intereses especiales" bajo la política del gobierno. A menudo tiene tanta razón, que el cinismo ha desplazado al patriotismo en la mayoría de las naciones de occidente, y leemos que los días del idealismo han muerto.

En realidad, se estima que sólo cerca del 8% de la población está "alineada" con grupos de interés especial de un tipo u otro, incluso en momentos de tensión nacional. Un 92% de la población, incluso en países donde hay insurrección o rebelión, no está "alineado" con ellos en lo más mínimo. Otras estimaciones sociales y políticas muestran un "alineamiento" aún más pequeño.

Por lo tanto, ya sea que uno esté hablando de un interés oculto o encubierto en públicos especializados, en el petróleo o en los ferrocarriles, uno se refiere a grupos de interés especial que forman una minoría muy pequeña en la población tanto en tiempos de paz como en tiempos de guerra. La vasta mayoría de la gente queda envuelta en las ingeniosas declaraciones, maniobras y "decisiones inevitables" de un número muy reducido de personas.

"La opinión pública", como la expresa un grupo de interés especial, rara vez es real. El grupo de interés especial alega tener "la opinión pública" y usa esta declaración de varias formas para manipular y someter la voluntad de sus oponentes, el tesoro o los libros de leyes.

La democracia tiende a ser conveniente para los grupos de interés especial de diversas maneras, la más notable de las cuales es la necesidad de un candidato de tener dinero para la campaña con el fin de resultar elegido. Algunos de estos candidatos para cargos democráticos no podrían lanzar su candidatura en lo más mínimo sin la influencia o los fondos suministrados por los grupos de interés especial.

Por eso, los grupos de interés especial pueden comprar una voz para que impulse sus intereses especiales, ya que el político, sin importar lo honesto que sea, ahora encuentra que se supone que debe expresar ciertas opiniones, adoptar ciertas medidas y desafiar a los oponentes del grupo de interés especial que le proporcionó la influencia y el efectivo para ganar su elección o nombramiento.

Por eso, una democracia, a medida que se deteriora al pasar a manos de intereses especiales, tiende a no ser del pueblo, por el pueblo y para el pueblo (que representa más del 92%), sino que se vuelve un gobierno de, por y para los grupos de interés especial (los cuales representan menos del 8% de la población total).

Incluso el político honesto, que no está consciente de que uno de sus colegas está difundiendo información falsa y ejerciendo presión desde una fuente oculta, puede estar a merced del grupo de interés especial.

A menudo, tales grupos controlan encubiertamente a cierta prensa. También se infiltran en grupos de interés general e impulsan cierta versión de su idea fija disfrazada como parte de un grupo de interés general que hasta entonces era honesto.

Por ejemplo, Hearst, el magnate de la prensa, usó sus periódicos para desarrollar la "Amenaza Amarilla" (que llevó a la guerra de 1941). Pero ahora se sabe que lo que le preocupaba no era sólo el "malvado japonés" sino en la amenaza que la inmigración abierta de estos expertos peritos agrónomos representaba para sus propios intereses en los sistemas de riego, las cosechas y las tierras de cultivo. Él era parte de un grupo de adinerados terratenientes cuyos intereses especiales ocultos eran sus propias posesiones, pero hablaban de patriotismo, autosacrificio, pureza racial, nacionalismo y gloria, simplemente para engordar su propio bolsillo. Los Hearst del mundo destrozaron, en buena medida, una era de civilización. No les importó en absoluto cuántos hombres murieron creyendo en el clamoreo superficial. La siguiente generación se dio cuenta de este juego, y el patriotismo, el idealismo y otros valores murieron porque habían sido corrompidos para servir a los fines egoístas y ocultos de este grupo de interés especial.

"Cuando las naciones parecen no estar guiadas con buen sentido común, el ciudadano comienza a sospechar que debe haber 'intereses especiales' bajo la política del gobierno".

De vez en cuando en la historia, pequeños grupos de ideas fijas se han aliado lo suficiente para penetrar en la vida política, económica y social de la nación, y aprovechándose de algunos desastres generales, han emergido repentinamente como la fuerza triunfante.

Sus verdaderos objetivos se mantuvieron encubiertos hasta el último momento, y de repente la población se encontró oprimida por hombres con intereses especiales que ocupaban todos los puestos clave y todas las fuerzas del poder.

La libertad se desvanece. Repentinamente, la vida política se solidifica y se convierte en una idea fija. La coacción y el terrorismo aplastan toda oposición.

Incluso aquellos que ayudaron en el derrocamiento, pero cuyos propios intereses especiales ahora no son necesarios, son aplastados con el resto de la población.

Ha nacido un totalitarismo.

La historia está sembrada de las ruinas que siguen a las actividades de los grupos de interés especial. Incluso Atenas perdió su libertad y su gloria debido a las operaciones internas ocultas del "Partido Macedonio", el cual, en su propio senado, socavó encubiertamente la democracia ateniense para servir a sus propios fines privados. Sobornados por Filipo de Macedonia, estos hombres traicionaron a toda Grecia y crearon un totalitarismo del que Grecia nunca se recuperó plenamente.

En nuestro propio siglo, Hitler, trabajando encubiertamente, reclutando al principio incluso a los mismos judíos, cuyas industrias y periódicos necesitaba, prometiendo cualquier cosa excepto aquello que realmente iba a entregar, emergió de repente en 1933 con todas las organizaciones y puestos importantes cubiertos.

Ya conocemos el resto de ese siniestro totalitarismo.

Siempre que una nación es golpeada por algún desastre, un grupo de interés especial puede ver su oportunidad. Y no hay una nación en la que no existan este tipo de grupos.

Estando locos como están, la mayoría de los grupos de interés especial rara vez tienen éxito al instituir un totalitarismo. No logran infiltrarse en suficientes altas esferas, en suficientes grupos de interés general. O fallan internamente. Cuando sucede el desastre que tan ansiosamente esperan, lo intentan. Que no siempre tengan éxito no los hace menos peligrosos.

La prueba clave de lo que es un grupo de interés especial es: "¿Hacen y tratan de hacer lo que tanto ellos como sus portavoces dicen que están tratando de hacer?". Si es así, son simplemente un grupo de interés general.

Si un grupo tiene una serie de propósitos que se han promocionado, pero está generado por ambiciones secretas y ocultas, es un grupo de interés especial.

"De vez en cuando en la historia, pequeños grupos de ideas fijas se han aliado lo suficiente para penetrar en la vida política, económica y social de la nación, y aprovechándose de algunos desastres generales, han emergido repentinamente como la fuerza triunfante. Sus verdaderos objetivos se mantuvieron encubiertos hasta el último momento, y de repente la población se encontró oprimida por hombres con intereses especiales que ocupaban todos los puestos clave y todas las fuerzas del poder".

Con toda justicia, el público aborrece y teme a un grupo de interés especial. Desafortunadamente muchos propagandistas de interés especial tratan de atribuir intereses ocultos a algún inocente grupo general que no los tiene: es un truco común de propaganda.

La prueba final es la documentación real del interés especial oculto.

A veces la prueba nunca aparece, pero sí las intenciones reales del grupo, lo que denota un fallo singular por parte de las fuerzas de seguridad.

Tal surgimiento no es siempre de naturaleza política, como en el caso de la absorción bancaria de 1932 en Estados Unidos, en la que los bancos de una gran cadena usaron políticos pantalla para aplastar a todos los bancos privados y apropiarse de los fondos de una nación. Desde entonces, hay países que están y han estado en una condición de esclavitud económica. Fue un surgimiento tan repentino y tan bien "explicado" que los economistas tardaron un cuarto de siglo en empezar a darse cuenta de que fue una revolución total en la economía y las finanzas, y de que se había formado un nuevo "totalitarismo" bancario, donde ningún banco independiente podía alzar la voz con éxito. Ahora todas las naciones de Occidente están totalmente dominadas por un solo grupo. Y dirigen las cosas lo bastante mal (a causa de la inflación y la política autoritaria) como para que una gran mayoría esté convencida, a nivel privado, de que estos tipos tienen algo más en mente. La gente está preocupada. Tal vez con razón o tal vez sin razón. Pero este grupo ahora alcanza el bolsillo de cada persona en las naciones occidentales, directa, definitiva y despiadadamente.

El totalitarismo de Stalin es un ejemplo de un grupo de interés especial dentro de un grupo de interés especial. Ese surgimiento aún está repercutiendo.

Los grupos psiquiátricos pantalla son, por documentación, grupos de interés especial. Hablan continuamente al público acerca de salud mental. Pero en cada reunión, en las publicaciones de su círculo privado, hablan y escuchan acerca de la erradicación de todas las fronteras, la destrucción de todas las Constituciones y otros temas políticos, lo cual sólo significa una ambición de dominar al mundo. Su infiltración en la política y en las organizaciones es muy sospechosa si se considera que no son más que un montón de loqueros. Su interés en que sea fácil apresar a las personas y su conducta en los centros mentales están en total discrepancia con su fachada pública de "salud mental".

Han demostrado claramente que pueden conseguir que cualquier proyecto de ley se apruebe en la mayoría de las cámaras legislativas. Están muy cerca de personajes políticos importantes. Dominan el pensamiento de las fuerzas armadas.

Son gente interesante. Mentalmente actúan de forma tan loca como cualquier totalitarista que jamás haya sido engendrado.

Incluso en el manual de defensa civil de Estados Unidos, en caso de desastre nacional, la labor asignada a estos tipos es "aprehender a cualquiera que trate de hacer algo al respecto".*

La gente en el campo de la mente que realmente está en este campo normalmente habla de *casos*. Te acercas a los auditores de Scientology y oyes hablar de *casos*. No oyes hablar de controlar a editores, políticos y militares. Esto es porque pertenecen a un grupo de interés general que hace lo que dice que hace: procesa y entrena a la gente acerca de la mente.

* *De hecho, se urdieron algunos planes en la comunidad de inteligencia americana en relación al arresto y la detención de ciudadanos problemáticos durante épocas de emergencia nacional. En concreto, y bajo el titular de Agencia de Dirección de Emergencia Federal, hubo planes para la construcción de centros de detención y para la acumulación de expedientes de los reclusos potenciales de aquellos centros. —Editor*

Pero el grupo pantalla de los psiquiatras *no* hace lo que dice que hace. No curan a nadie. Y bajo coacción histérica en la prensa, chillaron repetidamente afirmando que sus propósitos eran completamente incompatibles con los de Scientology. Así que, teniendo en cuenta que no dijeron cuáles eran sus propósitos, aun cuando los propósitos de Scientology son simplemente hacer que la gente esté bien, uno se sorprende un poco.

¿Por qué estos grupos pantalla de la psiquiatría no pueden anunciar en público sus propósitos? Lo sabrías si los leyeras. Y no creo que el público apreciara estos propósitos psiquiátricos. "Nosotros los psiquiatras estamos interesados en destruir las fronteras y hacer pedazos todas las Constituciones". Sonaría un poco raro si dijeran eso en público, ¿no lo crees? Así que sólo lo dicen en sus publicaciones privadas.

Su infiltración en la prensa y en la política es tan profunda, su influencia tan amplia, sus declaraciones públicas y sus actividades tan diferentes de lo que publican para ellos mismos, que cumplen sobradamente con los requisitos de un grupo de interés especial.

Y cuando examinas su sistema de coacción y terrorismo y sus incesantes esfuerzos políticos para expandirlo, tienes ante tus ojos un totalitarismo planeado. Y lo que es peor, incluso han abrazado a todos los defensores del totalitarismo, desde el Conde de Saint-Simon.

Por supuesto que es ridículo, ¿no? Claro que lo es. Pero, ¿recuerdas cómo se reía el mundo de Hitler al principio?

Y el *1984* de George Orwell se basa exclusivamente en lo que pasaría si los loqueros tomaran el mundo. Ronald

"Tal surgimiento no es siempre de naturaleza política, como en el caso de la absorción bancaria de 1932 en Estados Unidos, en la que los bancos de una gran cadena usaron políticos pantalla para aplastar a todos los bancos privados y apropiarse de los fondos de una nación. Desde entonces, hay países que están y han estado en una condición de esclavitud económica. Fue un surgimiento tan repentino y tan bien 'explicado' que los economistas tardaron un cuarto de siglo en empezar a darse cuenta de que fue una revolución total en la economía y las finanzas, de que se había formado un nuevo 'totalitarismo' bancario, donde ningún banco independiente podía alzar la voz con éxito".

CAPÍTULO DOS

Sobre la Justicia y la JURISPRUDENCIA

Sobre la Justicia y la Jurisprudencia

Al tratar el estado de la justicia en Occidente en 1969, L. Ronald Hubbard avanza una vez más hacia un terreno histórico sumamente significativo. Por ejemplo, el entonces Fiscal General de Estados Unidos (y por tanto, jefe del Departamento de Justicia de los Estados Unidos) era ni más ni menos que un cómplice del Watergate: John N. Mitchell.

Entre otras actividades flagrantemente injustas conducidas en nombre de quien lo nombró, Richard Nixon, se encontraban las conversaciones secretas de Mitchell con la International Telephone & Telegraph (Teléfonos y Telégrafos Internacional), conocida normalmente como ITT. En breve y de manera muy franca: a cambio de una contribución de ITT de una cifra de seis dígitos para la campaña presidencial de Nixon, Mitchell convenientemente desmontó un bloqueo que el Departamento de Justicia ejercía en relación con una adquisición corporativa de la ITT. Una vez más, Mitchell ocupó el cargo de Coordinador de Tácticas de la Ley y el Orden, lo que incluía dirigir las Guardias Nacionales, armadas con porras, encargadas de impedir disturbios, para dispersar manifestaciones antibelicistas, recomendar la intervención ilegal de las líneas telefónicas de disidentes políticos sospechosos, y muchas otras cosas relacionadas con lo que se describió como "el derecho del gobierno... para pisotear el derecho a la intimidad de los individuos".

Pertinente a las observaciones de LRH sobre los lazos entre la psiquiatría y la justicia desatinada, los lectores deberían notar que efectivamente comenzó una intrusión psiquiátrica en el sistema judicial de occidente, con gente como los doctores Winfred Overholser y Zigmond Lebensohn: ambos antiguos enemigos de Dianética y Scientology y que durante mucho tiempo apoyaron una mayor presencia psiquiátrica dentro del proceso de gobierno. Es decir, mientras Overhorsel ejercía presión para que se aceptara la explicación psiquiátrica de que la criminalidad procedía de un "impulso irresistible", Lebensohn escribía artículos elogiando la "Relación Simbiótica entre la Psiquiatría Soviética y las Leyes Soviéticas", donde los transgresores eran comúnmente entregados a los psiquiatras para recibir tratamiento. Ese tratamiento soviético que

El autor, filósofo y caballero estadounidense en Saint Hill Manor, East Grinstead, Inglaterra, 1960

frecuentemente implicaba las peores formas de cirugía psiquiátrica y de medicación con camisas de fuerza, no figuraba, por supuesto, en los argumentos de Lebensohn.

Finalmente, ninguna discusión de la justicia estadounidense de alrededor de 1969 está completa sin hacer mención de ese arquetipo de los "Hombres-G", J. Edgar Hoover. Como lo sugiere LRH, y una vez más lo escribe antes de que se revelara al público y mucho antes de que se revelara a la crítica posterior contra Hoover, él finalmente demostró estar entre las figuras más siniestras de la historia de Estados Unidos. Además de los treinta y tantos años de chantaje político (de hecho, recopiló expedientes que incriminaban a presidentes de Estados Unidos), de forma regular instruyó agentes para que violaran las leyes de la nación. Por citar otro ejemplo pertinente, y que ni siquiera se descubrió hasta la década de 1990: bajo un programa de Hoover conocido como COMINFIL (de *Infil*tración *Com*unista), agentes del FBI dirigieron las infiltraciones y la estrecha vigilancia continua de varios cientos de organizaciones civiles y religiosas de Estados Unidos, incluyendo definitivamente a Dianética y Scientology. En esencia, la estratagema se conducía de la siguiente forma: primero, y por lo general de manera encubierta, un agente informaba a la organización que era el blanco, que ciertos miembros cuyo nombre no se mencionaba probablemente eran infiltrados comunistas. Entonces, cuando los líderes de esa organización lógicamente solicitaban ayuda para deshacerse de esos supuestos comunistas, el FBI solicitaba, con la misma lógica, listas de los afiliados y vía libre para hacer una investigación concienzuda. Asimismo, gradualmente, el FBI fue acumulando con éxito archivos sobre prácticamente cada ciudadano que Hoover había considerado "antiamericano", lo que en esencia quería decir cualquiera que tendiera a oponerse a lo que Hoover personificaba como un verdadero poder fascista. De esta manera el FBI gradualmente logró destruir todas las organizaciones elegidas como blanco; excepto, por supuesto, Dianética y Scientology.

Que se sepa ahora que el propio Hoover tenía inclinaciones secretas a vestirse con ropa de mujer (medias de nylon y todo) era completamente otro asunto. ■

Monumento a Jefferson, Washington, D.C., en 1958; fotografía de L. Ronald Hubbard

HE MIND
MAN
I AM NOT AN ADVOCATE FOR FREQUENT
CHANGES IN LAWS AND CONSTITUTIONS,
BUT LAWS AND INSTITUTIONS MUST GO
HAND IN HAND WITH THE PROGRESS
OF THE HUMAN MIND. AS THAT BECOMES
MORE DEVELOPED, MORE ENLIGHTENED,
AS NEW DISCOVERIES ARE MADE, NEW
TRUTHS DISCOVERED AND MANNERS AND
OPINIONS CHANGE, WITH THE CHANGE
OF CIRCUMSTANCES, INSTITUTIONS
MUST ADVANCE ALSO TO KEEP PACE
WITH THE TIMES. WE MIGHT AS WELL
REQUIRE A MAN TO WEAR STILL THE
COAT WHICH FITTED HIM WHEN A BOY
AS CIVILIZED SOCIETY TO REMAIN
EVER UNDER THE REGIMEN OF THEIR
BARBAROUS ANCESTORS.

JUSTICIA RÁPIDA

de L. RONALD HUBBARD

ES OBVIO QUE LAS acusaciones falsas y el no confrontar directamente a una persona con sus acusadores causa que la estructura social de una nación se hunda hasta un punto en que cualquier insurrecto interno o nación extranjera con una causa que reúna muchos adeptos pueden derrocarla. Esto ha ocurrido en un país tras otro durante este siglo, e incluye la mayor parte del territorio del planeta. En efecto, las falsas acusaciones ocultas, la corrupción y las injusticias de la Rusia zarista dieron origen a nuestros actuales problemas internacionales con su exitosa revuelta bolchevique en 1917.

Este nuevo dato, tomado de la filosofía de Scientology, nos da una forma rápida de rehabilitar a occidente antes de que también se vaya a pique.

Normalmente, el proponer tales reformas conlleva una ardua administración o grandes cambios.

Hay una forma muy simple de proporcionar una justicia rápida y económica para toda la población.

Todo lo que se necesita es NOMBRAR COMO JUEZ A CADA ABOGADO TITULADO DEL PAÍS.

Deja a todos los jueces existentes tal y como están, pero haz que se ocupen solamente de los casos de apelación.

Clasifica a los abogados y jueces según una escala convenida con las asociaciones y colegios de abogados.

No impidas que los abogados se presenten como tales en otros tribunales que no sean los suyos propios.

Haz que el castigo por acusación falsa, sea o no bajo juramento, sea proporcional a la cantidad de daño que se habría causado si la falsa acusación hubiera logrado que se disciplinara o castigara injustamente a alguien.

Abroga todas las leyes de internamiento por demencia y sustitúyelas por el código penal ordinario. Deja de involucrar a la jurisprudencia con la destreza en el campo de la mente.

Procesa como delitos criminales, que ya lo son, a todos y cada uno de los daños físicos causados con tratamientos de choque o cirugía cerebral.

Aprueba la legislación que requiera que todo acusado sea confrontado por sus acusadores.

Impide el embargo de propiedades por los psiquiatras, el estado o un "tutor", debido a procesos jurídicos.

Protege a la gente y a los grupos de ataques falaces y vejatorios (que humillan o maltratan).

Erradica todas las categorías de "privilegios especiales" en que a los altos cargos oficiales y a otros no se les pueda demandar o disciplinar por abuso de poder.

Erradica y haz procesables todas y cada una de las formas de brutalidad policial.

Quita de los estatutos todas las leyes ideadas para "atrapar" a alguien por otros crímenes y fechorías que no sean aquellos de los que es sospechoso.

Aprueba legislaciones que impidan las leyes de extinción de derechos civiles con las que se pueda dañar a grupos o personas que no han cometido ningún delito.

Adhiérete al principio legislativo de que una persona es inocente hasta que se demuestre que es culpable más allá de toda duda razonable.

Lo que crea el crimen es la *falta* de una justicia pronta, rápida y económica.

Uno se toma la justicia por su mano sólo cuando esta no está disponible en ninguna otra parte.

Al hombre marcado por sus antecedentes como criminal, normalmente sólo le queda el crimen como modo de vida.

Esto no es una "Utopía" idealista planeada. Es simplemente la *aplicación* real de aquellos principios que alguna vez existieron, a menudo escritos, pero rara vez aplicados.

Y pocas veces he visto a un abogado que no supiera que podía solucionar el problema por sí solo si tan sólo se le permitiera hacerlo. Ronald

"Lo que crea el crimen es la falta de una justicia pronta, rápida y económica. Uno se toma la justicia por su mano sólo cuando esta no está disponible en ninguna otra parte".

JUSTICIA

de L. Ronald Hubbard

EL MAYOR FRACASO DE la democracia occidental es su hábito de basar las acciones legales, de forma negligente, en informes falsos.

Cualquiera puede decir cualquier cosa sobre cualquier persona y el poder policial y las salas de justicia tienden a actuar basándose en informes tan falsos que hasta un niño podría darse cuenta de la mentira.

Esto fue lo más odioso de los NAZIS. Y esto caracteriza la "justicia" comunista.

En febrero de 1969,* aislé la acusación falsa, el informe falso y el no permitir que el acusado confronte a sus acusadores, como el fallo básico de la justicia. Esto mina la seguridad personal e involucra a todo el sistema judicial en procedimientos interminables e innecesarios.

Estos factores de por sí ocasionan que gente inocente esté sujeta a los ataques de la prensa, a los procedimientos judiciales, a gastos sin fin y a vidas arruinadas.

Mientras los informes falsos se publiquen, se acepten y se actúe basándose en ellos, grupos de presión corruptos, como el de los psiquiatras, pueden desbaratar a cualquier posible rival o hacer añicos la estructura social de una nación.

Este abuso es tan flagrante que destruye para todos y cada uno, el valor de la causa de la democracia.

Cuando la justicia llega a ser lenta, cuando llega a ser cara y cuando se permite que los informes falsos sobre la gente y sobre los grupos se dejen pasar sin desafío ni castigo, cualquier ideología se convierte en una tiranía.

Tan importantes son estos factores en la destrucción de la lealtad y en la creación de revolucionarios, que ningún gobierno que los permita puede estar seguro.

Este es, de hecho, un nuevo descubrimiento filosófico en el campo de la jurisprudencia. La enorme importancia del informe falso para destruir la estructura social de una nación y de su causa, no se ha comprendido.

* *Véase la Carta de Política de la Oficina de Comunicaciones Hubbard del 24 de febrero de 1969, JUSTICIA. —Editor*

La causa de la mayor parte de los conflictos internos en un país son los individuos y los grupos que se defienden contra los informes falsos.

En un periodo en el que los gobiernos "intentan apoderarse de las mentes de los hombres", se tendrá que llevar a cabo una buena cantidad de reforma.

"Cuando la justicia llega a ser lenta, cuando llega a ser cara y cuando se permite que los informes falsos sobre la gente y sobre los grupos se dejen pasar sin desafío ni castigo, cualquier ideología se convierte en una tiranía".

Uno de los factores que amenazan los derechos humanos es el informe falso. Sin embargo, no existe un recurso práctico adecuado. ¿Juicios por libelo? Mejor olvidarlos. Cuestan más de lo que nadie pueda permitirse y lleva una eternidad intentar llevarlos a cabo, dejando al público con los informes falsos, aun cuando se gane el juicio.

Dado que los informes falsos hacen añicos la seguridad del individuo y del grupo reducido, estos tienen entonces que hacer valer sus derechos. Y lo hacen atacando.

Una nación que permite que se actúe en base a estos informes falsos, se encontrará al final abandonada por el pueblo y los grupos que la apoyan, atacada por las personas decentes, y al final será derrocada.

Para salvarse, una nación debe permitir una acción legal directa que sea rápida y que no sea costosa, de forma que un individuo o grupo pueda protegerse legalmente de los informes falsos.

Sólo si el mundo "libre" reforma sus derechos humanos, tendrá una causa por la que merezca la pena luchar, o a la que merezca la pena prestar apoyo. De otra forma su gente y sus grupos sociales la abandonarán a favor de cualquier otra causa sin siquiera examinarla demasiado.

Las virtudes del patriotismo, de la lealtad y de la profunda dedicación al gobierno, no han muerto por alguna extraña decadencia social. Han muerto porque la gente siente que el gobierno ya no la protege, e incluso la ataca, abriendo la puerta al secuestro psiquiátrico, a impuestos exorbitantes y a la inseguridad personal.

Por ejemplo, hace tiempo que los negros en Estados Unidos han estado diciendo que no lucharán a favor del gobierno. Esto no se debe a que los negros sean comunistas. Esto se debe a que cualquiera puede presentar un cargo contra ellos, sin importar lo falso que sea, hacer que el negro sea encarcelado, reciba una paliza y sea linchado. Y las autoridades se encogen de hombros comentando: "Sólo es un negro". No tenía una *consideración* igualitaria bajo la ley. Cualquier informe falso sin probar, podía hacer que lo arrestaran, que le dieran una paliza o que lo mataran. Por ello llegó a ser muy inseguro. Y ahora continuamente crea motines, saqueos, incendios e incluso está haciendo que se cierren las universidades. Todo porque se aceptó cualquier informe falso. Y le podían dar una paliza, o podían colgarlo, a la espera de una lenta y costosa justicia.

Esto no se limita a los negros de Estados Unidos. Esto ha ocurrido en relación con todos los grupos minoritarios estadounidenses y ocurre en los grupos de minorías religiosas y raciales en demasiados países. Por ello forman un núcleo de resistencia y de agitación social. Son nerviosos y están a la defensiva.

Por lo tanto, a medida que va empeorando la situación, muchos grupos sociales comienzan a reaccionar ante los informes falsos que se presentan en su contra, incapaces, una vez más, de obtener justicia con la suficiente prontitud para evitar un daño a su reputación.

Para entonces, es mejor que los funcionarios vayan buscando sus cuentas bancarias en el extranjero y huyan subrepticiamente. Ya que ese gobierno, aun cuando todavía siga funcionando, ya no es el gobierno de su pueblo. Es su enemigo. Su gente se unirá a cualquier movimiento revolucionario. Esa es la mecánica de la revolución.

La gente aguantará hasta lo indecible. Pero un día el patriotismo muere. Porque el gobierno ya no tiene una causa en que la mayoría crea o por la que luche.

Los principios de no aceptar informes falsos y carearse con sus acusadores y sus acusaciones *antes* de cualquier tipo de acción de castigo, son tan fuertes, que si el mundo occidental los aceptara y los practicara con precisión rigurosa, TENDRÍA UNA CAUSA SUFICIENTEMENTE GRANDE PARA SOBREVIVIR.

Podría entonces ser más causativo que el comunista.

Tal como está la situación, los gobiernos de Occidente tienen que COMPRAR y SOBORNAR a quienes los defienden a un costo tan desorbitante que los arruinará.

Nuestra postura es esta: Estamos bien dispuestos y somos amigos de los poderes del mundo occidental, estamos intentando que eleven su sentido de honor y de justicia antes de que las masas lleguen a esos poderes y los destrocen. Ronald

Con relación al dramático testimonio de lo que LRH aborda en su artículo "Motines" de 1969, los lectores podrían tener en mente el estallido de violencia de 1992 en Los Ángeles y las comunidades vecinas que siguió a la absolución de los policías implicados en la paliza, grabada en video, propinada al conductor de color, Rodney King. La clave es que habiendo aislado la razón que respalda a los derechos civiles, LRH había aislado la causa de todos los motines: sin importar el tiempo, el lugar o las circunstancias. Si Los Ángeles hubiera comprendido antes del episodio de Rodney King el ensayo "Motines", que Ronald escribió en 1969, Los Ángeles habría sabido con precisión qué esperar. Algo que lo demuestra es que, cuando se distribuyeron ampliamente copias del ensayo "Motines" entre los afligidos residentes de Los Ángeles, más de uno pensó que el artículo se había escrito específicamente con respecto al episodio de Rodney King en sí. Con respecto a esto, y una vez más, LRH no sólo estaba comentando acontecimientos perturbadores; estaba llegando a su causa fundamental.

MOTINES

de L. RONALD HUBBARD

La causa de los motines no siempre es la privación económica.

En Estados Unidos, la causa de la mayoría de los motines es la injusticia.

Sólo el acaudalado puede darse el lujo de la justicia. Se podría decir que debe haber justicia en la Constitución, pero sólo se puede obtener en los tribunales superiores.

El hombre de la calle no tiene cien mil dólares para luchar contra las acciones injustas de aquellos que están en el poder.

Hasta que haya justicia para el hombre de la calle, no sólo para el rico, habrá motines. Y estos motines pueden intensificarse fácilmente hasta llegar a convertirse por completo en una revolución sangrienta brutalmente cruel.

Un hombre de color puede estar parado inocentemente en la esquina de alguna calle. Lo podrían agarrar, golpear, encarcelar y ponerlo a hacer trabajos forzados, todo ello, basándose en algún cargo imaginario. Tal vez los libros de derecho digan que eso no se puede hacer, pero, ¿dónde están sus 100,000 dólares para poder llevar esto a un nivel suficientemente alto para tomar acción?

He visto a un profesor universitario filipino arrestado sin razón, con la mandíbula rota, detenido sin derecho a fianza, todo porque era un filipino en una comunidad blanca estadounidense (en Port Orchard, estado de Washington).

He visto cárceles llenas de hombres que ni siquiera podían decir cuál era el cargo real en su contra, pero trabajaban como perros diariamente en trabajos para convictos.

Como ministro, yendo entre la gente, he sido testigo de suficiente injusticia como para derrocar a un estado, sólo en espera de una chispa para hacer estallar la ira suprimida y tener una revolución.

Hasta que la justicia se aplique a todos, hasta que a una persona en verdad se le considere inocente mientras no se compruebe su culpabilidad, hasta que ya no cueste 100,000 dólares llegar a un tribunal superior, el gobierno está en riesgo.

Quizás sean muy grandes, quizás su sudor no tenga olor, su arrogancia podría colocarlos por encima de todos los demás, pero en la actualidad, los líderes de una nación que por un instante toleren la injusticia hacia sus ciudadanos más pobres, deberían preparar sus cabezas para la guillotina. Se está fraguando otro 1789, esperando sólo una gran chispa que se propague como un rayo a través del mundo occidental.

La injusticia no es algo con lo que cualquier hombre de poder debería tratar jamás. No es sólo un pecado. Es suicidio. Ronald

"El hombre de la calle no tiene cien mil dólares para luchar contra las acciones injustas de aquellos que están en el poder".

EL DEPARTAMENTO DE JUSTICIA CONTRA LOS ESTADOUNIDENSES

de L. Ronald Hubbard

Cada nación ha tenido funcionarios públicos de alto nivel que han sido desastrosos en un momento u otro. Rusia tuvo a Stalin; Alemania tuvo a Hitler; Inglaterra tuvo a Cromwell, y Estados Unidos tuvo a J. Edgar Hoover.

Mi primer contacto con J. Edgar empezó a comienzos de la década de 1930.

Habiendo hecho un tremendo embrollo de la Prohibición, que ya se había acabado, J. Edgar estaba muy necesitado de publicidad.

El Departamento de Justicia funcionaba según la teoría de que si se publicaban suficientes columnas, se podrían obtener suficientes fondos del Congreso para expandirse y convertirse en una fuerza policial nacional.

De acuerdo con esto, se pusieron en contacto con organizaciones de escritores y les ofrecieron entrenarlos en su escuela de "Hombres-G".

Varios escritores, bajo un pseudónimo u otro, fueron y dispararon con revólveres Magnum 357 contra siluetas móviles y examinaron maniquíes que acababan de ser "asesinados" para resolver el "crimen". Pero en general fueron para ser instruidos acerca de lo grande que era J. Edgar, lo invencibles que eran los "Hombres-G", y lo vital que era que el Departamento de Justicia dirigiera una fuerza nacional de policía y capturara a las personas que ellos designaran como enemigos públicos mediante un número: N.° 1, N.° 2, etc.

Cuando se le preguntó quién los había designado y en base a qué evidencias, J. Edgar dijo que lo habían hecho sus jefes, y en cuanto a las pruebas, que ese era un tema secundario. Decía que estos escritores deberían escribir historias acerca de los "Hombres-G" y que al Departamento de Justicia le complacería darles cualquier cosa que quisieran.

Bueno, funcionó. Incluso apareció una revista llamada *Hombres-G*.

Pero yo comencé a preguntarme acerca de J. Edgar, y sus jefes del Departamento de Justicia.

En la Segunda Guerra Mundial, el Departamento de Justicia tomó el mando de la contrainteligencia de EE.UU. y casi disolvió la Oficina de Inteligencia Naval y otros organismos.

Como oficial naval que fui, yo sólo tuve un par de contactos con ellos. Uno tuvo que ver con otro oficial que había perdido un teléfono de $7.50 dólares, y esto dio como resultado la pérdida de todo un barco. (No encontraron el teléfono). El otro tuvo que ver con el descubrimiento de una bomba de sodio en una caja de detonadores para torpedos. Una bomba de sodio absorbe agua del aire y explota cuando el barco está en el mar. Yo pedí que se desembarcara el cargamento y se rechazó mi petición. Dijeron que en realidad no era una bomba de sodio. Pero cuando les ofrecí lanzarla al agua, nunca habías visto a los Hombres-G dispersarse tan rápido.

"Cada nación ha tenido funcionarios públicos de alto nivel que han sido desastrosos en un momento u otro. Rusia tuvo a Stalin; Alemania tuvo a Hitler; Inglaterra tuvo a Cromwell, y Estados Unidos tuvo a J. Edgar Hoover".

En 1950 era bastante obvio que las iglesias estadounidenses estaban sufriendo infiltraciones: un hecho confirmado más tarde por un comité del Congreso.

Visité la oficina de J. Edgar, y poco después estaba hablando con el jefe de las operaciones anticomunistas. Y me dijeron tristemente: "No hay nada que se pueda hacer acerca de los comunistas".

Esto, viniendo *del* organismo de contrainteligencia de Estados Unidos, fue bastante interesante, especialmente cuando J. Edgar había declarado en 1919 lo peligroso que era el comunismo para Estados Unidos.

Esas cosas hicieron que me interesara en el Departamento de Justicia y en su estrella: J. Edgar Hoover.

Ahora esa época ya ha pasado y los archivos han comenzado a filtrar información que hasta ahora había estado bajo riguroso secreto, otras personas están poniendo este departamento al descubierto.

Pero en general, los crímenes del departamento que están apareciendo, aunque son lo bastante graves, no dan una idea de la profundidad de la infamia en la que se ha hundido este departamento.

Los índices de criminalidad han ascendido más y más y se han disparado, y Estados Unidos no ha prosperado.

Pero bajo todo esto, se han cometido crímenes verdaderos.

En la década de 1930, John L. Lewis era el jefe del poderoso sindicato laboral CIO (Congreso de Organizaciones Industriales) y también de United Mine Workers (Trabajadores Mineros Unidos). Tanto era su poder, que casi derrotó a Roosevelt durante su último mandato como presidente. Lewis cortó el suministro de carbón en Estados Unidos y forzó la conversión al petróleo (en el que Lewis tenía un fuerte interés personal) hasta en los ferrocarriles. El trastorno del carbón fue un duro golpe para la industria y el transporte, próximos a entrar en la Segunda Guerra Mundial.

El Departamento de Justicia observaba afablemente mientras todo esto ocurría. Sin embargo, se ha revelado recientemente que John L. Lewis fue el número C180/L del Servicio Alemán de Inteligencia: la *Abwehr*.

Durante este periodo, un agente del FBI llamado Leon G. Turrou se topó con una banda de espías nazis en Estados Unidos y los atrapó: esa fue prácticamente la única ocasión en que el Departamento de Justicia atrapó alguno. El MI5 de Inglaterra se enteró e informó al FBI, y Turrou recibió la asignación e hizo un buen trabajo. Era la banda de Griebl-Voss-Hofmann-Rumrich. Estaban todos conectados.

¡El Departamento de Justicia despidió a Torrou con prontitud!

Cuando se le preguntó por qué, la mirada de J. Edgar se enfureció: "¡Él escribió un libro sobre el tema!".

Pero esa *no* es la razón. La historia de la "renuncia" está *en* el libro. Obviamente el despido ocurrió antes de que él lo escribiera.

Entonces aparecieron noticias mucho más graves acerca del Departamento de Justicia.

La conmoción de Pearl Harbor y la "falta de aviso" fue un misterio para todos en el mundo de la inteligencia, desde el día en que ocurrió hasta hace poco.

En la publicación oficial del Gobierno del Reino Unido, *El Sistema de Duplicidad en la Guerra de 1939 a 1945*, y en el libro recientemente publicado *Espionaje/Contraespionaje*, del as del espionaje británico Dusko Popov, se revela que en AGOSTO de 1941, *cuatro meses* antes de Pearl Harbor, J. Edgar Hoover fue informado por completo, oficialmente y en persona, de los planes del ataque japonés a Pearl Harbor, de cómo y cuándo se haría, Y NO AVISÓ A SU GOBIERNO.

¡No hace falta enfatizar cuántas vidas costó esto o cómo destruyó la flota del Pacífico!

Mirando un poco más de cerca a este departamento y a su Dios todopoderoso, Hoover, uno se encuentra con el hecho de que el FBI lo sabía todo acerca de Lee Harvey Oswald. El hombre G, James P. Hosty, hijo, uno de los hombres de la oficina del FBI en Dallas, tenía su informe, sabía que era muy peligroso y vengativo, y que trabajaba en el Almacén de Libros Escolares de Texas, sabía que ese lugar estaba en la ruta del desfile del Presidente John F. Kennedy, y que Dallas vivía un estado de confusión. Pero el Departamento de Justicia no informó a los guardaespaldas de Kennedy; ni siquiera cumplió con su obligación de proteger al Presidente, según su propio libro de reglas.

Y el 22 de noviembre de 1963, el Presidente John F. Kennedy fue asesinado brutalmente por Lee Harvey Oswald, que disparó desde el lugar donde se sabía que trabajaba.

Después, durante el resto de los años 60, el Departamento de Justicia todavía mejoró sus colosales índices de criminalidad, añadiendo el crimen organizado y las drogas a los males nacionales.

Las secciones antimonopolios y antidrogas ignoraron vivamente a los principales capos de la droga en Estados Unidos: la AMA (Asociación Médica Americana) y su rama psiquiátrica, la APA (Asociación Psiquiátrica Americana), y permanecieron impávidos mientras a los niños les prescribían estimulantes y pastillas en las escuelas para formar la base de una cultura de drogas.

Las redadas sin orden judicial y dispararle a la gente por la espalda llegaron a estar a la orden del día.

El Departamento de Justicia había pasado de la catástrofe por omisión a una creación de caos real.

Durante los disturbios de los años 60, se podía contar con que el Departamento de Justicia desanimara o acusara a la policía local que trataba de manejarlos.

Esto ha ido empeorando hasta llegar finalmente al punto de etiquetar como "disidente" a cualquier organización o iglesia que trate de contener la avalancha de desastres que envolvía al país.

Fabricando expedientes sobre líderes públicos que no los tenían pero que no eran del agrado del Departamento de Justicia, enemistaron a unas organizaciones con otras y promovieron el caos donde fuera posible. Su lista de miles de hombres y grupos a los que atacaban secretamente parece una lista de personajes notables extraída de una enciclopedia, y realmente se ha convertido en una especie de lista de honor.

Ahora, el Departamento de Justicia se ha convertido en una copia de la fuerza secreta policial nazi.

Se descubrió que pasaban al extranjero expedientes falsos sobre ciudadanos estadounidenses para meterlos en problemas.

Su canal era la Interpol, el grupo nazi al que J. Edgar se unió a pesar de las objeciones del Congreso.

Bueno, ahora todo empieza a tener sentido.

Rabia contra un agente que había osado eliminar a espías alemanes, permitir Pearl Harbor, proteger a los psiquiatras alemanes, subyugar al país y a los más conocidos líderes de opinión sometiéndolos a un reino del terror, incluso el asesinato de un presidente demasiado liberal. Todo lleva el sello de una sola cosa: un amor secreto al fascismo y el hecho de hacer, en forma consciente o inconsciente, que sus acciones sigan el modelo de las directrices fascistas, que han llevado al Departamento de Justicia no solamente a proteger a Hoover, sino a perpetuarlo.

Probablemente los oficinistas, los abogados e incluso los "Hombres-G" del Departamento de Justicia no se dieron cuenta conscientemente de hacia dónde se les había dirigido.

Un departamento que favorece ese sentir y esas tácticas siempre *engendrará* crímenes e injusticia.

El fascismo y la policía secreta no pertenecen a Estados Unidos.

Es maravilloso ver que estas personas hablen de su preocupación por el crimen y las rebeliones.

Ellos los están engendrando, comenzando y alentando con su patente y crudo ánimo vengativo contra el pueblo estadounidense.

El país, como se puede ver claramente, estaría bien sin un Departamento de "Justicia".

Los fondos que obtiene exhibiendo el crimen que no resuelve y el malestar y el espíritu de rebelión que genera deben cortarse de inmediato antes de que ellos se apoderen de todas las fuerzas policiacas del país y tengamos un fascismo de verdad, completo y total.

Pero de cualquier forma, se ha resuelto un misterio.

Toda su vida el señor Hoover persiguió implacablemente al "Enemigo Público N.° 1". Aparentemente la búsqueda fue en vano, ya que el crimen se incrementó más y más durante su reinado.

Pero, mira nada más. Ahora que todos los archivos finalmente se han abierto, sabemos quién era el Enemigo Público N.° 1. ¡Era J. Edgar Hoover! Ronald

"Pero, mira nada más. Ahora que todos los archivos finalmente se han abierto, sabemos quién era el Enemigo Público N.° 1".

CAPÍTULO TRES

SOBRE LA ECONOMÍA

Sobre la Economía

AUNQUE LA DÉCADA DE 1960 TODAVÍA SEGUÍA CONSTITUYENDO, en general, los "Años Dorados" del desarrollo económico occidental, LRH demostró estar en lo cierto al sugerir que no todo era tan de color de rosa como los economistas imaginaban. A decir verdad, justo a la vuelta de la esquina fiscal, se encontraba todo lo que asociamos con el principio de la década de 1970, incluyendo: se cuadruplicó el costo del combustible, hubo índices de intereses a nivel usurero y, como LRH señala una vez más, el colapso total de un sistema monetario mundial basado en el dólar respaldado por oro. Como consecuencia, vino todo lo que asociamos hoy con una recesión inflacionaria subsecuente a nivel mundial, incluyendo un descenso constante del salario medio en cuanto a poder adquisitivo real, un índice de desempleo superior al 10% en gran parte de Europa occidental y, especialmente como consecuencia del incremento de los impuestos para el plan de seguridad socialista, lo que se ha descrito apropiadamente como una "cultura de odio en crecimiento".

Al mencionar los intereses de la psiquiatría en el campo económico, LRH está abordando los eslabones más intrigantes entre intereses respaldados por grandes sumas de dinero y la psiquiatría. Por ejemplo, un escrutinio detallado de la Federación Mundial de Salud Mental durante los años 60 y 70 revela muchos vínculos con los intereses bancarios británicos, mientras que un escrutinio análogamente detallado de la financiación de la psiquiatría estadounidense revela el apoyo constante de la Fundación Rockefeller desde principios de la década de 1920, especialmente en lo que respecta a lo que los directores de la Fundación describen como la "contribución potencial" de la psiquiatría a la educación, la sociología y "al asunto general del vivir".

El que LRH se concentrara además en el hecho de que los economistas no fueran capaces de predecir ni explicar lo que siguió al final de esos años dorados, también es muy significativo. Pues la verdad es que, al citar el fracaso de las teorías de Keynes, y por tanto de la fuerza impulsora de la teoría económica durante medio siglo, está citando el dramático descenso de la inscripción de estudiantes a nivel maestría en programas de economía, el cierre de los departamentos de economía en muchas corporaciones importantes, e incluso el abandono federal de lo que los economistas mismos ahora describen como "la ciencia deplorable". ■

Otro mensaje desde Saint Hill Manor: "No somos una pequeña voz en el tumulto. Nosotros, los scientologists, somos varios millones de personas". —L. Ronald Hubbard

ECONOMÍA

de L. Ronald Hubbard

Una de las principales barreras a la libertad total en esta sociedad es la economía. Durante algún tiempo los supresivos han estado tejiendo una telaraña de enredo económico para la sociedad, usando tergiversaciones o ignorancia acerca de la economía para enredar a esas sociedades que sólo recientemente se liberaron de las cadenas de la verdadera esclavitud. Hoy, las cadenas están hechas de restricciones económicas y, para ser francos, de mentiras acerca de la economía.

La comprensión de la economía es un audaz paso adelante hacia la libertad total en una sociedad. Las aberraciones tienden a desaparecer cuando se revelan sus mentiras.

Por lo tanto, he escrito este breve ensayo sobre las verdaderas *leyes de la economía, ya que estas te pueden ayudar en tu camino hacia la libertad.*

En la actualidad, casi cualquier persona tiene un problema de tiempo presente, que se vuelve más urgente conforme el tiempo pasa y conforme nuestra sociedad evoluciona.

Es una sencilla pregunta:

"¿Cómo puedo vivir?".

Se puede encontrar la respuesta a esta pregunta de una manera ampliamente general al lograr una comprensión de una materia llamada "economía".

Teorías Económicas

La economía es simple mientras no se enrede. Y se haga tan confusa como se hace para servir a un fin egoísta.

Cualquier niño puede entender y practicar los principios básicos de la economía. Pero hombres adultos, enormes con su posesión del *gobierno* o de los *grupos bancarios,* encuentran muy útil enredar el tema más allá de toda comprensión.

Las cosas que se hacen en nombre de la "necesidad económica" avergonzarían a Satanás. Porque las hacen unos pocos egoístas para privar a muchos.

La economía evoluciona fácilmente hasta convertirse en la ciencia de cómo hacer desdichada a la gente.

La economía constituye nueve décimas partes de la vida. La décima parte restante es la sociopolítica.

Si esta productiva fuente de supresión está suelta en el mundo y si hace a la gente infeliz, entonces es un área legítima sobre la cual comentar en Scientology, ya que debe constituir un gran "malentendido" en nuestra vida diaria.

Veamos lo complejo que se puede hacer. Si la humanidad aumenta en número y si la propiedad y los bienes aumentan, entonces el dinero también debería aumentar a menos que pretendamos llegar a un punto en el que nadie pueda comprar.

No obstante el dinero se fija en relación con un metal del cual sólo hay una cierta cantidad y no más: el oro. Así pues, si se ha de frenar la expansión del hombre, se frenará simplemente agotando este metal. Y aparte de su uso artístico y de la superstición, el metal, el oro, no tiene casi ningún valor práctico. El hierro es mucho más útil, pero como es uno de los elementos más comunes, no serviría al propósito de la supresión del crecimiento humano.

EL DINERO ES SIMPLEMENTE UN SÍMBOLO QUE LA GENTE CONFÍA QUE SE PUEDA CONVERTIR EN BIENES.

La filosofía más virulenta del siglo XIX no fue la de Dewey o Schopenhauer. Fue la de un sujeto llamado Karl Marx, un alemán.

En su libro, *Das Kapital,* planeó destruir el mundo del capitalismo introduciendo la filosofía del comunismo, que evidentemente tomó prestada en parte del líder Licurgo, del antiguo estado griego de Esparta.

Hasta la fecha, Marx ha tenido éxito (a pesar de estar muerto y enterrado en Inglaterra) en extender su filosofía sobre quizás dos tercios de la población mundial y en trastornar por completo al resto.

El capitalismo, bajo ataque, sobreviviendo solamente en occidente de una forma débil, ha tomado prestado tanto de Marx en su moderno "socialismo", que no puede sobrevivir por mucho tiempo.

El capitalismo tenía poco como para recomendárselo al trabajador. Este no tenía esperanza alguna de reunir nunca el dinero suficiente para prestarlo con interés y así retirarse. Por definición, eso es todo lo que era el capitalismo: un sistema de vivir del interés prestando dinero a gente más trabajadora. Como que esto implica "Tomar todo y no participar activamente", es, por supuesto, un sistema bastante fácil de destruir. No tenía vitalidad. Sólo podía ejecutar préstamos hipotecarios y apoderarse de la propiedad. No podía actuar inteligentemente y no lo hacía. El truco era y es, prestar a una persona productiva la mitad de lo que necesitaba para triunfar en su negocio y luego cuando fracasaba, tomar posesión del negocio *y* también del dinero invertido prestado.

El gobierno y los grupos bancarios de occidente todavía están en ello. Les ayuda el impuesto sobre la renta. Las utilidades de un negocio se gravan con impuestos cada año, de modo que este no tenga dinero para renovar su maquinaria o para expandirse. Para mantenerlo en marcha, tiene que pedir prestado dinero al grupo bancario o al estado. Un paso en falso, y el grupo bancario o el estado se apoderan por completo del negocio, lo administran mal y lo hunden.

Así el mundo se empobrece bajo el capitalismo.

El comunismo, en rebelión, se deshace de todos los intermediarios, simplemente da el paso final del capitalismo y se apodera de todo en el país. Combate el capitalismo convirtiéndose en el supercapitalista.

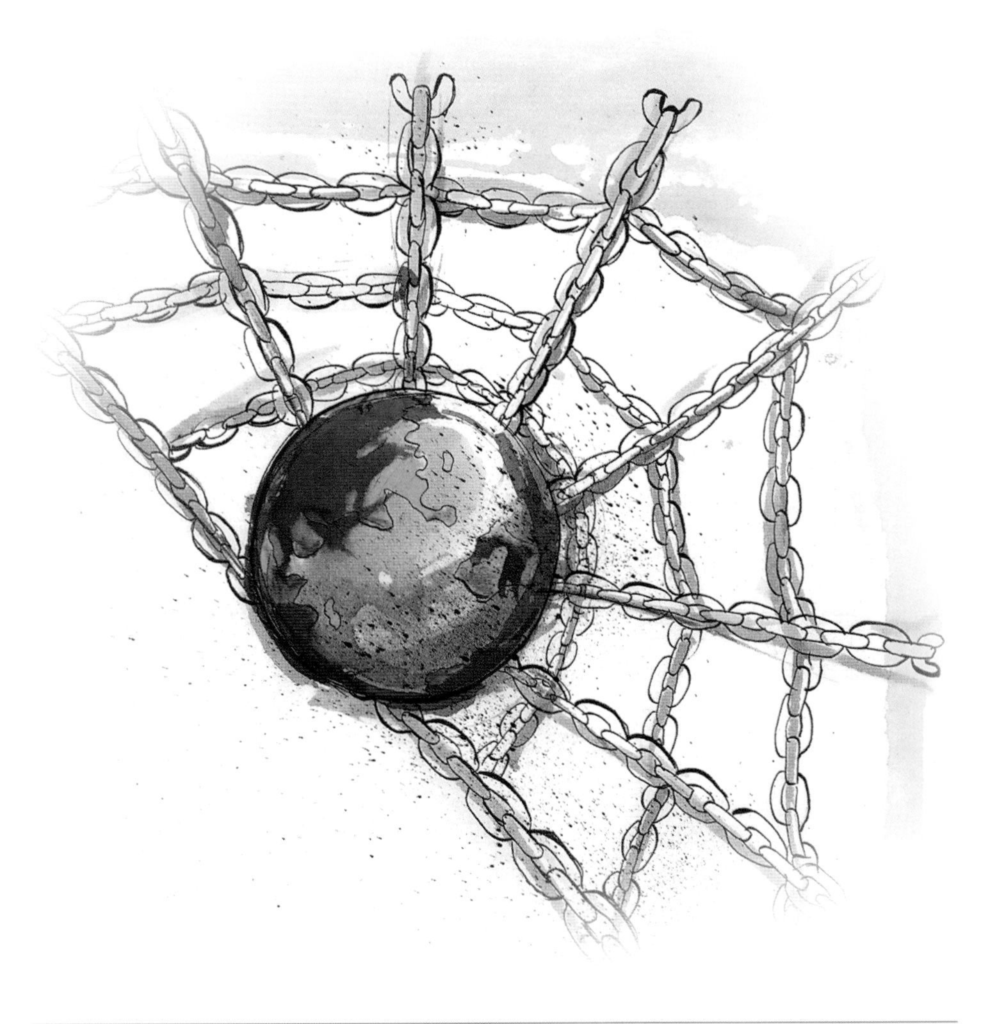

"Durante algún tiempo los supresivos han estado tejiendo una telaraña de enredo económico para la sociedad, usando tergiversaciones o ignorancia acerca de la economía para enredar a esas sociedades que sólo recientemente se liberaron de las cadenas de la verdadera esclavitud. Hoy, las cadenas están hechas de restricciones económicas y, para ser francos, de mentiras acerca de la economía".

No es un comentario sin fundamento que George Washington en la Guerra de Independencia de Estados Unidos, el Marqués de Lafayette en la Revolución Francesa y Fidel Castro en la última revolución cubana eran cada uno de ellos los hombres más ricos del país en esa época.

El comunismo, muy a diferencia de la esperanza de Marx, es el instrumento del rico y poderoso para apropiarse de todo lo que está a la vista. Y *no* pagar ningún sueldo. Es la respuesta final al capitalismo, no su oponente.

Los socialismos con sus diferentes disfraces tienden todos hacia el mismo producto final: la posesión total por parte del estado. Y ese es también el producto final del capitalismo: la posesión total.

Así pues, acerca de la economía podemos concluir que:

1. Existe tal vez un tema llamado economía; y
2. Sin duda se hace un enorme uso de la confusión en la economía en un esfuerzo por conseguir la posesión total.

Lo que estás observando, aparentemente, en nuestro mundo moderno, es un encubrimiento de la verdadera economía para el fin un tanto innoble de quitarle todo a todos menos al estado. El estado puede ser entonces unos pocos escogidos que lo poseen todo. El capitalismo, el comunismo y el socialismo terminan todos con el hombre en la misma situación: poseído en cuerpo y alma por el estado.

Por lo tanto, si estás confundido por las "declaraciones económicas" de unos pocos portavoces escogidos por los pocos que han planeado llegar a ser el estado, date cuenta de que no es el tema en sí, sino el mal uso intencional del tema lo que está causando las dificultades.

Puesto que todos los caminos (capitalismo, socialismo, comunismo) conducen a la misma posesión total, ninguno de ellos tiene conflictos en realidad. Sólo esos diversos grupos que quieren cada uno de ellos poseerlo todo están en conflicto; y ninguno de ellos merece apoyo.

Hay una respuesta a todo esto. Si todos estos ismos tienden hacia un estado total, entonces la refutación obvia es un no-estado. Sólo esto sería una oposición al estado total.

Como esto es instintivo en el hombre (el oponerse a su esclavizador), la gente manifiesta su rebelión personal de diversas formas.

No pueden simplemente derrocar a un gobierno bien armado. Así que su rebelión toma la forma de inacción e ineficacia.

Rusia y Cuba, por citar dos, se dirigen a la ruina de la inacción y la ineficacia individuales. No lo ven como una rebelión, ya que no tiene ningún punto álgido. El grano y la caña simplemente no brotan, los trenes, de una u otra forma no se mueven, y el pan no se hornea.

Estados Unidos e Inglaterra, conducidas todavía por algún débil resto de chispa de "libre empresa", salen del paso a duras penas. Pero la restricción económica es demasiado grande para que esto continúe durante mucho tiempo. Los impuestos sobre la renta, los préstamos estatales y bancarios: todos los males están ahí esperando.

Percibiendo la llegada de la posesión total de todo, el trabajador, incluso en EE.UU. y en Inglaterra, comienza a echar los frenos. Un buen trabajo diario de hoy en día equivale al trabajo de una hora de hace un siglo. Las huelgas paralizan de forma entusiasta todo lo que pueden. La ineficacia y la inacción están a la orden del día.

No siendo listos, el capitalista, el comisario político, el gran socialista no creen que nadie haya descubierto su verdadera intención, y así siguen tergiversando las economías con la esperanza de convencer a la gente: quienes van a la huelga, no trabajarán realmente y se harán más ineficientes.

Las sociedades de la Tierra, ya sean de oriente o de occidente, están todas ellas acercándose con rapidez al mismo final: la disolución por la rebelión personal de la gente. La rebelión no tiene nombre, no tiene líder, no tiene bandera, no tiene gloria. Sólo tiene un final común a la vista: el final de todos los estados y de todos los sistemas económicos.

Y seguro que la gente saldrá triunfante.

> *"Por lo tanto, si estás confundido por las 'declaraciones económicas' de unos pocos portavoces escogidos por los pocos que han planeado llegar a ser el estado, date cuenta de que no es el tema en sí, si no el mal uso intencional del tema lo que está causando las dificultades".*

La Ciencia de la Economía

Cualquier grupo de niños desarrollará pronto un sistema económico práctico.

Recientemente unos niños en un parque de Rusia horrorizaron al gobierno, al desarrollar un sistema de trueque, intercambiando juguetes por juguetes, un acto que fue debidamente castigado como "capitalista". Los valores de las palabras rusas son muy débiles, ya que para ser capitalistas deberían haber desarrollado un sistema de intereses como recompensa por el préstamo de juguetes, no el sistema de trueque.

En tanto exista una oferta y en tanto se pueda generar una demanda, se desarrollará algún sistema de intercambio de bienes.

Hay innumerables combinaciones de acciones de oferta y demanda. Está la oferta reacia y la demanda por la fuerza: un sistema seguido comúnmente por las tropas o los barones feudales, o simplemente por los ladrones.

Está la acción de oferta ansiosa, que recibe ayuda al crear una demanda mediante publicidad: un sistema que conocemos como negocios y en el que Madison Avenue es tan diestra. El hombre encuentra que este es el más agradable de los sistemas, pero tiene una limitación, ya que exige dinero a cambio y provoca que la gente exija un sueldo para comprar los bienes anunciados.

Luego existe un sistema basado en crear necesidad. Los gobiernos creen de manera casi uniforme en este sistema y lo usan. Suprimen la oferta aplicando impuestos a los proveedores y aumentan la demanda castigando al consumidor por falta de fondos; es decir: el impuesto sobre la renta. La teoría, expresada en su forma más cruda, es la reducción de la producción, unida a la imposición de la demanda. A los padres se les puede detener por no cuidar de los hijos, pero el precio del pan, el alquiler y los servicios están fuera de la capacidad de pago del padre. Se arresta a alguien como vagabundo si no se viste bien, pero el precio de la ropa debido a la escasez la pone fuera de su alcance.

Hay muchas, muchas variaciones de los mismos dos factores, la oferta y la demanda, y con ellas pueden jugar las grandes industrias, el estado, los ladrones, los pordioseros o cualquiera, en un número casi inagotable.

Se le da mucha importancia a las "deflaciones" y a las "inflaciones", y se escriben tomos para interpretarlas, pero sólo hay dos leyes en vigor que las gobiernan:

1. Existe una **INFLACIÓN** donde hay más dinero en circulación que bienes.
2. Existe una **DEFLACIÓN** donde hay más bienes que el dinero que hay para comprarlos.

Estas dos leyes se pueden tergiversar a voluntad para confundir a la gente. Pero es todo lo que hay que saber acerca de una inflación o una deflación, o acerca de los periodos de auge o de depresión.

Los Fundamentos

Las leyes económicas se reducen a un sólo hecho, un fundamento que por lo general nunca se menciona en los mejores círculos supresivos.

Este es el origen de la economía, el comienzo, cómo surge todo el tema.

Para provocar la economía, se tiene que llevar a un ser a creer que necesita más de lo que él mismo puede producir, y se le debe impedir que consuma su propia producción.

Después de eso, se tiene la economía, una sociedad, reglas, leyes, gobiernos, y enormes asociaciones industriales.

Tomemos la simple cuestión de una pobre vaca. La vaca produce leche, más vacas e incluso carne.

Por ser un animal productor, a la vaca se le obliga a entregar todo. Ella no necesita su propia leche, no puede utilizar a sus becerros y también se hace que entregue su propio cuerpo como carne. A cambio de eso, recibe un corral descuidado, un pasto de cardos, perros que le ladran y maltrato.

Consciente o no, inteligente o estúpida, la vaca nos presenta, no obstante, un ejemplo excelente del perfecto ciudadano del estado.

El ciudadano perfecto (desde un punto de vista gubernamental supresivo) es aquel que no exige nada y produce todo e incluso entrega su propio cuerpo al exigírselo. El ciudadano ideal. El perfecto obrero de la fábrica. El verdadero soldado. El camarada alabado.

La vida se arregla de esta forma. A aquellos que pueden producir, se les convence entonces de que deben producir, y al producir se les da cada vez menos hasta que al final tenemos un esclavo: todo es trabajo, ninguna paga, comida mínima y edificios inhabitables.

La economía se usa implacablemente para provocar esta condición.

El Impuesto sobre la Renta

Si tienes dudas acerca del producto final de los diferentes actos del estado o de las intenciones que los respaldan, examina este hecho que hasta ahora había estado oculto.

El impuesto sobre la renta está diseñado sobre la base del principio marxista (que se puede encontrar en *Das Kapital,* el texto comunista) de la aplicación de impuestos.

"A cada uno según su necesidad,

"De cada uno según su capacidad".

Aproximadamente a finales de siglo, la mayoría de las naciones occidentales se tragaron alegremente esta poción y redactaron leyes sobre el impuesto sobre la renta.

Parece bastante inofensivo.

En una carta escrita por el Ministerio de Hacienda de una gran nación, se respondió a una pregunta sobre por qué el impuesto sobre la renta se imponía de forma tan desigual en vez de ser meramente un porcentaje fijo sobre el ingreso global de todos, con el dato asombroso de que la aplicación de impuestos sobre el ingreso neto de uno y una escala móvil era mucho más humanitaria.

Veamos que tan "humanitario" es este impuesto sobre la renta de escala móvil.

La inflación está a la orden del día. Pocos gobiernos occidentales llevan a cabo acción alguna que no sea inflacionaria; es decir: devaluar el poder adquisitivo del dinero gastando más dinero que el producto que hay para absorberlo.

"Por ser un animal productor, a la vaca se le obliga a entregar todo. Ella no necesita su propia leche, no puede utilizar a sus becerros y también se hace que entregue su propio cuerpo como carne. A cambio de eso, recibe un corral descuidado, un pasto de cardos, perros que le ladran y maltrato. Consciente o no, inteligente o estúpida, la vaca nos presenta, no obstante, un ejemplo excelente del perfecto ciudadano del estado. El ciudadano perfecto (desde un punto de vista gubernamental supresivo) es aquel que no exige nada y produce todo e incluso entrega su propio cuerpo al exigírselo. El ciudadano ideal. El perfecto obrero de la fábrica. El verdadero soldado. El camarada alabado".

El impuesto sobre la renta está dispuesto de tal forma que cuanto más le pagan a uno, tanto mayor es el porcentaje con el que se le grava. Como ejemplo rudimentario, si uno gana 500 unidades monetarias en un año, su impuesto es del 2%. Si gana 100,000 unidades monetarias en un año, la ley está redactada de manera que su impuesto sea de aproximadamente el 90%. Cuanto más gana uno, más tiene que pagar en proporción.

Muy bien, tomemos esto como horas de trabajo. En un nivel de ingreso bajo, en una semana de 40 horas, uno paga al gobierno media hora de trabajo a la semana. En el nivel de ingresos medio, uno le paga al gobierno 20 de 40 horas. Y en una categoría de ingresos elevada uno quizás pague 39 de 40 horas como impuesto.

Muy bien. La inflación, lo quiera o no, está empujando al trabajador de nivel más bajo hacia el nivel superior de impuestos.

El precio del pan, del alquiler y de todo subirá proporcionalmente al valor del dinero. También lo hará su paga. Pero su impuesto aumentará.

Por dicha razón, los gobiernos están muy deseosos de provocar la inflación de su dinero. Cuanta más inflación, tanto más se tendrá que pagar a los trabajadores, pero tanto mayor es el porcentaje que recibe el gobierno de las horas de trabajo.

El producto final es, por supuesto, un estado total. La industria no puede pagarle al trabajador 40,000 unidades monetarias si las leyes fiscales se llevan todo excepto 5,000 unidades monetarias.

Si examinas los programas fiscales, verás que si una barra de pan costara diez veces su precio actual y todos los demás costos aumentaran proporcionalmente, tu paga se reduciría hasta un punto en el cual no podrías permitirte comer debido a que el mayor porcentaje de impuestos absorbería tu paga, sin importar cuánto fuera.

Ahora bien, nadie ha mencionado esto. Y los gobiernos defienden su derecho a un porcentaje mayor a medida que suben los ingresos con una tenacidad que es bastante sorprendente.

Dado que la inflación también acaba con los ahorros, justo delante de nosotros está el gran abismo, esperando.

Cada vez que tu salario aumenta para compensar "el costo creciente de la vida", más horas de trabajo empleas entonces para el gobierno y menos para tu patrón, y él finalmente también se va a la quiebra.

Cualquier persona que esté tratando de decir que la inflación es inevitable y que el impuesto sobre la renta es vital, simplemente es supresiva o estúpida. Seguro que las personas importantes de la economía del gobierno saben igual que cualquier otro economista formado que todo lo que se necesita hacer para contener la inflación es aumentar la producción y disminuir el gasto del gobierno.

Una nación de Occidente tiene algo fantástico en marcha. La consigna es ¡exportar los bienes! Cuantos más bienes se exporten, tantos menos hay para comprar. Debido a las leyes del intercambio de moneda, uno no puede exportar también el dinero. Se gravan todas las importaciones con aranceles prohibitivos. ¡Naturalmente se produce la inflación! Con ganas. Y esto va ligado a un impuesto sobre la renta, que es seguramente el más alto del mundo.

Los ciudadanos de esa nación han determinado tradicionalmente que nunca, nunca serán esclavos. Pero aquí vienen las cadenas: un eslabón por cada penique que sube el costo del pan. Cuando un trabajador tiene que gastar 100 libras a la semana para mantenerse y mantener a su familia, el gobierno se quedará con 50 de estas libras, dejándolo con media ración. Y cuando él tenga que gastar 250 libras semanales para abastecerse de comida, ropa y techo, sólo recibiría aproximadamente un 25%, aunque se le pagara eso, debido a la escala móvil del impuesto sobre la renta, y moriría de hambre.

*"La inflación está a la orden del día.
Pocos gobiernos occidentales llevan a cabo
acción alguna que no sea inflacionaria;
es decir: devaluar el poder adquisitivo
del dinero gastando más dinero que el
producto que hay para absorberlo".*

Para ser benévolo, es posible que los líderes de esos países no sepan estas cosas y se les esté aconsejando mal o estén confusos. Pero si es así. ¡Qué tipos tan malvados deben estar aconsejándoles!

Un rumbo verdaderamente adecuado para el país sería abandonar el imperio que ya no le importa a ningún ciudadano de ese país, cortar todos sus fondos de apoyo y de defensa para tierras que de todas formas odian lo británico. Y después, o al mismo tiempo, embarcarse en un enérgico programa de investigación para descubrir cómo producir suficiente comida para su gente, bajar todas sus barreras al comercio, cancelar los proyectos que hacen que el impuesto sobre la renta sea vital y prosperar más allá de todo lo imaginable.

No se pueden cobrar impuestos de la nada. Y si los impuestos reducen al productor a cero, entonces lo mismo le pasa a la tierra.

El visionario de ojos brillantes (con alguna demencia apreciable a través de su brillantez) habla con entusiasmo de una utopía y de los sueños maravillosos y los maravillosos planes de las diferentes soluciones políticas.

Se supone que estos abren el nuevo y prometedor futuro, si sólo nos armamos de valor y nos morimos de hambre hoy.

No existe ninguna filosofía política que alguna vez pueda resolver o vaya a resolver los problemas económicos, ya que son dos campos diferentes, ¿verdad?

Cuando Marx los unió, proporcionó una herramienta terrible a los supresivos.

Muchas quejas marxistas son justas; muchas se basan bastante en los hechos. Pero él se equivocó al tratar de resolverlas.

Pues siempre que propuso una solución, y cualquier solución que propusiera, ofreció como parte de ella un gobierno.

A los gobiernos no siempre los rigen hombres cuerdos.

El hombre común no tiene ninguna garantía de que su gobernante no esté realmente "chiflado".

Si nosotros como scientologists tenemos algo que ver con el gobierno, será sólo para garantizar que los gobernantes no sean supresivos ni dementes. Y ahí acaba nuestro interés.

La Pregunta

La relación de cualquier hombre con la Economía es simple:

¿CÓMO PUEDO VIVIR?

A esto se añade la pregunta: ¿Cómo pueden vivir las personas a su cargo y su comunidad?

Siempre que una persona haga esta pregunta o cualquier versión de ella en esta compleja sociedad actual, está preguntando: "¿Qué es la economía?".

En este artículo, aunque breve, se presentan todos los factores vitales de la economía.

Lo que se necesita garantizar es que el destino económico de la persona no sea controlado por hombres que odian y que no estarán contentos hasta que todos los demás hombres sean esclavos.

La solución a largo plazo a la pregunta "¿Cómo puedo vivir?" es: Nunca trabajes para una compañía supresiva y no apoyes a un gobierno supresivo. Y trabaja para ponernos en una posición donde podamos garantizar que los líderes sean cuerdos. *Ronald*

ECONOMÍA: GUERRA E IMPUESTOS

de L. Ronald Hubbard

En una ocasión, un famoso senador de EE.UU. amigo mío me explicó una de las formas en que las principales potencias de Occidente perderían.

Dijo que el desgaste de las "guerrillas", el incremento de los impuestos y la inflación resultante podrían mantenerse sólo durante unos pocos años, después de lo cual, a causa del hundimiento económico, los comunistas podrían ganar después de todo. Eso fue hace algunos años, en 1955.

Al ver que las reservas de oro de Estados Unidos, al momento de este escrito, están en menos de 21,000 millones de dólares y al ver que han tenido una pronunciada caída de 45 grados durante años desde que estaban en cero en 1960 (informe del 17 de febrero de 1969, Instituto Norteamericano para Investigaciones Económicas, Boston), se puede entender de lo que estaba hablando.

Esta caída ininterrumpida deja al Fondo Monetario Internacional en posesión de una demanda de oro sobre Estados Unidos por un valor de unos 39,700 millones de dólares, sólo ligeramente compensada por los balances de EE.UU.

Curiosamente, en el mismo informe, el año de producción de alimentos de EE.UU. en 1968 fue un 3 por ciento más alto que el año récord de 1967.

Como vemos, extrañamente, que los grandes banqueros son también los directores de los grupos pantalla de la psiquiatría, comenzamos a ver que no siempre son tan bienintencionados hacia las personas como podrían hacernos creer sus representantes de prensa y cadenas de prensa.

Peculiarmente, la doctrina económica que han seguido los gobiernos occidentales en el último cuarto de siglo, es la de Lord Keynes. El germen (o bacteria) de la teoría de Keynes (tal como me enseñaron cuidadosamente en una de esas universidades a las que dicen que nunca asistí) es simplemente este: "¡Crea necesidad!". Lo que llevado a su extremo natural significa que el hambre produciría prosperidad (¿para quién?).

Ahora bien, el "Fondo Monetario Internacional" fue fundado por Lord Keynes y el famoso comunista Harry Dexter White.

"Este 'impuesto' es realmente un método muy poco económico de recaudar dinero, y una grave amenaza para todos los ciudadanos. El impuesto sobre la renta se ha usado continuamente para 'atrapar' a las personas contra las que no se podía probar ningún cargo. Recorta el dinero antes de que se pueda invertir o usar en el país".

Pagando en oro y no exigiendo nunca los pagos en oro de los préstamos de ayuda a los países aliados, se está arruinando divinamente al pueblo de EE.UU. Dentro de poco, el soldado estadounidense no tendrá un país económicamente estable al cual defender. La inflación habrá hecho que el dólar desaparezca con el viento.

Estos banqueros internacionales se conforman sólo con "aumentar los impuestos para estabilizar la moneda".

Uno de los objetivos de Rusia es hacer que el pueblo estadounidense rechace las "guerrillas" debido a los impuestos opresivos resultantes. Así que esto se está logrando divinamente.

Ahora bien, no puedes tener mucha fe en ningún país (ya sea Inglaterra, Francia o EE.UU.), que grava a sus ciudadanos usando un ministro de Hacienda que colecciona expedientes. El verdadero gobernante de cada ciudadano, incluidos aquellos que se encuentran en la cima, sería aquel departamento al que uno tuviera que informar, o atenerse a las consecuencias. Cuando los impuestos sobre la renta llegan al punto de un recaudador por contribuyente, e interfieren con la habilidad del individuo para vivir, y cuando la inflación acaba con todos los ahorros de la persona, es probable que la población diga que ya no merece la pena servir al gobierno, no merece la pena apoyarlo y que cualquier grupo insurgente podría darnos un gobierno mejor.

Henry Cabot Lodge se jactó en una ocasión de que "Con ejércitos provistos de armamento moderno, ninguna revuelta ciudadana podría tener éxito jamás". Desde luego, esto presupone que el ejército se mantendría fiel a los políticos, y los ejércitos rara vez se mantienen fieles cuando el país no tiene una causa y el sueldo ya no da para comprar nada.

El impuesto sobre la renta va completamente en contra de la Constitución original de EE.UU. Desde que se adoptó en Inglaterra, no ha habido más que depresiones.

Este "impuesto" es realmente un método muy poco económico de recaudar dinero, y una grave amenaza para todos los ciudadanos.

El impuesto sobre la renta se ha usado continuamente para "atrapar" a las personas contra las que no se podía probar ningún cargo.

Recorta el dinero antes de que se pueda invertir o usar en el país.

Niega la expansión a los negocios e inhibe el comercio.

Si un revolucionario quisiera hacer que un país estuviera en una condición en la que enemistara a sus ciudadanos, hiciera añicos el orgullo por su gobierno y preparara el terreno, aconsejaría implantar un impuesto sobre la renta, y después, año tras año, insistiría en que se volviera más oneroso.

Por lo tanto, occidente se está metiendo en un grave "problema económico".

Sin embargo, Estados Unidos acaba de tener un año de producción récord, e Inglaterra acaba de tener un año de exportación récord.

Cualquier comunista podría decirles que la verdadera riqueza de una nación es su producción y sus recursos naturales. Cualquier otro economista lo sabe. Pero aparentemente, de alguna manera los gobiernos no se enteran de esto.

Consideremos ahora lo que ocurre realmente cuando el dinero, inflado más allá de cualquier uso, no da ya para comprar nada.

Así es. Sobreviene el trueque.

¿Qué es el trueque? Un huevo a cambio de pan; un vaso a cambio de un plato. La gente comienza a comerciar con mercancías directas.

En otras palabras, cuando el dinero falla, no se reduce a oro. ¡Se reduce a productos!

Así que en realidad, toda la teoría del dinero es que representa productos. No oro. Ni banqueros. Ni papel. Sólo *productos*.

Estados Unidos no puede producir oro, pero sin duda puede producir trigo.

Inglaterra no puede producir oro, pero sin duda puede producir maquinaria y bandejas de estaño barato.

¿Qué es, pues, toda esa falsa basura sobre "balances del dólar" y "reservas de oro"?

Y si a eso vamos, ¿qué son todas estas tonterías de que si gravas con impuestos a más no poder a una nación, esta será solvente?

¡Ah! El "¡Crea necesidad!" de Keynes. Si pones el dinero a un nivel imposible, dejará de existir, y entonces todo el mundo morirá de hambre divinamente.

¿Quiénes creen ellos que se tragan todo este abracadabra "económico"? No el público.

El público murmura para sí en silencio y se pregunta quién dará la señal final para atacar a estos idiotas. Ellos votan cumplidamente. Todavía siguen jugando el juego sólo para guardar las apariencias, pero mientras tanto, esperan y sueñan.

La población francesa en 1789 soñó con el nuevo invento del Dr. Guillotin. Fueron bastante dóciles, hasta el momento en que la Guardia Nacional se puso de su lado y tomaron la Bastilla al asalto.

Aunque resulte extraño, parece que en la historia no se le ha dado importancia al hecho de que en ese mismo día un tipo emprendedor encabezó multitudes que vaciaron todos los "manicomios" y destrozaron los "sanatorios". ¡Sabían lo que estaban haciendo!

Las cosas nunca parecen tan calmadas como justo antes del huracán.

Entonces, ¿cómo puede hundirse un país?

Al ser suprimido por su "gente *bien*" mediante la denegación de verdadera justicia, impuestos opresivos y criterios monetarios irreales e impracticables.

Durante la depresión de EE.UU. de 1929 a 1939, hubo muchos libros escritos por individuos que veían con claridad que un país lleno de productos que no se podían comprar por falta de dinero, era una farsa. Posiblemente todavía estén en las estanterías, pero todo lo que leyeron es Lord Keynes.

Es muy, muy evidente que si el trueque entra cuando el dinero sale, entonces el verdadero sustitutivo, la verdadera medida para el dinero son los PRODUCTOS.

Nadie necesita devaluar la moneda y herir a la gente. O crear inflación y hundir la economía.

Todo lo que hace falta es decir que un dólar o una libra o un franco equivalen a tantos kilos de trigo, tantas bandejas de estaño, tantas cebollas, y "listo", somos ricos. Por ejemplo, toma los precios de un día cualquiera y establece ese como la fecha con la que comparar precios.

¿Oro? Olvídalo.

Olvídate también de los impuestos sobre la renta.

Una de las ecuaciones estándar de la economía es que la inflación ocurre cuando el dinero excede a los productos, y la depresión ocurre cuando los productos exceden al dinero para comprarlos.

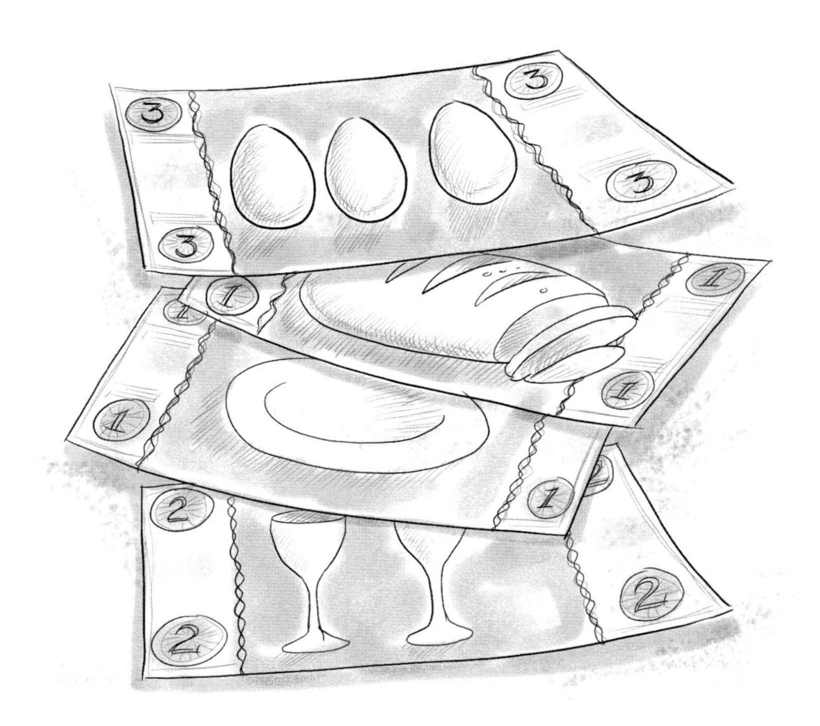

"¿Qué es el trueque? Un huevo a cambio de pan; un vaso a cambio de un plato. La gente comienza a comerciar con mercancías directas. En otras palabras, cuando el dinero falla, no se reduce a oro. ¡Se reduce a productos! Así que en realidad, toda la teoría del dinero es que representa productos. No oro. Ni banqueros. Ni papel. Sólo productos".

"Cuando la inflación despega, no importa lo bien 'controlada' que esté, despega repentinamente como un cohete. Y eso es todo. Sanseacabó. Nuestra tarea es evitar de alguna manera que las potencias de occidente se desvanezcan. Debemos lograr que se den cuenta de que deben reforzar su causa antes de que sus poblaciones, inseguras y acosadas, abracen alguna causa enemiga".

Como todas las naciones de Occidente son fuertes productoras de productos, ellas emitirían dinero por el valor total de sus tierras y de su producción. Tal vez podrían "reembolsar" sus deudas adelantando la emisión del dinero y equilibrándolo gradualmente.

El valor del oro probablemente aumentaría, pero eso no importa. Es sólo un metal. No lo puedes comer, y hoy en día ni siquiera se puede tener.

Un dólar, una libra o un franco que esté respaldado por mercancías será bastante aceptable en realidad, y obligará a los gobiernos a alentar la producción, a ayudar y a proteger a aquellos que producen, en vez de intentar esterilizar a las personas para reducir la explosión demográfica.

Esto ni siquiera arruinaría al banquero. Pues parece que ha pasado por alto que él trabaja con una mercancía llamada dinero, y que si esta desaparece, él desaparece. Su "inflación planeada", como recomienda Keynes, es simplemente un suicidio.

La inflación se dispara repentinamente. Es muy fácil perder el control. Un día al minorista le entra miedo de no poder renovar sus existencias con los distribuidores, así que aumenta sus precios. El distribuidor aumenta los suyos. El minorista aumenta los suyos. Entonces, al darse cuenta de que el dinero está llegando al nivel en que se necesita una carreta de billetes para comprar una hogaza de pan, se niega a vender. El trueque toma el control. La nación y su gobierno actual están acabados.

Varios países, notablemente la China Nacionalista, han perdido la nación entera de esta forma. Su dinero se metió en una inflación repentina. Un sello de correos subió de 50 sens a 5,000 dólares en dos semanas, ¡y en tres semanas más, subió a 7 millones! El sueldo de los funcionarios públicos no subió. Ahí se acabó todo para la China comunista.

Cuando la inflación despega, no importa lo bien "controlada" que esté, despega repentinamente como un cohete. Y eso es todo. Sanseacabó.

Nuestra tarea es evitar de alguna manera que las potencias de occidente se desvanezcan. Debemos lograr que se den cuenta de que deben reforzar su causa antes de que sus poblaciones, inseguras y acosadas, abracen alguna causa enemiga.

No somos una pequeña voz en el tumulto. Nosotros, los scientologists, somos varios millones de personas.

Nuestra religión es nuestra verdad. Nuestras plegarias serán escuchadas. Nuestros postulados funcionan.

El cristianismo intentó hacer que el hombre fuera tolerante. Nosotros podemos alcanzar esa meta si también podemos hacer que el hombre sea sabio.

La influencia de nuestras iglesias está creciendo.

Cualquier ataque contra nosotros no es más que un signo de la degradación e injusticia de nuestro tiempo.

Nosotros no queremos apoderarnos del gobierno. No estamos apoyando a los revolucionarios.

Como iglesias, tenemos la responsabilidad de reformar la injusticia y la opresión, y de mejorar nuestra sociedad.

Si alguien se opone a esto, deja que se oponga, siempre y cuando no haga que nuestro mundo vaya a la decadencia y la destrucción hacia donde la ignorancia lo ha conducido durante tanto tiempo. Ronald

CAPÍTULO CUATRO

Sobre la SUBVERSIÓN PSIQUIÁTRICA

Sobre la

Subversión Psiquiátrica

AL DISCUTIR LA FUENTE FUNDAMENTAL DE LA DECADENCIA moderna, LRH alude a la siniestra y enmarañada historia de la psiquiatría. Por citar algunos episodios reveladores: al comienzo de la Segunda Guerra Mundial y la penetración de la psiquiatría en los círculos militares de los Aliados bajo el lema de "condicionamiento de combate", el coronel británico y jefe de psiquiatría de la clínica de experimentación de Tavistock, John Rawlings Rees, entregó este mensaje crucial a sus colegas:

"Hemos penetrado con éxito en varias profesiones. Las dos más fáciles son, naturalmente, la profesión de la enseñanza y la Iglesia: las dos más difíciles son el derecho y la medicina... Si vamos a infiltrarnos en las actividades profesionales y sociales de otras personas, creo que debemos imitar a los totalitaristas ¡y organizar algún tipo de actividad de quinta columna!... Seamos, pues, muy secretamente, 'miembros de la quinta columna'".

Para citar la siguiente maniobra crítica, habiendo dedicado una guerra al asesoramiento de los militares aliados sobre cómo destruir la moral del enemigo (y tras su reciente regreso de lugares donde se hicieron los primeros experimentos sobre guerra biológica), el general del ejército canadiense y cofundador de la Federación Mundial de Salud Mental, Brock Chisholm, eficientemente añadió esto al Plan de la "quinta columna" de Rees:

"La reinterpretación y, finalmente, la erradicación de los conceptos de lo correcto y lo incorrecto", declaró, era el objetivo clave de "prácticamente toda la psicoterapia efectiva".

Finalmente, y recordando el empuje combinado de ambos mensajes, el de Rees y el de Chisholm, llegamos inevitablemente a lo que se ha llamado el Decreto de Salud Mental de Alaska; aunque se recuerda mejor hoy en día como el Proyecto de Ley de Siberia. La prolongación final del esfuerzo de la psiquiatría a lo largo de una década para simplificar los procedimientos para internar a alguien, el proyecto de ley exigía específicamente el establecimiento de un centro remoto de salud mental en Alaska y medios drásticamente más directos para encarcelar a los internos: de ahí el nombre del Proyecto de ley de Siberia, para evocar precisamente lo que el plan significaba; es decir, un Gulag estadounidense.

Johannesburgo, Sudáfrica, donde L. Ronald Hubbard siempre será recordado como esa voz extraña y original que pedía el final del apartheid y de los psiquiatras que fueron sus arquitectos

Finalmente, el Juez del Tribunal Superior, Joseph M. Call, lo describió diciendo que representaba al "gobierno totalitario en su esplendor", el proyecto de ley proponía que "cualquier funcionario de salud, de asistencia social o de la policía que tuviese motivo para creer que un individuo estaba mentalmente enfermo y, por lo tanto, probablemente pudiera dañarse a sí mismo o a otros si no se le refrenaba de inmediato", podía transportar a ese individuo a un hospital mental para una evaluación profesional. Ahí, "el prisionero" podía estar confinado durante cinco días o, si se le juzgaba mentalmente incompetente, "por el resto de su vida natural". No se requería de una declaración de la causa probable, no era necesario emitir una orden judicial, y tampoco tener una audiencia. Además, mientras la prensa estadounidense dormía profundamente y el gran público estaba totalmente ajeno a esto, los artífices de este proyecto de ley tuvieron un camino despejado y directo hacia los yermos de Alaska... o por lo menos hasta que LRH y sus compañeros scientologists se enteraron del asunto.

Aunque es cierto que no estaban solos en su protesta, especialmente en vista de varios miles de cartas y telegramas, lo que los scientologists al final organizaron en forma de una amplia campaña de concienciación pública demostró ser fatal para el ardid de Siberia. En verdad, como demuestra cualquier texto general de historia de Estados Unidos, muy pronto el proyecto de ley se olvidó por completo... o al menos todos aquellos externos a los círculos de la psiquiatría lo olvidaron completamente.

Aquellos que estén familiarizados con la extensa historia de la lucha de Scientology contra la subversión psiquiátrica, recordarán los nombres de los doctores Winfred Overholser y Daniel Blain, gente de peso en la Asociación Psiquiátrica Americana, relacionados ambos con la experimentación de control mental en las fuerzas armadas de Estados Unidos y que, tras el fin de su queridísimo Proyecto de Ley de Siberia en 1956, se concentraron, todos ellos, en la destrucción de lo que llamaron el "movimiento antipsiquiátrico", es decir: Scientology y L. Ronald Hubbard.

Pero el final de ese Proyecto de Ley tuvo otra consecuencia, y tiene muchísimo que ver tanto con la configuración del mundo de hoy como con el mundo sobre el que LRH escribe en los siguientes ensayos.

Es decir, dado el fracaso de la psiquiatría en su intento por abrirse camino directamente a través de la estructura social mediante legislación sobre la salud mental, el comité directivo de la psiquiatría tomó otra página directamente de Rees y lanzó su "incursión en la medicina". La industria farmacéutica, siempre motivada por el lucro y con miras a expandir sus productos llegando mucho más allá de los jarabes para la tos y las aspirinas, resultó una aliada perfecta. Y, claro, lo que siguió a esa asociación es todo lo que ahora describimos legítimamente como una verdadera crisis de tóxicodependencia de dimensiones epidémicas.

Sin embargo, por citar otra reveladora secuencia a lo que sigue aquí de LRH, tengamos presente en primer lugar que todo lo que recordamos como la era psicodélica a finales de la década de 1960, surge directamente de la experimentación psiquiátrica con LSD en nombre de la Agencia Central de Inteligencia de Estados Unidos (CIA). Por otra parte, no olvidemos que cuando esa generación psicodélica recurrió a las metanfetaminas, los barbitúricos e incluso a la heroína, se recurrió también a la medicina psiquiátrica de botiquín, suministrada originalmente en nombre del control mental. Finalmente, consideremos esto también: Entre otros objetivos de la experimentación psiquiátrica en nombre de las fuerzas armadas de Estados Unidos y de la Agencia Central de Inteligencia, estaba la creación de un asesino perfecto, principalmente mediante el condicionamiento a base de dolor, drogas e hipnosis. Algo que, de hecho, fue revelado públicamente por primera vez en el libro de Ronald *La Ciencia de la Supervivencia*. A partir de entonces, claro está, el asunto se convirtió en un tema popular de especulación, y especialmente después de *El Candidato de Manchuria*, de Richard Condon. Sin embargo, no se ha comentado ampliamente esta escalofriante nota al margen: a pesar de que los programas para la creación de ese asesino perfecto demostraron tener un éxito sólo marginal, la experimentación posterior entre los residentes de Haight-Ashbury, en San Francisco, tuvieron una relación absoluta con la creación de criaturas de una brutalidad tan inimaginable como el asesino múltiple Charles Manson.

También como consecuencia de esa ecuación psiquiátrica original, vinieron las declaraciones de LRH sobre el fraude psiquiátrico, a las que podríamos añadir esto: a pesar de constituir la fracción más pequeña dentro de una comunidad dedicada a la atención médica en Estados Unidos, las falsas reclamaciones psiquiátricas representan, de hecho, un 20 por ciento de todas las reclamaciones sobre atención médica fraudulenta; o, en términos reales, hasta 20 mil millones de dólares anuales. Por otra parte, está todo lo que el comité del Congreso de Estados Unidos cita como fondos desperdiciados y derroche en relación a los estudios del Instituto Nacional de Salud Mental: el comportamiento unisexual de las lagartijas de cola larga y delgada, con un costo de 1.4 millones de dólares para los contribuyentes estadounidenses; el mecanismo hormonal de las ratas con niveles bajos de sal, con un costo de 5 millones de dólares de la recaudación nacional; el control electrónico de la mandíbula de las palomas, con un costo de 545,000 dólares, y un examen de cinco años de duración sobre los hábitos de apareamiento de los mirlos de alas rojas, con una cifra igual de obscena de 539,000 dólares. Mientras que aunque sólo sea para subrayar lo absurdo del asunto, uno se siente obligado a mencionar además los estudios de la psiquiatría canadiense sobre "Psicosis de los Conejos, Ratas y Ratones en una Piscina: Algunas Diferencias Sorprendentes". ■

UN MOTIVO POR EL QUE LOS GRUPOS PANTALLA PSIQUIÁTRICOS ATACAN A SCIENTOLOGY

de L. RONALD HUBBARD

En el Libro Dos, Capítulo Cinco de *Dianética: La Ciencia Moderna de la Salud Mental,* encontrarás una ligera protesta contra el electrochoque y cirugía psiquiátricos. Los describe como medios mediante los cuales meterse en dificultades respecto a la curación mental.

Esto fue en 1950. Durante los primeros tres meses después su aparición, el libro fue el blanco de un violento ataque irracional por parte de hombres de paja y grupos psiquiátricos.

A finales de los años 50 los psiquiatras de hecho lograron que un proyecto de ley que iba a autorizar el establecimiento de un internado psiquiátrico tipo Siberia llegara a la mitad del proceso de aprobación en el Congreso de Estados Unidos. Cualquier hombre, mujer o niño iba a poder ser aprehendido, enviado a Alaska y confinado para siempre sin juicio, así privándole de sus derechos humanos y civiles. Repito: todo sin juicio o examen.

La Iglesia Fundadora de Scientology de Washington D.C., se enteró de este proyecto de ley y movilizó instantáneamente a grupos cívicos estadounidenses y lo frustraron.*

Para estos hombres dementes, esto destinó a Scientology al matadero.

Ya en 1968, el mismo grupo internacional de psiquiatras estaba tratando de hacer que se aprobara el mismo tipo de proyecto de ley en el parlamento de Nueva Zelanda.

Kenneth Robinson, el anterior Ministro de Salud del Reino Unido, y vicepresidente de una rama de este grupo pantalla psiquiátrico, fue quien empezó a crearle problemas a las Iglesias de Scientology en el Reino Unido.

Robinson, en su libro, el cual fue publicado por este grupo pantalla, aboga personalmente por la fácil detención ilegal de cualquier persona en el Reino Unido, de manera que pueda ser enviada a campos de exterminio.

Redes de prensa encabezadas por Cecil King y Sir William Carr, quienes también fueron directores del grupo pantalla psiquiátrico, continuaron atacando a Scientology, instando al gobierno a actuar en su contra, tratando de crear una opinión pública anti Scientology y de arrasarla.

* *Para tener la historia completa de la victoria de Scientology sobre el Proyecto de ley de Siberia, véase el artículo "Sobre la Subversión Psiquiátrica". Página 105. —Editor*

Cualquier otra acción hostil contra Scientology se remonta paso a paso al mismo grupo.

Scientology ha librado durante dos décadas una batalla constante y triunfal en defensa de los Derechos Humanos.

Durante todo ese tiempo, se ha visto que Scientology no ha cometido ni un solo crimen.

Pero durante ese tiempo la psiquiatría ha aprehendido y matado a decenas de miles de personas que no le agradan.

Se dice que Scientology disgrega familias. No lo hace. Pero los psiquiatras llaman a su propia violación y asesinato de mujeres casadas, "tratamiento necesario".

Se ha descubierto que cualquier tipo de crimen del que este grupo psiquiátrico acusa a los scientologists es una práctica estándar de la psiquiatría.

Al estar un poco más que locos, estos tipos están tratando de enfocar la atención pública en un grupo inocente de manera que no se enfoque en sus propias actividades crueles y pervertidas. Al decir que algún *otro* hace estas cosas, creen que el público creerá que los psiquiatras son un sublime y humanitario ejemplo de virtud.

Al público no se le engaña. Detesta la psiquiatría. El cuarenta y siete por ciento de las personas con problemas mentales acuden a su clérigo. Veintiocho por ciento acude a su médico. Los psicólogos y los psiquiatras sólo reciben, entre ambos, el dieciséis por ciento del "mercado".

Para ampliar su esfera, el psiquiatra (según el No. 98 de la Serie de Informes Técnicos de la Organización Mundial de la Salud de las Naciones Unidas) planea acabar con todas las iglesias en el campo de la salud mental.

Scientology es su primer objetivo. Si ganan ahí, desafiarán a otras iglesias y, de esta manera, construirán su imperio.

El único enigma en todo esto es, ¿cómo influye el psiquiatra en los gobiernos?

¿Como símbolo de terror? ¿Mediante el chantaje a políticos usando datos que confiesan sus esposas? ¿Teniendo secuestrados a miembros de la familia de los políticos? ¿Mediante sobornos?

Aun cuando los psiquiatras no manejan casi nada del "mercado", obtienen anualmente cientos de millones de dólares de los gobiernos del mundo. A cambio, no dan ningún servicio, dañan y matan a sus pacientes, buscan aprehender a todos y cada uno a su antojo; y sin embargo, por extraño que parezca, son peculiarmente inmunes a las justas acusaciones de asesinato. Ni siquiera al doctor en medicina se le permite matar gente.

¿Cómo pueden las naciones aliadas ahorcar alemanes en Núremberg por esos crímenes y, sin embargo, dar fuertes subvenciones en su país para hacer funcionar sus propios campos de exterminio?

Scientology sigue exigiendo que se respeten los derechos humanos de todo hombre y sigue desafiando a estos grupos pantalla psiquiátricos.

Hoy en día, el mundo no tolerará las violaciones flagrantes a los derechos que exige la psiquiatría. Hoy en día, el mundo no tolerará los campos de exterminio, la experimentación en humanos, la tortura y el asesinato.

Los scientologists están luchando contra esto y lucharán hasta una victoria final y cabal sobre las potencias del mal.

Algún día, incluso la prensa, incluso los políticos despertarán y dirán: "¡Oye! ¡Esos son los buenos!".

De no ser así, la prensa y los políticos habrán sido los malos durante todo este tiempo.

Al siglo aún le falta un buen trecho.

El público ya se ha dado cuenta de que los scientologists son gente buena. 

"Hoy en día, el mundo no tolerará las violaciones flagrantes a los derechos que exige la psiquiatría. Hoy en día, el mundo no tolerará los campos de exterminio, la experimentación en humanos, la tortura y el asesinato".

EL DRUIDISMO Y LA PSIQUIATRÍA

de L. RONALD HUBBARD

HACE UNOS AÑOS LE pregunté a un psiquiatra que vino a una reunión de Scientology por qué no se negaba personalmente a dar electrochoques y a hacer "operaciones" cerebrales a la gente si sabía que a menudo les causaba la muerte.

Me respondió de forma sorprendente. Dijo: "*Tengo* que hacerlo. Si no lo hiciera me despedirían del hospital por negarme a participar en el sacrificio".

Esto me dejó perplejo. Pero recientemente me vino a la memoria el trabajo de Jung, una de las tres autoridades principales de la psiquiatría, que son Freud, Jung y Adler.

Tal y como se puede encontrar en las obras de Jung, él daba una importancia enorme al DRUIDISMO y escribió mucho sobre ello.

El druidismo fue un círculo cerrado celta formado por sacerdotes y legisladores que al parecer practicaban sacrificios humanos. Sus ritos eran tan crueles e inhumanos que Roma los suprimió directamente.

En los últimos tiempos, el druidismo ha revivido, y dicen que se reúnen anualmente en Stonehenge, posiblemente su antiguo baluarte en Inglaterra.

Esta es la primera pista que yo haya tenido jamás de por qué los psiquiatras piensan que tienen que matar y dañar a la gente.

Muchos psiquiatras me han dicho, cuando los entrevisté, o cuando intentaban que me encargara de su tratamiento o el de sus esposas, que el electrochoque *retrasa* la recuperación de un paciente mental un promedio de seis semanas y que, si no los mata, normalmente les rompe la dentadura y con frecuencia la columna. Las máquinas eléctricas mataron directamente a más de 1,200 personas en Estados Unidos en un año. Respecto a las "operaciones" en el cerebro, según las tablas oficiales de los psiquiatras, los pacientes mueren inmediatamente o bien en un periodo de dos a cinco años.

Los psiquiatras admiten abiertamente que estos tratamientos no hacen ningún bien y que matan o dañan. La evidencia aparece en sus propias publicaciones o en los medios de comunicación públicos, como la revista *Time*.

A los observadores informados nunca les ha dejado de sorprender esto: que se practicara la tortura, la lesión y el asesinato con pleno conocimiento de que no eran de ningún beneficio y mucho menos una cura.

Una de sus autoridades, Jung, junto con el druidismo y el sacrificio humano, ofrecen por primera vez alguna pista sobre lo que hay detrás de todo esto.

Los grupos pantalla de la psiquiatría actúan frenéticamente contra cualquier grupo que pudiera descubrir sus crímenes.

En su época, los druidas eran el cuerpo superior por encima de los gobiernos celtas y determinaban sus acciones.

El escándalo de Profumo puso al descubierto las increíbles orgías desenfrenadas de los funcionarios de alto rango.

Me pregunto si cuando estén disponibles todas las evidencias, no saldrá a la luz una explicación increíble de la razón por la cual algunos funcionarios laboristas británicos de alto nivel respaldan a los psiquiatras y de por qué los psiquiatras matan.

Al igual que los sacrificios humanos o los asesinatos rituales como los de las colonias británicas recientes.

Este enigma del asesinato impune es uno de los mayores misterios sociales de nuestro tiempo, sin mencionar las violaciones de los derechos humanos relacionadas con las detenciones ilegales. Ronald

"El druidismo fue un círculo cerrado celta formado por sacerdotes y legisladores que al parecer practicaban sacrificios humanos. Sus ritos eran tan crueles e inhumanos que Roma los suprimió directamente".

Tomando en cuenta el peso que tiene la palabra "terrorismo" en el siglo XXI, aquí se presenta otra declaración de LRH que demuestra ser muy cierta en la actualidad. Aunque actualmente se destinan, de hecho, miles de millones para luchar contra actividades terroristas, se presta poca atención a los reveladores vínculos entre tales actividades y la psiquiatría. A decir verdad, las tácticas de coacción y medicación de la psiquiatría a menudo se encuentran en la raíz de la mentalidad del terrorista. Si seguimos los pasos de los ataques terroristas, sobre todo los de la tragedia del 11 de septiembre, de nuevo encontramos a los psiquiatras repartiendo drogas a los supervivientes y presionando para que se les diera una subvención para estudiar "más a fondo el asunto".

EL TERRORISMO DE HOY

de L. Ronald Hubbard

Aunque los países occidentales destinan miles de millones a combatir actividades terroristas en el extranjero, están descuidando lo que tienen en casa.

El psiquiatra y sus grupos pantalla operan basándose directamente en las reglas del terrorista. La Mafia parece una convención de maestros de catequesis en comparación con estos grupos terroristas.

Erigiéndose como símbolo del terror, el psiquiatra secuestra, tortura y asesina sin la menor interferencia o acción policial por parte de las fuerzas de seguridad occidentales.

En lugar de eso, estas fuerzas atacan iglesias y grupos sociales pacíficos y decentes, bajo las órdenes directas de estos terroristas.

La violación es violación, la tortura es tortura, el asesinato es asesinato. No hay leyes que permitan que ni siquiera un médico haga estas cosas.

Los hombres que dirigieron los ataques contra Scientology en la prensa y los parlamentos también eran directores de los principales grupos pantalla de la psiquiatría.

Un preclear de Scientology tiene una tía que dice que no le gusta Scientology. ¡Investigación parlamentaria instantánea! ¡Leyes vetando Scientology! Redadas policiales a punta de pistola.

Un psiquiatra mata a una joven por placer sexual, asesina a una docena de pacientes con un picahielos y castra a un centenar de hombres. Y le dan otra subvención de un millón de dólares.

Sólo se puede concluir que el terrorismo psiquiátrico no se limita a las familias de los pacientes mentales. Debe de extenderse hasta la cima.

Extorsión, secuestro, asesinato: esos son crímenes. Pero, ¿dónde están las fuerzas de seguridad? A miles de kilómetros de allí, metiéndose en los asuntos de otra gente.

A muy pocas personas se les puede llevar a testificar contra la psiquiatría. Sin embargo, ¡cuatro de cada cinco personas según una reciente encuesta estadounidense, tenían familiares o amigos a quienes la psiquiatría había destrozado! En general decían: "Si yo abriera la boca o me quejara, se vengarían con mi (hijo, amigo, pariente)".

Recuerdo bien una conversación que tuve con un tal Dr. Center en Savannah, Georgia, en 1949.* Expresa bien la arrogancia y el desprecio absoluto de los psiquiatras por la ley y el orden.

Acababa de llamar un hombre para preguntar por su esposa que estaba "bajo tratamiento" en el hospital de Center. Center le preguntó: "¿Tienes el dinero?... Son treinta mil... Bueno, pues será mejor que los consigas o voy a tener que enviar a tu querida esposa al hospital psiquiátrico del estado, ¡y ya sabes lo que va a pasar entonces!".

Yo estaba ahí, trabajando con pacientes de caridad, que los psiquiatras locales ni siquiera tocaban. Center había olvidado que yo estaba en la habitación.

Me miró y se encogió de hombros. "Ya vendió su casa, su coche y su negocio, así que ya no nos sirve para nada. Por tanto, ella se va a la sala de operaciones. Eso es lo mejor. Los asistentes la dejaron embarazada y tenemos que practicarle un aborto. Así que es mejor que nos libremos de ella. Es un negocio redondo para sacar dinero fácil y algo de diversión".

Cada semana, a lo largo del mundo "libre", se detiene a miles y miles sin proceso legal, se les tortura, se les castra, se les mata. Todo en nombre de la "salud mental".

Los terroristas nunca operaron con más eficiencia en ningún terreno, y con menos interferencia y menos denuncias.

Su maldad es tan enorme que el público no está dispuesto a confrontarla. 1984, ¡allá vamos! Ronald

**L. Ronald Hubbard se refiere específicamente al Dr. Abraham Center del asilo mental de Savannah, Georgia, donde se llevó a cabo mucha de la investigación en los inicios de Dianética a finales de la década de 1940. Center también se hizo notar por su consternación ante los milagros que Dianética había logrado con pacientes en Savannah. De hecho, toda la "lista de pacientes de caridad" de Savannah, más o menos 20 hombres y mujeres en total, fueron finalmente dados de alta del asilo gracias a los procedimientos de Dianética de LRH. —Editor*

"Cada semana, a lo largo del mundo 'libre',
se detiene a miles y miles sin proceso legal,
se les tortura, se les castra, se les mata.
Todo en nombre de la 'salud mental'".

DOLOR-DROGAS-HIPNOSIS*

de L. RONALD HUBBARD

EXISTE UNA TÉCNICA MUY peligrosa y que no se conoce públicamente que usan los psiquiatras para instalar un comportamiento compulsivo en una persona.

El hipnotismo es fijarle a una persona su atención para que reaccione sólo a órdenes exteriores. La SUGESTIÓN POSTHIPNÓTICA consiste en implantar por debajo del nivel de consciencia una orden, mandato o sugestión que la persona, cuando vuelva a estar despierta, obedecerá. Estas son acciones bien conocidas.

Sin embargo, cuando uno se da cuenta de que hay personas que dicen que "no creen en el hipnotismo" cuando ha sido una actividad común durante unos dos siglos, no debería asombrarnos que el gran público, e incluso algunos hipnotizadores, no sean conscientes de un fenómeno mental mucho más siniestro conocido como DOLOR-DROGAS-HIPNOSIS.

Sólo alrededor del 22% de la población, según algunos hipnotizadores, es susceptible al hipnotismo. El resto es más o menos inmune a él.

Por otra parte, el dolor-drogas-hipnosis es efectivo en el 100 por ciento de la población. Con frecuencia deja a una persona mentalmente perturbada.

De hecho, el hipnotismo es un proceso que funciona en una persona que ya está bastante abrumada. Una acción del hipnotizador es fijar la atención de esa persona y causar que la persona reaccione sólo a sus órdenes. El mecanismo, que no se había comprendido bien antes de *Dianética,* es en realidad bastante simple. Una "persona sugestionable" (alguien que puede ser hipnotizado) es aquella cuya inseguridad hace que abandone fácilmente, cuando se ha fijado su atención, su propio auto-determinismo y acepte el determinismo ajeno de un hipnotizador. Incluso se "transferirán" sensaciones corporales, como lo descubrió Mesmer en 1775.

* *Inicialmente descritas en La Ciencia de la Supervivencia de L. Ronald Hubbard, las revelaciones de LRH respecto al PDH, o dolor-drogas-hipnosis, constituyeron la primera revelación pública sobre las técnicas de control mental de la inteligencia psiquiátrica. De hecho, los documentos pertinentes de la Agencia Central de Inteligencia de EE.UU. no salieron a la luz sino hasta mediados de la década de 1970, y en las audiencias del Congreso de Estados Unidos bajo el Senador Frank Church. —Editor*

Es comprensible que cualquier persona a quien se le ha provocado terror, la emoción más común provocada por los psiquiatras en los pacientes, quede sometida a una fijación. Sabe que el psiquiatra en un manicomio probablemente la dañe gravemente, la arruine físicamente, la esterilice o la despersonalice.

Esa persona a menudo responde a las órdenes subconscientemente. Está en un estado de exaltación que le lleva a estar de acuerdo con cualquier cosa en un esfuerzo frenético por escapar de alguna parte de la agonía del "tratamiento".

En los campos de exterminio nazis, los reclusos judíos incluso mataban a otros judíos si tan sólo se lo sugirieran, tal era el grado de obsesión en el símbolo de terror nazi.

Cuando a esto se añaden drogas para acceder al subconsciente y hacer que el impacto de los mandatos sea más profundo, tienen lugar efectos mayores y más duraderos. Se pueden hacer efectivas las órdenes que se dan a una persona en este estado, aun cuando sean irracionales o vayan en contra de sus intereses o su seguridad.

Cuando a las drogas se añade entonces dolor de gran intensidad, acompañado de órdenes, la persona continuará obedeciendo la orden posteriormente. Esto es cierto aun cuando la orden cause la muerte.

Es decir: una persona bajo la influencia hipnótica normal no ejecutará órdenes contrarias a su código moral. Una persona bajo una hipnosis inducida por drogas posteriormente obedecerá órdenes que incluso son contrarias a sus intereses. Bajo dolor y drogas, una persona aceptará órdenes que después llevará a cabo aunque le causaran la muerte.

Tiene que ver con la cantidad de efecto que se ejerza físicamente sobre ella. Identifica el dolor con la fuerza de la orden. Las drogas reducen su voluntad para resistirse.

Los psiquiatras usan dolor-drogas-hipnosis como actividad ordinaria en los manicomios. Les hablan a personas drogadas durante o después de administrarles choques de 50,000 voltios. A menudo instalan una sugestión posthipnótica.

El problema con todo esto no es sólo su inmoralidad. El hipnotismo *disminuye* la habilidad del individuo para llegar a ser consciente de la barrera mental que lo oprime. La ruta a la cordura radica en llegar a ser consciente de la raíz del problema. Incluso si se le ordena estar cuerdo o ponerse bien, el efecto es una persona aturdida y acomodaticia que, bajo una fina capa, está más loca que nunca. Y el "tratamiento" desaparece gradualmente en menos de seis meses, dejando a un ser enfermo y dañado.

Sin embargo, este tipo de coacción, el hipnotismo, tiene usos mucho más mortales. El psiquiatra es perfectamente consciente de esos usos.

A una persona drogada y en estado de shock se le puede ordenar matar, a quién matar, cómo hacerlo, y qué decir después. Y dependiendo de la pericia con que se administre el "tratamiento", la persona, ahora despersonalizada y convertida en un mero robot, hará exactamente eso.

Ves, pues, por qué los scientologists, siendo técnicamente superiores a los psiquiatras y estando a unos cientos de años luz por encima de ellos en cuanto a la moral, se oponen seriamente a la indiferencia oficial hacia los tratamientos de electrochoque y con drogas.

El psiquiatra teme al scientologist porque un scientologist puede ENCONTRAR Y RECUPERAR ESTAS ACCIONES PSIQUIÁTRICAS EN PACIENTES MENTALES TRATADOS POR PSIQUIATRAS.

Encontramos órdenes de pagar al psiquiatra enormes honorarios, de cometer adulterio, todo tipo de cosas que cuando son reveladas mediante las técnicas suaves y no físicas de Scientology, hacer que la persona vuelva a estar bien. El "tratamiento" psiquiátrico hacía que la persona enfermara y la dejaba así hasta que aparecía el scientologist y desenterraba esto para el paciente.

“Los psiquiatras usan dolor-drogas-hipnosis como actividad ordinaria en los manicomios. Les hablan a personas drogadas durante o después de administrarles choques de 50,000 voltios. A menudo instalan una sugestión posthipnótica”.

Los scientologists no tratan al demente. ¿Por qué? Porque las estadísticas crecientes de demencia son directamente atribuibles a la brutalidad de los psiquiatras. El 90% de los "dementes" se pondrían bien en una semana o dos si se les dejara en paz.

Los pacientes internados en los sanatorios saldrían seis semanas antes, como promedio, si no se les aplicaran electrochoques, de acuerdo con las propias estadísticas de los psiquiatras. Pero 2,000 dólares al mes en Estados Unidos o 60 libras a la semana en el Reino Unido, no sería rentable, ¿verdad?

Los psiquiatras luchan contra Scientology no sólo por razones económicas. Una tecnología superior es siempre una amenaza para las escuelas antiguas.

En este caso, es una amenaza para la vida y la libertad de los psiquiatras a nivel personal.

Los auditores de Scientology encuentran en estos pacientes mentales violación, perversión, orgías sexuales, órdenes de pagar enormes honorarios, de cometer crímenes: muchas cosas desagradables.

Los psiquiatras gritan: "Son sólo delirios". Si lo son, ¿entonces por qué se recupera el paciente? ¿Y por qué las fechas y las identidades encajan?

Una persona que está demente está en una condición bastante agonizante en primer lugar. Dañarla brutalmente, usar al paciente como un juguete sexual (como Frieda Fromm-Reichmann testifica en su libro de advertencias para los psiquiatras), usar una tecnología curativa con el fin de extorsionar, son todos ellos crímenes.

Algún día la policía tendrá que poner bajo control a los psiquiatras. Esa es la razón principal de que el psiquiatra luche contra Scientology con tal terror. El psiquiatra está siendo descubierto.

Pero que cualquier funcionario defienda a la psiquiatría o luche contra sus enemigos a su favor, es una estupidez. Los conocimientos de ese funcionario son tan reducidos que no podrá vivir. Esta es la razón:

Dos pacientes mentales atacaron al Dr. Verwoerd, que fuera Primer Ministro de Sudáfrica.

Apenas se había recuperado del primer intento de asesinato por parte de un paciente mental, cuando fue atacado y asesinado por otro.

En casi todos los asesinatos políticos importantes se ha encontrado que los psiquiatras rápidamente se ponen manos a la obra para hacer que no se castigue a la persona o para ayudarle a desaparecer.

Las famosas deserciones de Burgess y Maclean vinieron poco después de recibir tratamiento psiquiátrico.

Simplemente, no es políticamente seguro permitir el uso de los electrochoques, la brutalidad y la cirugía en pacientes mentales.

Concedamos que la actitud humanitaria, la destrucción de seres humanos, las violaciones, los secuestros y la violación de los derechos humanos, no les interese a algunos funcionarios.

La amenaza política de la técnica psiquiátrica de dolor-drogas-hipnosis no puede ignorarse. 

"A una persona drogada y en estado de shock se le puede ordenar matar, a quién matar, cómo hacerlo, y qué decir después. Y dependiendo de la pericia con que se administre el 'tratamiento', la persona, ahora despersonalizada y convertida en un mero robot, hará exactamente eso".

Aunque mucho de lo que LRH menciona con respecto a las consecuencias de una relación psiquiátrica con los gobiernos es suficientemente obvio, su artículo de 1969, "Fracasos", menciona un tema relativamente desconocido en aquel entonces: la barbarie psiquiátrica y el campo de exterminio. Es decir, antes de la formación de la Comisión de Ciudadanos por los Derechos Humanos en 1969, la noticia sobre los asesinatos psiquiátricos estaba restringida en gran medida a las naciones de la Cortina de Hierro, especialmente a la Unión Soviética abrumada por el Gulag, su sistema de campos de trabajos forzados. Sin embargo, mediante el enérgico trabajo de los scientologists, la atención internacional muy pronto se centró en otras partes: especialmente en lo que equivalía a cámaras de tortura psiquiátrica en Estados Unidos, el Reino Unido, Hungría, Holanda, Sudáfrica, Australia y Nueva Zelanda.

FRACASOS

de L. Ronald Hubbard

Los psicólogos y psiquiatras, de los que dependen completamente los gobiernos de Occidente, sólo usan la tecnología de zonas que han fracasado.

De Polonia, Alemania, Austria y Rusia tenemos al psicólogo y al psiquiatra arrogante cuyas prácticas con animales y campos de exterminio vienen del trabajo de PAVLOV y de WUNDT.

Después de que el trabajo de estos y de sus colegas fue aceptado en estos países y usado por sus gobiernos, sobrevinieron la revolución y la catástrofe totales.

La tecnología mental que usan hoy en día los gobiernos de Occidente, le dio un Hitler a Alemania y un Stalin a Rusia. Polonia, Austria, Alemania y Rusia han sido escenario de campos de exterminio, masacres, guerras y derrota total. Los líderes dirigentes que compraron y usaron esta obra ya llevan mucho tiempo muertos, aborrecidos y condenados por la humanidad.

No obstante, los gobiernos de Occidente ahora suplican desesperadamente las más vagas opiniones de los exponentes actuales de tales tecnologías.

Pese a que el índice de criminalidad se disparó en Inglaterra desde que se empezó a usar esta tecnología degradada, se obliga a estudiarla incluso a la policía.

Se le enseña incluso a los niños en las escuelas de Estados Unidos, y las madres estadounidenses criaron con ella a la generación que ahora está desertando del ejército en masa.

Los gobiernos de Occidente no sólo usan actualmente esta tecnología mental, sino que también usan los consejos de esos mismos hombres, ciudadanos de aquellos países, que fueron parte de la decadencia.

Una lista de estos "expertos" en el trabajo de Wundt y Pavlov y de otras autoridades del Este muestra que sólo en Nueva York el 62% fueron importados de esos países.

Además, el público no quiere tener *nada* que ver con ellos ni con su enfoque tipo "el hombre es un animal" proveniente de los campos de exterminio. El público no los apoyará económicamente ni estará dispuesto a ir con ellos.

Estos hombres subsisten de limosnas y subvenciones del gobierno.

Por lo tanto, son un doble fracaso.

Además, esta gente ataca cualquier nuevo progreso de Occidente en el campo de la mente, lanzándole a uno todo el peso del control total que ahora ejercen sobre los gobiernos.

Estos hombres, actuando desde un cuartel general cerca de la frontera ruso-alemana, controlan el campo entero de la "salud mental" en Occidente.

Luchan con una furia endemoniada contra Scientology, el único descubrimiento nuevo de Occidente sobre la mente y el espíritu.

Y LOS GOBIERNOS DE OCCIDENTE LOS OBEDECEN.

A cualquier persona del público que no esté de acuerdo con este nuevo fascismo, se le programa para ser enviada a sus reclusorios, torturada con choques ingeniosos y asesinada. Y todo ello con el acuerdo ávido de "los mejores de entre la gente".

En mi humilde opinión, a los mejores de entre la gente más le valdría recordar el destino del Zar de Rusia, el de Adolf Hitler, el de la realeza de Austria y el de los demás. *Estos* también fueron "los mejores de entre la gente" de su época. Tuvieron una muerte muy horrible después de usar el trabajo de estos psiquiatras y psicólogos.

La criminalidad en Occidente se está disparando, la violencia aplasta sus ciudades, los estudiantes están en una rebelión total, desertan ejércitos enteros. Y los líderes de Occidente escuchan embelesados la misma tecnología que hizo polvo a su propio mundo.

O bien los líderes de Occidente son más estúpidos de lo que es posible creer, o ellos mismos son criminales. Decídelo tú mismo. No hay otras explicaciones posibles.

El despreciar y atacar todos los descubrimientos de Occidente en el campo de las humanidades e involucrarse en una orgía de traición con las vociferaciones de Wundt y Pavlov en contra del hombre, no es un "síntoma de los tiempos". Es una destrucción planificada de Occidente mediante el uso de sus propios jefes de estado, y debería considerarse como tal.

Observa cuidadosamente dondequiera que los líderes de un país se encogen de hombros ante los campos de exterminio que ahora se están sacando a la luz; tienes hombres cuyo odio hacia su propia gente es profundo y amargo y que perdurará hasta que la población esté hecha añicos y destruida.

No hay una excusa, pretexto o explicación posible, que sean cuerdos, para la detención ilegal, la tortura y el asesinato planeados y "legales" de seres humanos inocentes.

¿Por qué importar una tecnología fracasada? Ronald

ALREDEDOR DE JUNIO DE 1969

DIPLOMAS

de L. Ronald Hubbard

El requisito común para obtener un diploma en una materia es que el titular sea capaz de obtener un resultado en esa materia.

Los psiquiatras obtienen sus "diplomas" sin demostrar jamás ninguna cura de nada.

Los psicólogos obtienen sus "diplomas" sobre la mente en una materia cuyos textos insisten en que al hombre *no* se le podría cambiar y que la inteligencia y la personalidad no podrían alterarse.

Como el psiquiatra alardea diciendo que se requieren doce años de formación para ser psiquiatra, y el psicólogo fanfarronea diciendo que se requieren seis años para ser psicólogo, uno puede suponer que sin duda les lleva un tiempo bastante largo no aprender nada.

Otros criminales no necesitan diplomas para convertirse en asesinos competentes.

De la misma manera, esta "formación" tampoco tiene lugar en la demás charlatanería de la psiquiatría y la psicología.

Los psiquiatras de establecimientos psiquiátricos pasan unos cuantos años como vigilantes dándole palizas a los pacientes, y eso es su "formación".

Ambas actividades son subvencionadas por grupos privados que fingen ser funcionarios estatales. La palabra "Nacional" es charlatanería.

La única pericia de la que se puede estar seguro que está presente en la psiquiatría y la psicología es la de la charlatanería. Son sin duda los charlatanes más consumados del mundo.

Un diploma en una materia que no puede llevar nada a cabo es parte de la fachada que se utiliza para extorsionarle al gobierno miles de millones de dólares anualmente.

Sería mucho más barato si los gobiernos simplemente contrataran a la Mafia para drogar y asesinar a sus ciudadanos, y así acabar con el asunto.

Uno está seguro de que la Mafia también podría presentar muy buenos diplomas, merecidos, en su mayoría, por los muchos años pasados en prisión. O, como los de la psiquiatría: falsificaciones descaradas.

LA PSICOLOGÍA Y LA PSIQUIATRÍA: LAS CIENCIAS DE LA SALIVA

de L. Ronald Hubbard

Investigaciones recientes han revelado que las ciencias de control de la psicología y la psiquiatría, de las que se hace tanta propaganda y que están tan fuertemente financiadas por el gobierno, se basan en un único descubrimiento.

Karl Friedrich Wilhelm LUGWIG (1816–1895), director del Departamento de Fisiología de la Universidad de Leipzig (Alemania), fue el primero en demostrar que era posible que las glándulas digestivas humanas estuvieran bajo la influencia del nervio secretorio. Esto fue una especie de gran avance, el que los nervios controlaran las reacciones físicas.

Otro alemán, Wilhelm Max WUNDT (1832–1920), que enseñaba en la misma universidad (Leipzig, Alemania) declaró poco después, en 1879, que todos los hombres eran sólo animales, ya que los nervios controlaban la saliva, y se convirtió en el padre de la psicología. Este fue el primer instituto de psicología.

Ivan Petrovitch PAVLOV (1849–1936), un veterinario, vino poco después de Rusia, estudió sobre esto y volvió a casa para mostrar que los perros salivan cuando haces que suenen las campanas y dejan de salivar cuando les das electrochoques.

Pavlov participó en la violenta revolución universitaria de la Rusia del siglo XIX y emergió de la revolución de 1917 que asesinó al Zar, como jefe de los nuevos laboratorios experimentales comunistas.

En 1928, cuando Stalin hacía que Pavlov escribiera un libro de 400 páginas sobre cómo controlar a los seres humanos a través de los nervios, la Sociedad Real del Reino Unido lo nombró miembro.

John Dewey (1859–1952), el "gran" pedagogo americano que revolucionó la enseñanza en Estados Unidos (y llevó la revolución a *sus* universidades), era un seguidor de las teorías de Wundt. En la época de Dewey, psicólogos estadounidenses fueron enviados a Leipzig a estudiar bajo Wundt.

Pavlov y el "gran" educador estadounidense, John Dewey, tuvieron los mismos maestros.

Toda la lógica de la psicología y de la psiquiatría se remonta a Ludwig y a Wundt. Se basa por completo en los siguientes datos.

Si un nervio se corta, se desgarra o se electrocuta, puede hacer que el cuerpo físico reaccione.

Como el nervio puede controlar la saliva, los nervios deben controlar la demanda de comida y la demanda de sexo.

Por lo tanto los hombres son animales. Se les puede entrenar como a las ovejas o como a los osos bailarines.

Esto es *todo* lo que el psiquiatra está intentando hacer con el choque eléctrico y la cirugía: cortar el nervio "correcto".

Nadie ha demostrado JAMÁS en ningún sitio que exista ese tal nervio correcto.

A los políticos de Alemania, Rusia, EE.UU. e Inglaterra, les fascinó mucho la *promesa* de ser capaces de controlar totalmente a los hombres.

Desafortunadamente, la premisa básica de la psicología y la psiquiatría es una verdad parcial y limitada. Y al aplicarse, ha logrado el siguiente historial:

La Rusia Zarista; sucumbió debido a las actividades universitarias de estudiantes revolucionarios.

La Alemania del Káiser; desapareció para 1918.

La Alemania de Hitler; desapareció para 1945.

Austria, Checoslovaquia y Polonia fueron absorbidas por Rusia.

El pueblo ruso ha sido esclavizado.

Las universidades de EE.UU. están en un motín total e incontrolado.

Las universidades del Reino Unido se están saliendo de control.

El dominio total que ejercen estos "psicólogos", pedagogos y psiquiatras adoctrinados en Leipzig ha sido muy marcado desde la segunda mitad del siglo XIX.

Los principios de esta escuela son:

1. No hay un Dios.
2. El hombre es un animal.
3. El hombre puede ser controlado totalmente.
4. El hombre no puede cambiar.
5. El hombre no tiene voluntad; es simplemente un mecanismo de estímulo-respuesta y, por consiguiente, es totalmente irresponsable de sus actos.

Estos tipos (Wundt, Pavlov, Dewey, todos ellos) sacaron a las universidades de la influencia de la Iglesia, donde habían prosperado durante más de mil años, le enseñaron al Hombre que es un animal salvaje sin alma y nos obsequiaron en una bandeja llameante lo que risiblemente se llama la civilización moderna.

De inmediato sobrevino la decadencia cultural y la destrucción nacional.

¿Control del hombre?

Mira los motines.

¿No es hora ya de que alguien saque a patadas a estos farsantes arrogantes y deje trabajar a alguien competente?

Estos sacerdotes de la revolución y la decadencia han estado combatiendo cruelmente a Dianética y a Scientology. Sin embargo, Dianética y Scientology pueden lograr en horas, estudiantes que pueden estudiar, hombres que pueden pensar y también, seres humanos contentos y felices. Es hora de enterrar a la vieja escuela con sus muertos y dejar que los *competentes* intenten crear algo de orden a partir de todo el último siglo de mentiras. Ronald

"Toda la lógica de la psicología y de la psiquiatría se remonta a Ludwig y a Wundt. Se basa por completo en los siguientes datos. Si un nervio se corta, se desgarra o se electrocuta, puede hacer que el cuerpo físico reaccione. Como el nervio puede controlar la saliva, los nervios deben controlar la demanda de comida y la demanda de sexo. Por lo tanto los hombres son animales".

Al sugerir que la "revolución planeada" de la psiquiatría está condenada al fracaso en presencia de Scientology, LRH se refiere a los largos y constantes esfuerzos victoriosos de los scientologists para detener la marea psiquiátrica. Por citar aunque sólo sean algunas de las victorias más destacadas después de 1956: con la formación de la Comisión de Ciudadanos por los Derechos Humanos en 1969 para poner al descubierto y erradicar los abusos de la psiquiatría, los scientologists hicieron precisamente eso, en primer lugar y de la forma más extraordinaria en Sudáfrica, donde se retuvieron "pacientes" nativos africanos literalmente en campos de trabajos forzados para esclavos hasta que CCHR tomó la iniciativa para que se realizara una investigación ministerial. Como consecuencia de esa investigación se recomendaron los estatutos de los derechos de los pacientes y se inició acción judicial contra los crímenes de la psiquiatría. Tras la denuncia de horribles crímenes psiquiátricos similares en Italia, los scientologists encabezaron las investigaciones parlamentarias italianas sobre el abuso psiquiátrico y el cierre de 91 manicomios estatales. Luego, una vez más, los scientologists encabezaron la cruzada contra el abuso psiquiátrico en Grecia y Nueva Zelanda, mientras inspiraban la prohibición del tratamiento electroconvulsivo en Texas y California.

Con el máximo énfasis dramático de la frase "acabar con los abusos psiquiátricos", los scientologists llegaron a las instalaciones de Chelmsford, en Sidney, Australia. Como se informó a nivel internacional, y también bajo el estandarte de CCHR, los scientologists pusieron al descubierto los ahora infames experimentos de "sueño profundo", donde se dejaba inconscientes a los pacientes durante semanas y se les sometía a tratamientos de choque (hasta 24 choques por semana), y naturalmente no se les decía nada de lo que habían padecido cuando finalmente se les despertaba de su sueño inducido por drogas. Finalmente, estos descubrimientos dieron como resultado una Investigación Real sobre el asunto, la investigación de máximo nivel del gobierno en Australia. Y para colmo: la víspera de la audiencia en que el psiquiatra más importante de Chelmsford, el Dr. Harry Bailey, se enfrentaría a su fin profesional y a su segura destitución, literalmente "tomó de su propia medicina". Es decir, intencionalmente ingirió una dosis mortal de Tuinal, exactamente la misma droga que suministraba a sus pacientes. Parece que tenía mucho que temer, ya que las pruebas de la investigación y las recomendaciones finalmente llevaron a reformas profundas en todo el sistema de salud mental de Australia. Más aún, y también gracias a los esfuerzos de CCHR, unas doscientas victimas de Chelmsford finalmente recibieron indemnización.

Como palabras finales en este tema, se puede destacar que cuando LRH escribió su artículo, era inaudito que cualquiera de los psiquiatras fuera considerado responsable de las atrocidades cometidas en nombre del "tratamiento". Hoy en día, sin embargo, y directamente a partir de la labor de los scientologists, son miles los psiquiatras acusados de crímenes reconocidos y que ahora están cumpliendo sentencias. Además, los scientologists también han logrado que se aprobaran más de cien proyectos de ley para salvaguardar los derechos de los pacientes en todo el mundo. Y sólo para asegurarse, fueron los scientologists quienes encabezaron la "Declaración de Derechos" de la salud mental de las Naciones Unidas en 1991, emitida por unanimidad para la protección de los pacientes en todas partes.

LA REVOLUCIÓN PLANEADA

de L. RONALD HUBBARD

No es un comentario superficial que el psiquiatra y el psicólogo pretendan premeditadamente suplantar al político y a los actuales dirigentes del Estado mediante sus organizaciones "Nacionales" de "Salud" Mental.

Esa ambición es patente en su literatura.

Ya en 1938, Harold D. Lasswell, un portavoz de la psiquiatría, escribió en la revista *Psiquiatría* un artículo titulado "Qué Pueden Aprender Unos de Otros los Psiquiatras y los Científicos Políticos".

Él declaró: "... La forma de mayor alcance para reducir la enfermedad es que los psiquiatras cultiven un contacto más estrecho con los dirigentes de la sociedad...

"Así, los psiquiatras pueden decidir convertirse en los gobernantes del 'Rey'. Ahora bien, la historia del 'Rey' y de sus filósofos muestra que el 'Rey' tiende a desviarse del camino de la sabiduría según la entienden los filósofos del Rey. ¿Debe, entonces, el psiquiatra destituir al 'Rey' y materializar en la esfera de lo real al Rey-filósofo de la imaginación de Platón? Por gracia de su psiquiatría, por supuesto, el filósofo moderno que quisiera ser rey sabe que podría perder su filosofía camino al trono y que llegue ahí desprovisto de todo aquello que le distinguiría del rey que ha destronado. Pero si estuviera suficientemente seguro de su conocimiento de sí mismo y de su campo, podría atreverse a ir donde otros se atrevieron antes y perdieron".

Lasswell también predicó: "El poder corrompe y el poder absoluto corrompe absolutamente, excepto a los psiquiatras".

La tentativa psiquiátrica de un poder total ha progresado bastante.

Como las tempranas tentativas de los Hitlers y los Napoleones, parece demasiado increíble para creer; hasta que millones murieron por sus ambiciones.

Desde 1938, el psiquiatra y el psicólogo han avanzado mucho hacia su meta de tomar el poder.

Emplean terrorismo, corrupción y chantaje para reducir a los secuaces políticos a la obediencia.

Se han apoderado de la educación, no sólo en las universidades, sino también en las escuelas inferiores, y están produciendo una generación sumisa y degradada a la cual gobernar.

Una policía secreta financiada por el estado arresta a cualquiera que no les agrade.

El estado financia sus campos de exterminio para disidentes.

Casi han paralizado a la cristiandad.

Controlan el "respeto" total de la prensa mediante presiones a los propietarios de los periódicos.

Derriban cualquier promesa de ayuda real o de libertad para la gente.

Rusia, Polonia, Checoslovaquia, Alemania y otros países ya han sido sometidos, y los utilizan totalmente para controlar a poblaciones enteras.

Se han ganado el "derecho" de estar completamente por encima de la ley, y de arrestar, torturar o asesinar a quienes ellos quieran. Actúan totalmente más allá de la ley humana y desafían totalmente cada progreso que se haya hecho alguna vez en cuanto a la libertad humana.

La revolución psiquiátrica no sólo está planeada. Ya está bien avanzada en su camino hacia su cumplimiento real.

Estos forajidos sólo han cometido dos errores graves:

1. Van directamente contra los deseos, costumbres y tradiciones de la gran mayoría de las poblaciones del mundo.
2. Atacaron a Dianética y Scientology sin provocación o razón alguna y demostraron plenamente que se oponen a cualquier tecnología mental verdadera que pudiera ayudar.

Sólo los locos intentan gobernar el mundo. Sólo degenerados totalmente dementes intentarían gobernar un mundo que se opone totalmente a sus actividades.

Pero la locura estimula en lugar de desalentar las ambiciones dementes.

Uno de estos días, incluso sus títeres políticos despertarán y se darán cuenta de que los asesinos son asesinos. Si no se dan cuenta a tiempo, también ellos acompañarán al psiquiatra político y al psicólogo en su ascenso por los fatídicos peldaños del patíbulo.

Es posible abusar de algunas personas durante un tiempo. Pero se encontrará que es imposible oprimir y tiranizar a todo el planeta sin una represalia fantástica y dolorosa.

Nunca lo lograrán. Pues uno no se puede crear un estado policial si los organismos de seguridad y de la policía lo detestan por completo.

El criminal y forajido es un tipo arrogante. Continúa siendo arrogante hasta el final.

El psiquiatra y el psicólogo han sido tan arrogantes que han declarado abiertamente por escrito en muchas ocasiones lo que plenamente intentan llevar a cabo. Parece increíble. Esa es su única protección.

Debido a los esfuerzos cívicos de los scientologists, verás el final de esto en tu época. Ronald

"Desde 1938, el psiquiatra y el psicólogo han avanzado mucho hacia su meta de tomar el poder. Emplean terrorismo, corrupción y chantaje para reducir a los secuaces políticos a la obediencia".

LAS CIENCIAS DE LA SALIVA

de L. Ronald Hubbard

COMPADECE A LOS POBRES psiquiatras y psicólogos.

No tienen ninguna tecnología que los apoye.

Mucho discurso pomposo y arte de ventas sin nada que vender.

No podían curar un grano, pero se jactaban de ser capaces de dirigir el mundo.

Su sociología y todas sus otras -logías son una cesta de botellas vacías.

Ni siquiera pueden hacer que un perro salive a su hora.

Su única habilidad consiste en embaucar a los políticos para conseguir el subsidio total.

No pueden entregar lo que prometen.

La sociedad utópica que se supone que están creando a un gran costo es tan sólo un gran montón de disturbios y conmoción civil.

Cualquier cosa que tocan se rebela, ya sea una universidad o un país.

Se podría ofrecer sin riesgo un millón de libras de recompensa por cualquier persona curada de cualquier cosa o por cualquier grupo controlado.

Las "teorías de escupitajo" de Pavlov son falsas. Sólo se puede hacer que aproximadamente dos perros de cada cien lleguen acaso a salivar cuando se toca una campana. El psicólogo se calla respecto a los otros 98. No salivaron. Hicieron casi de todo menos eso. ¡La reacción más común fue morder!". No la comida, sino al psicólogo.

De los cientos de cautivos a los que se les lavó el cerebro con las técnicas de Pavlov en Corea, sólo unos 22 fueron "convertidos al comunismo", y la mayoría de ellos volvieron a su estado original después.

En los laberintos para ratas, algunas ratas insisten en entrar por la ruta con descargas eléctricas para llegar al queso, y pocas llegan a usar alguna vez la puerta sin descargas eléctricas. Ellos se enfurecen con eso.

"Las 'teorías del escupitajo' de Pavlov son falsas. Sólo se puede hacer que aproximadamente dos perros de cada cien lleguen acaso a salivar cuando se toca una campana. ...¡La reacción más común fue morder!".

Compadece a los pobres psiquiatras y psicólogos. Prometieron a los políticos curar todos los males sociales. Prometieron crear una Utopía total sólo por unos pocos miles de millones de libras.

Todo lo que crearon fue *¡rebelión!*

No se han dado cuenta de que dentro de poco les espera "una buena". No pueden entregar.

La primera generación que criaron en las escuelas estadounidenses usando las técnicas de Pavlov y grandes promesas, se ha rebelado en masa, está desertando a montones de las Fuerzas Armadas de EE.UU. y está destruyendo todo el sistema escolar de EE.UU.

Que Dios ayude a un técnico que sólo sabe promocionar y nunca puede entregar.

Compadece a los pobres psiquiatras y psicólogos.

Lo peor que podía pasarles, ha pasado.

Alguien llegó y desarrolló una verdadera tecnología mental que *funciona*.

Durante 19 años, los psiquiatras y psicólogos han luchado para destruir a Dianética y a Scientology.

Incluso en esto fracasaron.

Sólo hay una reacción en común en todos los experimentos y esfuerzos de los psiquiatras y psicólogos para controlar. Ya sean ratas, perros u hombres, sus víctimas demuestran repulsión y rabia hacia estos charlatanes.

Pero compadece a los psiquiatras y psicólogos. Desenmascarados como lo que son, están muriendo. Ronald

15 DE JUNIO DE 1969

"CIENCIAS" DEL CONTROL

de L. Ronald Hubbard

El público no está enterado de que la psiquiatría y la psicología, tal y como se enseñan en las escuelas, y tal y como son financiadas tan profusamente por los gobiernos, NO tienen el propósito de curar nada. La idea de CURAR es lo más alejado de las intenciones del gobierno y de los académicos.

La idea de que puede desarrollarse una ciencia para CONTROLAR a las poblaciones surgió para contrarrestar las demandas de Libertad, Igualdad y Fraternidad de la Revolución Francesa. El Conde de Saint-Simon (1760–1825) abogaba por reorganizar toda la sociedad. Junto con Auguste Comte (1798–1857), propuso la teoría de que se podía controlar la totalidad de la población aislando ciertos principios.

Estos hombres estaban violentamente en contra de una sociedad libre, y ninguno de ellos tuvo éxito personal en la vida.

Como estudiante, Comte formó parte del motín que destruyó la École Polytechnique (Escuela Politécnica), lo que inició la tendencia a los motines universitarios que se extendió a lo largo del siglo XIX por Europa y Rusia, y en la actualidad, se encuentra dondequiera que estos principios totalitarios se hayan seguido.

En la Universidad de Leipzig, Ludwig y Wundt apoyaron este movimiento al formular la idea de que se podía lograr el condicionamiento nervioso.

En Rusia, Pavlov concibió la idea de que las antiguas reacciones sociales de los hombres podían ser alteradas; y después de los motines universitarios, se creó el Estado Totalitario Comunista, con la psiquiatría y la psicología dirigiendo entre bastidores.

Utilizando los mismos principios, los médicos alemanes generaron a la Alemania Totalitaria Nazi y ampliaron la definición de "condicionamiento" para incluir el asesinato manifiesto de todo disidente.

El Estado Totalitario Ruso, usando a sus agentes psiquiátricos y de la KGB, y asistido por la "mejor gente", ha llevado al Imperio Británico a su exterminio, y actualmente está enfocándose en Estados Unidos.

El patrón es invariable. Las cuestionables alegrías del estado totalitario se introducen en los textos de las escuelas, se les llama "psicología" o "sociología", y la nueva generación crece adoctrinada en la deslealtad y la traición a su país.

La "mejor gente" y los políticos más corrompibles son llevados a la sumisión, y *¡listo!,* como solía decir Comte, tenemos a nuestra sociedad totalmente controlada, en la cual las palabras Libertad, Fraternidad e Igualdad son las más groseras que uno puede pronunciar.

A estos estúpidos visionarios los escuchan políticos imbéciles y snobs que detestan activamente a "la plebe". Parece tan convincente: un sistema con el cual se puede CONTROLAR a toda la población con las leyes naturales que estos "expertos" fingen conocer (pero que son demasiado eruditas como para que puedan ser comunicadas).*

Es un sueño raro donde a todo el mundo le gustan las fresas, donde todo el mundo es dócil y todo está calmado. Y la mejor gente se sienta en una loma y toca una flauta de pastor mientras las ovejas pastan tranquilamente.

Sin embargo, no resulta ser así. Principalmente porque los exponentes del estado social total no saben nada de la mente, la gente o el gobierno. Cualquier policía sabe más del crimen que el más sabio de los "psiquiatras criminólogos". Cualquier enfermera de hospital sabe más de la sociedad que el "sociólogo" mejor entrenado del mundo.

Lo que sucede cuando llega el día D es un poco más desagradable. La "mejor gente" es masacrada muy dolorosamente. La población, diezmada, comienza a morirse de hambre. En todas partes debe estar activa una policía secreta violenta y cruel, para impedir continuamente las contrarrevoluciones. Un reinado de terror constante y horrible aplasta a la población durante décadas.

Nunca se les ha ocurrido a ninguno de estos totalitaristas que en estas monstruosidades Totalitarias todo el odio de la Humanidad llega a centrarse en ellos. Y cuando estas monstruosidades explotan, hacen explotar en fragmentos a sus organizadores.

Este sueño imbécil de controlar a la sociedad por controlarla ha matado, sólo en este siglo, a más de cien millones de seres humanos.

Yo diría que las filosofías de control llamadas psiquiatría, psicología y sociología son un fracaso. Probablemente el mayor fracaso humano de los dos últimos siglos.

¿No es hora de que nos deshagamos de ellas? *Ronald*

* *En particular, y específicamente en nombre del control social, donde se llevan a cabo discusiones sobre las Directivas de Estrategias Psicológicas sobre el uso de programas nacionales de radio para manipular la moral popular y reforzar el apoyo de los objetivos extranjeros de Estados Unidos. También se debatió entre los participantes de las reuniones psiquiátricas, incluyendo, incidentalmente, al vehemente enemigo de Dianética, el Dr. Daniel Blain, el reclutamiento de editores de periódicos dispuestos a jugar con los temores populares ante la amenaza nuclear soviética. —Editor*

"El patrón es invariable. Las cuestionables alegrías del estado totalitario se introducen en los textos de las escuelas, se les llaman 'psicología' o 'sociología', y la nueva generación crece adoctrinada en la deslealtad y la traición a su país".

LA PERSONALIDAD INSULSA

de L. RONALD HUBBARD

EL "INGENIERO SOCIAL" DECIDIDO en producir una utopía totalitaria está ansiosamente intentando rediseñar la "personalidad aceptable" hacia un estado sumiso y carente de emoción.

Todas las personas que se molestan, se enfadan, se emocionan o se exaltan se encuentran en sus listas negras.

Sin embargo, es un hecho que la principal queja de los psicóticos en los centros mentales es que ya no pueden "sentir" nada. Ya no pueden estar contentos ni tristes, ni "sentir" como respuesta a la vida. Simplemente son insensibles.

El psiquiatra y el psicólogo declaran como anormal cualquier desviación de un único estado mental monótono de "buen perro". Tienen palabras peyorativas y rimbombantes en latín para cualquier reacción de personalidad o para cualquier diferencia de comportamiento entre los hombres. Todos estos estados son una "demencia". Buscamos en vano cualquier aprobación de alguien que esté contento. En vez de eso encontramos la palabra peyorativa "eufórico" que significa "psicóticamente alegre".

Hoy en día la comida de restaurante es en su mayoría "insulsa", lo cual quiere decir "inofensivamente insípida". Uno busca en vano en los menús de los hoteles Hilton platos picantes o de sabor fuerte. Puesto que de vez en cuando un cliente se queja de los sabores fuertes, TODO EL MUNDO debe ser sometido a platos insípidos.

Lo mismo pasa con el "experto" social totalitario. Empleado por el estado, teniendo la esperanza incluso de gobernar el estado, él concibe su trabajo como una especie de criador de perros que castiga cualquier cosa que no sea una personalidad que pase inadvertida. Es fácil mantener a los perros "buenos" bajo disciplina. Por lo tanto, a todos los perros que muestren cualquier signo de alegrarse, de ponerse a dar saltos o de no interesarse en ser "buenos perros", se les estigmatiza rápidamente diciendo que tienen tendencias "psicóticas". Esto saca al criador de perros de cualquier apuro en caso de que algo vaya mal. Como a este criador de perros en particular no le gustan los perros de todos modos, ahorra mucho trabajo si sólo tiene perros con personalidades negativas.

“El ‘ingeniero social’ decidido en producir una utopía totalitaria está ansiosamente intentando rediseñar la ‘personalidad aceptable’ hacia un estado sumiso y carente de emoción”.

La cuestión de quién va a quedar lo suficientemente vivo e interesado como para dirigir algo, nunca le ha entrado a la cabeza al tirano social.

Y la otra cuestión de quién va a seguir interesado en la vida lo suficiente como para querer vivirla, plantea una tasa futura de suicidios muy elevada.

La Personalidad Insulsa (nada de alegrías, de penas, sumisa, obediente y aburrida) es el objetivo obvio de los expertos sociales del gobierno.

Contemplen al Hombre del mañana; un ser que nunca se interesa en nada.

Probablemente ni siquiera hable; es más probable que ladre.

CHARLATANERÍA Y FARSA

de L. RONALD HUBBARD

ESTAS ORGANIZACIONES DE "SALUD MENTAL" que ambicionan crear un estado totalitario superior a la policía, a los tribunales y a la gente, son muy aficionadas a declarar en su literatura, a la prensa y a los gobiernos, que se oponen a la "charlatanería" y que todos los "charlatanes" deben ser erradicados.

Históricamente, de manera específica en Inglaterra, un "charlatán" era alguien que vendía mercurio en las ferias como cura para las enfermedades. De forma más concreta, un "charlatán" es alguien que vende ungüentos o medicinas que se pueden comprar sin receta médica, que se niega a hacer devoluciones si no se produce una cura. Claro que los antiguos "charlatanes" de las ferias inglesas se iban a la siguiente feria antes de que sus clientes descubrieran que sus pomadas no funcionaban.

Extrañamente, ni el MÉDICO hecho y derecho de aquella época ni el psiquiatra actual pueden curar nada.

Estos grupos falsos de "salud mental" siempre están hostigando a los políticos y a los ministerios sociales para que acorralen y eliminen a los "charlatanes" y dejen todo el campo abierto para quienes no pueden curar nada.

El psiquiatra y el psicólogo nunca admiten devoluciones de sus honorarios. Si lo hicieran, deberían cada céntimo de cada cobro hecho alguna vez, tanto a personas públicas como al estado.

Una investigación realizada en cinco países no pudo encontrar NI UNA persona que haya sido curada alguna vez de cosa alguna por psiquiatras o psicólogos. La investigación encontró que miles de personas han sido incapacitadas permanentemente o asesinadas. Y al menos en una prisión mental, se descubrió que el número total de personas internadas y el número total de defunciones eran idénticos. Así que, nadie ahí jamás vivía lo suficiente como para reclamar los honorarios pagados.

Así que tenemos la interesante pregunta respecto a quiénes son los "Charlatanes".

Ofrecer a los políticos la promesa de controlar a toda la población es una promesa de curación.

Los políticos destinan cientos de millones en fondos a las instituciones y a la Psiquiatría Comunitaria.

Inmediatamente, las universidades se rebelan, florecen los agitadores, las estadísticas sobre la delincuencia se disparan de manera que ni siquiera la policía puede trazarlas gráficamente, la locura aumenta vertiginosamente.

Esto es no entregar lo prometido. El psiquiatra, el psicólogo y su asistente, el sociólogo, señalan lo mal que se están poniendo las cosas y piden aún *más* dinero.

Los pacientes que viven se vuelven más locos, se pone en peligro al estado y sin embargo, ningún psiquiatra, psicólogo o sociólogo ni sus camarillas de "salud mental" devuelven jamás un solo céntimo de sus inmerecidos honorarios.

Entonces, ¿qué es esta etiqueta de "charlatán"?

Deberíamos tener un término más definido.

Es la hipocresía de acusar a otros de hacer lo que uno mismo está haciendo de forma secreta.

Es una farsa total fingir curar todos los males sociales y controlar poblaciones, y después sólo provocar motines.

Estos hombres, sus subvenciones, sus torturas y asesinatos son todos en vano.

Sólo han producido caos.

Ellos son los charlatanes.

A veces una familia tiene que impedir que uno de sus miembros se relacione con malos compañeros.

Ya es hora de que la población prohíba a sus políticos asociarse por más tiempo con estos malos consejeros, el psiquiatra y el psicólogo. Ronald

"Estos hombres, sus subvenciones, sus torturas y asesinatos son todos en vano. Sólo han producido caos. Ellos son los charlatanes".

CÓMO GANAR UNA DISPUTA

de L. Ronald Hubbard

No es del todo justo decir que los psiquiatras y los psicólogos *no* tienen tecnología.

Es verdad que no pueden curar nada y que no pueden cambiar a nadie para que mejore o empeore, y que como resultado tienen que matar a los "pacientes difíciles".

Pero *sí* tienen algo de tecnología.

Esta se relaciona con ganar disputas.

A cualquiera que no esté de acuerdo con el reinado totalitario que han planeado se le declara "demente". Se le aprehende sigilosamente, se le lleva a una prisión, se le tortura y, habitualmente, se le daña de forma permanente o se le asesina.

También declaran "dementes" a personas a las que no pueden apresar, pero que existen en la literatura y en la leyenda.

Barry Goldwater fue etiquetado como "esquizofrénico paranoico" por psiquiatras al servicio del partido opuesto. Whittaker Chambers fue tildado de "personalidad psicopática". Woodrow Wilson fue declarado "megalómano", e incluso Jesucristo, cuando los psiquiatras decidieron que la religión impedía su camino hacia el control mundial, fue llamado un "regenerado de nacimiento" con un "sistema delusorio fijo" que manifestaba un "caso paranoico en necesidad de tratamiento (tan típico) que es difícil concebir que la gente pueda siquiera cuestionar la precisión del diagnóstico".

En otras palabras, los psicólogos y psiquiatras, *sí* tienen algo de tecnología. A cualquiera que tenga cualquier otra idea que la del control social total, se le etiqueta como "loco". Por supuesto, esto de inmediato acaba con él. Invalida sus opiniones, y así, las quita del camino del "progreso psiquiátrico" hacia el Estado Totalitario.

Sólo hay dos cosas extrañas sobre esta tecnología.

Una es que sólo se utiliza en la gente que habla de libertad o cuyas opiniones se oponen a las ambiciones psiquiátricas.

"...los psicólogos y psiquiatras sí tienen algo de tecnología. A cualquiera que tenga cualquier otra idea que la del control social total, se le etiqueta como 'loco'".

La otra es que no puede llamarse nueva. Aun cuando se emplee un montón de latín para apoyar su argumento, es muy difícil encontrar alguna diferencia entre esta tecnología y la que emplean los niños.

Como casi cualquiera ha sabido siempre, desprovistos de todos los términos del latín, cuando dos niños pequeños no pueden ponerse de acuerdo sobre algo vago, el uno o el otro, desde la época del cavernícola, siempre ha intentado acabar la disputa diciendo:

"¡Estás loco!".

¿Podría ser que la totalidad de su tecnología nunca ha avanzado realmente más allá de la del chico peleonero del barrio? *Ronald*

23 DE JUNIO DE 1969

EL CRIMEN Y LA PSIQUIATRÍA

de L. Ronald Hubbard

Cuando el crimen se pone a cargo de criminales, el índice de criminalidad se eleva.

Las estadísticas vertiginosamente ascendentes de criminalidad, que la policía está combatiendo, comenzaron a elevarse cuando el psiquiatra y el psicólogo se introdujeron en el campo de la educación y de la ley.

Solía suceder que un crimen era un crimen. Cuando un oficial de policía hacía su deber, su deber se hacía.

Ahora todo eso ha cambiado. Los criminales son "inadaptados" y "toda la sociedad es culpable de que lo sean" y el oficial de policía es una bestia por atreverse a interferir con estos pobres tipos.

Los psiquiatras y los psicólogos han desarrollado cuidadosamente una actitud pública anárquica e irresponsable con respecto al crimen.

Lo primero y más importante es que el hombre es sólo un animal sin alma que no puede responder por sus propios actos. Hablan del hombre diciendo que es un robot con botones de estímulo-respuesta y sostienen que sólo *ellos* saben dónde se encuentran los botones.

Según estos "expertos" las personas "menesterosas" siempre se convierten en criminales, así que lo que hay que hacer es que el criminal sea un ser privilegiado con muchos más derechos que la gente normal.

Pero el error principal que se encuentra en esta influencia psiquiátrica y psicológica es que esta gente escapa de la soga del verdugo sólo por el hecho de que proclaman a bombo y platillo que se encuentran por encima de la ley.

Diariamente estos hombres llevan a cabo crímenes de extorsión, violencia física y asesinato, en nombre de la "práctica" y del "tratamiento". No hay un solo psiquiatra vivo, que trabaje en una institución psiquiátrica que, por ley criminal común, no pudiera hacérsele comparecer ante un tribunal y declarársele culpable de extorsión, violencia física y asesinato. Nuestros archivos están llenos de evidencia sobre ellos.

Por medio de un truco mental han hipnotizado a algunos políticos para hacerles creer que realmente están trabajando en la "ciencia" y que ellos están por encima de la ley ya que es necesario que cometan esos crímenes.

"Por medio de un truco mental han hipnotizado a algunos políticos para hacerles creer que realmente están trabajando en la 'ciencia' y que ellos están por encima de la ley ya que es necesario que cometan esos crímenes".

La brutal realidad es que esta gente no tiene ni idea de qué hace funcionar la mente. Si la tuvieran, podrían curar a alguien, ¿no es así? Pero ni lo hacen, ni pueden. Es obvio, ya que las estadísticas del crimen han subido vertiginosamente desde que estos arteros criminales se infiltraron insidiosamente como gusanos en el campo del crimen.

Si pusieras a un verdadero impostor en una sala de máquinas para que la hiciera funcionar, tu sala de máquinas pronto quedaría hecha pedazos.

Esto es lo que ha sucedido en la sociedad. En lugar de dejar que la policía haga su trabajo, toda una nueva jerarquía de expertos impostores se ha impuesto por encima de este campo.

Por lo tanto, hay caos.

Si estos psiquiatras y psicólogos y sus grupos "Nacionales" de Salud Mental conocieran su trabajo, las estadísticas del crimen estarían descendiendo. Naturalmente. Pero no es así. Las estadísticas del crimen, desde que estos hombres se han hecho cargo de los tribunales de justicia, las prisiones, la educación y la asistencia social, se han elevado vertiginosamente hasta un punto en el que el policía honesto está cerca de la desesperación.

CUALQUIER OFICIAL DE LA LEY Y EL ORDEN SABE MÁS SOBRE LA MENTE CRIMINAL QUE CUALQUIER "PSIQUIATRA CON UNA CARRERA DE 12 AÑOS" O CUALQUIER "PSICÓLOGO CON UNA CARRERA DE 6 AÑOS".

No es el más pequeño de sus crímenes el que absorban todos los presupuestos para rehabilitar a la gente y lleven a cabo activamente campañas en contra de toda iglesia y todo grupo cívico que solía ayudar en este problema.

Pero claro, los verdaderos criminales del nivel más elevado no querrían que se resolviera el problema del crimen. ¿O sí? Ronald

Es un hecho histórico el que uno siempre puede reconocer un régimen totalitario por la voz temerosa con que responde al sueño popular de libertad de Scientology. Como ejemplo representativo, las respuestas aterrorizadas de J. Edgar Hoover y Richard Nixon hacia LRH y Scientology. Pero como lo explica LRH en su firme declaración de los objetivos de Scientology, el punto más importante es simplemente que cualquier gobierno, organismo o funcionario que se opone a Scientology, se está oponiendo en definitiva a dos cosas: lo que los scientologists representan como ciudadanos honrados y responsables, y lo que su religión representa en el camino hacia una libertad aún mayor.

28 DE JUNIO DE 1969

NUESTRAS INTENCIONES

de L. RONALD HUBBARD

UNO DE NUESTROS MINISTROS que hacía una visita a las Naciones Unidas se encontró inesperadamente confrontado por un delegado que al reconocerlo como scientologist corrió hacia él y le preguntó: "¿Qué es lo que piensan hacer con las Naciones Unidas?".

Había un verdadero miedo en el tono de su voz.

Por lo tanto, deberían definirse con exactitud la identidad e intenciones reales de Scientology, sus organizaciones y sus grupos.

En 1949 se desarrolló una tecnología mental amigable y altamente funcional. Maneja problemas mentales sin coacción ni hipnotismo.

Les fue ofrecida a los profesionales de la medicina y de la psiquiatría, pero ellos rechazaron el regalo.

Se escribió un libro popular que se convirtió instantáneamente en un best seller.

Surgieron organizaciones populares apoyadas por la gente en todo el mundo.

Viendo la amenaza económica inmediata de una tecnología más funcional, los grupos pantalla de la psiquiatría empezaron a luchar inmediatamente contra el nuevo conocimiento usando agentes provocadores y tácticas de inteligencia.

Estos elementos hostiles esparcieron muchas mentiras y amenazas.

Políticos que estaban siendo sometidos a chantaje por parte de estos grupos pantalla de la psiquiatría trataron de provocar el interés de la policía y fallaron. Después recurrieron a "investigaciones gubernamentales" para prohibir Scientology.

Las organizaciones de Scientology siguieron creciendo. El apoyo del público se hizo más fuerte.

Los esbirros políticos de la psiquiatría comenzaron a perder sus cargos y su prestigio.

Scientology descubrió que la psiquiatría dirigía campos de exterminio y que existía como una nueva forma de opresión de la población.

Los grupos y organizaciones de Scientology continuaron creciendo.

A pesar de de que la psiquiatría acaparaba todos los fondos públicos destinados a la salud mental, Scientology se siguió expandiendo.

"De lo único que se le podría acusar exitosamente a Scientology es de ser rápida, factible y de hacer exactamente aquello que dice que puede hacer".

Comenzó a demostrarse que "los gobiernos" no tenían ninguna evidencia de ningún tipo en contra de Scientology, su fundador o sus organizaciones, y los grupos pantalla de la psiquiatría perdieron prestigio y ellos mismos comenzaron a ser sometidos a inspecciones bajo los cargos nada leves de sabotaje público, acciones de *agente provocador*, malversación de fondos y asesinato.

Esa, en pocas palabras, es la historia de 19 años.

Puesto que Scientology hacía lo que decía, no tenía intenciones malignas y trataba de hacer su trabajo con integridad, fue demasiado fuerte como para ser erradicada a pesar de una conspiración mundial que gastó millones para destruirla.

Las verdaderas intenciones del fundador, de los scientologists y de las organizaciones de Scientology son fáciles de enunciar y fáciles de demostrar:

1. Poner en buena condición y hacer felices a seres humanos a través del procesamiento individual.
2. Ser cordiales y estar siempre dispuestos a ayudar.
3. Crear un ambiente seguro protestando contra el uso del hipnotismo, los tratamientos violentos y la detención ilegal de las personas.
4. Hacer un mundo mejor haciendo más capaces a los individuos.
5. Trabajar hacia el logro de la libertad espiritual.
6. Apoyar al gobierno legal del país en que esté situada cada organización.
7. Hacer que su tecnología de organización y otros descubrimientos estén disponibles de forma libre y general.
8. No interferir con las tradiciones y las costumbres de ningún pueblo.
9. No negarle ayuda a nadie por razones de raza, color o credo.
10. Llevar a cabo actividades como buenos ciudadanos trabajando por el interés del país.

Estas son todas las intenciones de Scientology, de sus organizaciones y de su gente.

Cualquier declaración contraria del enemigo es un esfuerzo por desacreditar un desarrollo que podría costarle su desmedida aspiración a ser Dios, su poder y las finanzas obtenidas de forma ilegal.

Las organizaciones de Scientology están compuestas de ciudadanos de sus respectivos países, buenos y sensatos, que trabajan para sus organizaciones porque creen que hay esperanza.

No existe en ninguna parte del mundo ni el más mínimo rastro de una evidencia real que pudiera desmentir lo anterior.

Existen miles de documentos, logros diarios y acciones decentes que prueban lo anterior.

El mundo fue impactado por un descubrimiento en el campo de la tecnología mental.

Todo lo nuevo pasa por momentos difíciles.

De lo único que se le podría acusar exitosamente a Scientology es de ser rápida, factible y de hacer exactamente aquello que dice que puede hacer. Y siendo esto cierto, no hay cabida para individuos que afirman falsamente que pueden curar enfermedades mentales para convertirse en opresores de la humanidad y enemigos del estado.

Uno podría contestar con veracidad a esa asustada delegación de las Naciones Unidas: "¿Qué vamos a hacer con la ONU? Pues, ayudar a hacer que las personas que están en ella sean lo suficientemente inteligentes y competentes como para poder hacer su trabajo y así traer, quizá, la paz al mundo".

Se dice que Diógenes la pasó muy mal buscando un hombre honesto. Pero cualquier organización honesta en un mundo con tanta agitación y sufrimiento como este, la va a pasar muy mal hasta que la gente al fin se dé cuenta de que el único peligro que representa es que hace personas honestas. Ronald

LOS IMPÍOS PERMANECEN UNIDOS

de L. Ronald Hubbard

Probablemente no exista una organización en la Tierra que opere de manera tan ilegal como la Federación Mundial de Salud Mental.

Este grupo pantalla psiquiátrico, que aboga por el daño y la muerte del demente, y que declara como "demente" a cualquiera que desee, es una corporación sin escrúpulos, registrada comercialmente en Delaware, Estados Unidos, donde se acreditan corporaciones sin requisito alguno.

Pero no lleva a cabo ninguna actividad comercial en Delaware.

Solía operar de manera ilegal en Suiza. No estaba registrada comercialmente ahí. Aun así, estuvo involucrada en actividades de lucro durante veinte años.

Cuando se le reprochó por no dar importancia a su status ilegal, el Ministro de Salud de Suiza (todos estos "Ministros de Salud" están conectados al círculo ilícito de la Federación Mundial de Salud Mental) dijo que estaba bien que esta fuera ilegal, pero que no estaba bien que alguna otra fuera ilegal. Maravilloso.

En la actualidad, se encuentra en Escocia, donde tampoco está registrada. No tiene derecho a llevar a cabo actividades de lucro ahí; y si se descubriera el crimen, acarrearía multas muy fuertes.

De hecho, no es una organización legal.

A pesar de que está profundamente involucrada en la política, nombra a la mayoría de los ministros de salud del mundo e influye en las elecciones, no hace ningún informe respecto sus contribuciones a campañas electorales.

Sus "directores" tienen un plan de jubilación personal de lujo, además de un salario fantástico de 7,000 libras al año. Todo esto se paga con contribuciones locales para "ayudar al demente muerto de hambre".

Los miembros de este grupo son otros grupos; creando así una red secreta por todo el mundo.

Los grupos miembros dicen ser "Nacionales", aunque esto es ilegal, ya que no son parte de ningún gobierno, simplemente declaran en falso que lo son. Son grupos privados con propósitos de lucro.

Hay solo una actividad de salud mental nacional en el mundo que es parte de un gobierno. Esta es el *Instituto* Nacional de Salud Mental en Bethesda, Maryland, EE. UU.

A través de esta sola agencia oficial, estos grupos falsos y su centro secreto, la Federación Mundial de Salud Mental, reciben el apoyo de fondos corruptos del gobierno.

El gobierno de EE.UU. distribuye vastas sumas de dinero para organizar los "Congresos" de la Federación Mundial de Salud Mental. A estos asisten delegados rusos y de otros países del otro lado de la Cortina de Hierro.

El hombre que mantiene la pantalla de la Federación Mundial de Salud Mental en las Naciones Unidas está financiado por un enorme consorcio del negocio del armamento.

La red internacional trafica con drogas, y aboga por la muerte y la fácil detención ilegal de personas.

Sus mensajeros continuamente vuelan por todo el mundo, preparando nuevas formas de influir en la legislación y manteniendo informados a sus directores locales.

Sus actividades en EE.UU. son inconstitucionales.

La razón por la que los organismos del gobierno no actúan en su contra, es que ellos controlan a muchas figuras políticas, manteniendo como rehenes a sus esposas e hijas.

Este es el grupo y la red que esparce las mentiras e instiga las acciones en contra de Scientology y su gente.

Este grupo intenta suprimir todo tratamiento benéfico para el demente, erradicar todas las fronteras y constituciones, esparcir drogas y aprehender a cualquiera que no esté de acuerdo.

El servicio de Inteligencia del Tercer Reich estaba compuesto principalmente de doctores, si te interesa hojear la lista de los organismos de Hitler.

La tecnología por la que abogan es de origen ruso, pero en Rusia está prohibido usarla.

Probablemente no haya grupo más ilegal en el planeta.

Si se examina con cuidado su programa de "Salud Mental", se encontrará que curiosamente se parece a los planes de Stalin y de Hitler, con todo y raptos nocturnos, cirugía experimental extraña y campos de exterminio.

La única organización que está llevando a cabo algún avance en contra de esta gente es Scientology.

Los scientologists los han denunciado, los han hecho sentir temor. Siete de doce de sus máximos líderes ya no están operando. Sus ingresos han caído hasta un punto en que los representantes a cargo de las campañas de recaudación de fondos se quejan de que la Federación Mundial de Salud Mental va a la bancarrota.

Probablemente no haya figura más odiada en el mundo hoy en día que el psiquiatra.

Cuando esta red ilegal y absurda estableció como su objetivo la erradicación del único descubrimiento nuevo de Occidente en el campo de la mente, cometió un error mortal.

Los políticos que aún ceden ante su voluntad, también están cometiendo un error.

Organizaciones como la Federación Mundial de Salud Mental pasaron de moda el día en que el mundo supo de Dachau y de otros campos de exterminio nazis.

El público está totalmente del lado de Scientology.

Esta ha sido una lucha a muerte.

La Federación Mundial de Salud Mental está muriendo. Ronald

"Probablemente no exista una organización en la Tierra que opere de manera tan ilegal como la FEDERACIÓN MUNDIAL DE SALUD MENTAL*".*

Una palabra adicional sobre el artículo "Falta de Cultura" que Ronald escribió en 1969, en el que menciona sus estudios de ciencias políticas en la universidad de Princeton, él realmente se estaba refiriendo a lo que aparecía como nota introductoria en esta publicación, es decir, su presencia en la Escuela de Gobierno Militar de EE. UU., en noviembre de 1944. Y una palabra sobre lo que él describe como el "alcance" total de las ciencias políticas, resulta que sus escritos en Princeton se basaron en aproximadamente dos mil años de historia geopolítica; literalmente, desde las maniobras militares de los Mogoles bajo las órdenes de Gengis Kan hasta las operaciones de los aliados en Sicilia.

FALTA DE CULTURA

de L. Ronald Hubbard

TODO EL MUNDO SABE que hoy en día las ciencias físicas han superado a las "humanidades" y que el planeta está en peligro debido a la aplicación imprudente de la ciencia sin una restricción humanitaria.

La bomba H, que podría proporcionar energía eléctrica a bajo costo para todo el mundo, se utiliza como amenaza para "evitar" la guerra.

El veneno satura los ríos y extermina a los peces. La industria y otras acciones acaban con la caza. Sin embargo, se alza el grito de que la población se debe reducir porque va a escasear el alimento.

Un millón de tales idioteces nos dicen que el conocimiento sobre lo material se ha fugado llevándose consigo el buen juicio, y que las "humanidades" carecen de tecnología.

Sin embargo, nadie ha dicho exactamente cuáles de las humanidades carecen de ella.

Las áreas de ignorancia en las humanidades son, de hecho, muy pocas.

La primera y más flagrante es la falta de una ciencia política. De hecho, existe una gran cantidad de esta tecnología, pero está escondida en las salas apartadas del saber. Las ambiciones políticas la asfixian.

Existe un tema llamado ciencias políticas. Está en borrador, pero se han aislado muchas de las reglas de esta tecnología. Las lecciones que se aprenden de las civilizaciones del pasado se han codificado en forma como cosas que se deberían y no deberían hacer en cuanto a política.

Aunque la ciencia política existe, no se usa. Como la estudié en la Universidad de Princeton, yo tenía cierta idea de su alcance y exactitud. Imagínense mi sorpresa al descubrir, haciéndoles preguntas, que los políticos de Estados Unidos (y algunos de ellos eran mis amigos):

a. No sabían que existiera el tema de las ciencias políticas, y
b. No creían que había necesidad alguna de tal ciencia.

Estos hombres estaban gobernando a millones. Los problemas cotidianos de su puesto provenían de errores del pasado. Las medidas que se tomaron contra las leyes naturales de las ciencias políticas los habían metido en dificultades que superaban su sagacidad, y el desconocimiento de la tecnología les estaba haciendo fracasar.

Ni siquiera conocían el sencillo axioma de que "leyes que no se generan a partir de las tradiciones y costumbres de la gente no se pueden hacer cumplir aunque se aprueben".

"Estos hombres estaban gobernando a millones. Los problemas cotidianos de su puesto provenían de errores del pasado. Las medidas que se tomaron contra las leyes naturales de las ciencias políticas los habían metido en dificultades que superaban su sagacidad, y el desconocimiento de la tecnología les estaba haciendo fracasar".

Un ejemplo fue la ley seca estadounidense. Una docena de años, millones de dólares gastados en su cumplimiento, pérdida de grandes ingresos por el estado, innumerables vidas sacrificadas, la financiación del crimen; todo se produjo porque la ley era contraria a las tradiciones y costumbres de la gente. No podía hacerse cumplir. Finalmente tuvo que ser abolida.

Quienes la propusieron, votaron por ella e intentaron imponer a la población el hecho de no consumir bebidas alcohólicas, ignoraban las ciencias políticas.

Cuando los fascistas y totalitaristas intentan imponer sus ideas a una población con mentalidad democrática (o viceversa) ocurre una catástrofe.

Las guerras, los asesinatos en masa, las revoluciones rojas desenfrenadas, el derrocamiento de gobiernos y la desaparición de civilizaciones brotan todos de la ignorancia de las ciencias políticas.

La gente que se denomina gobierno tiene cierta maña para dirigir un gabinete, un partido o la prensa, pero no domina su oficio básico. Si un plomero fuera tan ignorante en la tecnología de instalar cañerías, nos reiríamos de él. Pero a estos ignorantes que sólo están jugueteando en un campo que sí tiene leyes naturales, se les admira, se les honra, se les paga en exceso y se les venera. Se ve como algo "inevitable" el que se entierre a tantos de ellos y que existan tantos problemas en el mundo. Intentar arreglar aparatos de televisión sin tener conocimientos de electrónica ni entrenamiento en ella, es exactamente comparable a líderes políticos que gobiernan sin dedicar siquiera 10 minutos a estudiar ciencias políticas. Sin embargo, ningún estado del planeta le exige a sus líderes recibir como mínimo un curso rápido en su oficio antes de ocupar sus puestos.

Y por lo tanto, esta es un área de las humanidades que es ignorada y en donde las ciencias físicas han aventajado a un conocimiento vital.

La economía es otra gran área descuidada.

Este tema dista mucho de carecer de una tecnología desarrollada.

Existe un verdadero tema llamado economía. Sin embargo, en su lugar se han inyectado miles de alteraciones para poder "ganar dinero rápido".

Las personas que deberían conocer y usar el tema se han dado cuenta de que es muy rentable oscurecerlo. De este modo pueden "darle gato por liebre" a los líderes de gobierno ignorantes y oprimir a poblaciones enteras.

La inflación, la balanza de pagos, las quiebras financieras, las devaluaciones de la moneda, las recesiones, vienen todas de la ignorancia o del rechazo premeditado a aplicar las leyes naturales, conocidas y sensatas de la economía.

Al manipular el tema, las personas que asesoran a los gobiernos y a sus sistemas monetarios pueden manipular los libros de cuentas.

Tales personas, al alterar las leyes naturales para su propio beneficio, degradan y empobrecen a cada ciudadano. Reducen la paga de la gente, inflan los impuestos hasta el punto de explosión y son factores primarios tras cada rebelión pública.

Por ejemplo, en los últimos años, cada vez que se ha tambaleado una moneda nacional, los monarcas del dinero han exigido un aumento en los impuestos personales. Sin embargo, la causa de la dificultad son los fondos exportados por el país. Cómo el reducir los fondos internamente resuelve el problema de tener demasiados fondos en el extranjero, es algo que aún no se ha explicado.

"Sin embargo, el humor negro es a fin de cuentas a expensas de los magnates del dinero. Se enriquecen promoviendo una teoría económica falsa. Pero con lo que están jugando es aquello de lo que depende todo su poder, el dinero. Cuanto peor esté el dinero, más en peligro están los manipuladores financieros".

Al seguir las alteraciones de Lord Keynes de las leyes naturales de la economía, todos los gobiernos occidentales se dedican en la actualidad a la perversión originada por Keynes de la ley de la oferta y la demanda. La fórmula de Keynes para que todo vaya bien es "¡Crear demanda!". Si sigues la lógica de esto, verás que la utopía de Keynes llegará a lo máximo en cuanto a "demanda creada", que es, por supuesto, la inanición. Así que ahí tienes todo el plan: una población debe estar muerta de hambre para tener una economía saludable.

Sin embargo, el humor negro es, a fin de cuentas, a expensas de los magnates del dinero. Se enriquecen promoviendo una teoría económica falsa. Pero con lo que están jugando es aquello de lo que depende todo su poder, el dinero. Cuanto peor esté el dinero, más en peligro están los manipuladores financieros. Si sirve de alguna satisfacción, al mirar las ruinas económicas que han creado, uno verá que *su* imperio anterior está en la peor de las ruinas. Cuando los locos aseguran que las manzanas siempre caen hacia arriba y simulan que no existe la ley de la gravedad, uno espera que tarde o temprano se lancen de un edificio de diez pisos esperando volar.

La falta de una verdadera tecnología de la economía o su mal uso, es un serio defecto en todas las naciones de hoy, e inevitablemente significa la ruina de esta sociedad, a menos que la bomba H acabe primero con ella.

La tercera deficiencia que salta a la vista en la civilización moderna es la tecnología de la mente.

Nunca se había desarrollado y ni siquiera se había abordado. No se podía volver cuerdo al loco, no se podía volver honesto al criminal, no se podía desarrollar el coeficiente intelectual necesario para dirigir bien las cosas.

La tecnología mental era tan mala que el asesinato se hacía pasar por compasión.

Un grupo de timadores había entrado en el campo. Llamándose a sí mismos "psiquiatras" y "psicólogos" de hecho procuraron mediante la violencia, el chantaje y las mentiras, dominar a los tribunales, extorsionar a los gobiernos para obtener enormes sumas de dinero y aplastar ferozmente cualquier tecnología de la mente que se pudiera desarrollar.

Puesto que se hizo caso omiso de las ciencias políticas, nadie notó el odio público que estos farsantes estaban generando.

Al igual que los chamanes tribales y los amuletos de Sudáfrica, estos hombres eran una llaga supurante dentro de la cultura. Sin embargo, los estados intentaron utilizarlos para controlar a la población.

Estos "psicólogos" y "psiquiatras", al secuestrar, encarcelar, incapacitar y asesinar a miembros de la sociedad que fueran antagónicos en lo más mínimo al sistema, fueron vitales en la creación de un recelo en la mente de los hombres respecto a la integridad del estado.

Por lo general, pasó desapercibido el que esta "tecnología" haya precedido a cada una de las principales revoluciones del último siglo. Rusia, Alemania, los Balcanes, Polonia y muchos más fueron áreas que vieron mucho del trabajo de estas personas justo antes de que las masas se descontrolaran.

Las revueltas universitarias de esta década proceden directamente de la ignorancia o de la acción directa de las facultades de psicología y psiquiatría de esas mismas universidades. Enseñan que el hombre es un animal que solo se puede gobernar mediante la fuerza, que el adiestramiento es totalmente equivalente a enseñar a los osos a patinar usando patines calientes o a los perros a obedecer usando la inanición. Han desvirtuado todo el campo del adiestramiento y de la educación, al igual que el de la salud y la cordura. Aún no han podido mejorar a un solo hombre. Pero han provocado un millón de asesinatos.

Manejan tan bien sus relaciones públicas y su influencia es tan encubierta que el mismo gobierno es el último en descubrir que, de todos los subversivos, ellos son los más tenaces y los mejor organizados. Abogan por el derrocamiento de toda constitución, por la destrucción de toda frontera, la liberación de los criminales en la sociedad, el adulterio y la drogadicción.

Sin embargo, los gobiernos los financian profusamente. Es algo así como pagarse uno su propio verdugo para asegurarse de que lo ejecuten.

Pero su peor crimen es asegurarse muy bien de que cualquier tecnología mental verdadera y exitosa que desarrolle el hombre sea desacreditada y perseguida, se legisle en su contra y quede sin usarse.

Cuando Scientology entró en escena, estos hombres, en el comité ejecutivo de su grupo pantalla internacional, decidieron que era una amenaza para sus intereses criminales. Gastaron millones en dinero que se les había dado para "hacer que la gente estuviera bien" para participar en una guerra maliciosa y secreta contra los scientologists. Uno de sus hombres clave ahora ha confesado esto.

Les llevó años a los scientologists rastrear e identificar a sus atacantes. Y desde que se hizo esto, empezó a salir el hedor más desagradable de las instituciones de estos criminales. Algunos de los crímenes de la psiquiatría y la psicología incluyen: cadáveres que se han desenterrado en sus terrenos, prisioneros políticos que fueron detenidos sin juicio durante una década, campos de exterminio comparables a los de Belsen con todo y una morgue y un crematorio justo al cruzar la calle, la venta de mujeres reclusas como prostitutas y asesinatos políticos a sabiendas y con premeditación.

De modo que decir que las humanidades no se han mantenido al nivel de las ciencias físicas es quedarse corto.

No puede haber ciencias humanas en absoluto a menos que la naturaleza y la mente del hombre puedan comprenderse y mejorarse.

La ciencia mental es la ciencia humana más básica de todas.

Sin ella la ciencia política y la economía no se utilizarán aun cuando se desarrollen más de lo que están. ¿Pues quién sabrá si los hombres al mando están cuerdos o locos?

Y si la ciencia mental ha vuelto al Oscurantismo y todos los nuevos descubrimientos deben ser aplastados, ¿qué esperanza hay para cualquiera de las humanidades menores?

Ninguna.

Ninguna hasta que la sociedad y sus gobiernos se deshagan de la superstición de los tiempos pasados, cesen de apoyar a los dementes al mando y decidan dar libertad y una oportunidad a los nuevos desarrollos en el campo de la mente.

Las circunstancias no son del todo negras.

Scientology está permitiendo que entre un poco más de luz en un escenario deprimente.

Con algo de ayuda activa y apoyo público podemos ver la salida de esto y llevar por fin algo de cordura al mundo.

En este momento no hay por qué temer a las ciencias físicas siempre y cuando se permita que las ciencias humanas tomen ventaja.

Los datos para resolver esto ya se conocen y se practican en Scientology.

Todavía no es el final. Ronald

Con más de varios cientos de oficinas de la Comisión de Ciudadanos por los Derechos Humanos trabajando en los seis continentes, lo que LRH propone aquí de hecho ha llegado a pasar: La lucha de Scientology por la Libertad ahora genera apoyo desde cada rincón del mundo. Por citar algunos ejemplos: Mientras los scientologists trabajan con los ministros de Dinamarca e Italia para prohibir el tratamiento electroconvulsivo indiscriminado, también trabajan con funcionarios de Japón para liberar a los pacientes de la psiquiatría de restricciones físicas. Después está la grande y determinada alianza entre los voluntarios del CCHR y las autoridades estadounidenses en Texas, California, Nueva Jersey y Virginia, específicamente y de manera implacable para sacar a la luz y las reclamaciones fraudulentas que los psiquiatras hacen a las compañías de seguros y enjuiciar a los culpables. Mientras tanto, en el campo de la política, los scientologists constantemente se mantienen en contacto con los funcionarios del Ministerio de Justicia de Estados Unidos para sacar a la luz las reclamaciones fraudulentas de la psiquiatría a Medicare. Además, como resultado de todos estos contactos, el principio del fin de la psiquiatría está más cerca; la frecuencia con la que se responsabiliza a los psiquiatras de sus acciones es cada vez mayor y ya no están por encima de la ley.

24 DE SEPTIEMBRE DE 1969

LA LUCHA POR LA LIBERTAD

de L. RONALD HUBBARD

La batalla de Scientology contra la psiquiatría está recibiendo más y más apoyo por todo el mundo.

Por lo general no se desafió a la psiquiatría durante el siglo que siguió a sus inicios en Leipzig, Alemania, ni durante su campaña constante y brutal contra la dignidad y libertad del hombre; la psiquiatría se topó con su única oposición importante a principios de la década de 1950.

Brock Chisholm y sus amigos, entre los que se contaban Harry Dexter White y Alger Hiss, se alarmaron mucho ante la amenaza de Scientology a sus arrasadores planes.

De forma secreta, tras una pantalla que no se desenmascaró por completo sino hasta el año pasado, usaron cada medio de la prensa y del gobierno que pudieron engañar o controlar para desacreditar a Scientology, sus principios y sus organizaciones.

Hasta ese entonces, los grupos de la psicología y la psiquiatría habían trabajado sin ser detectados durante casi 80 años para establecer una dominación que estuviera por encima de la ley.

Se les cuestionó de cierta forma a finales del siglo XIX, cuando algunos escritores en ocasiones denunciaban a este grupo psiquiátrico diciendo que actuaban para internar a algún pariente acaudalado, de manera que otro miembro de la familia carente de escrúpulos se beneficiara y compartiera la fortuna con el director del asilo.

En el primer cuarto del siglo XX, las películas a menudo presentaban sus disparatados experimentos como inhumanos, y el "desquiciado doctor ruso" era uno de los villanos principales de las películas de terror.

Con tácticas que habrían llenado de asombro y admiración a un embaucador, los grupos pantalla psiquiátricos se habían desecho con éxito de todas las críticas importantes, y para 1950 estaban involucrados, en secreto y con éxito, en una doble campaña.

a. La degradación y dominación del hombre y,
b. La cosecha de los millones del gobierno.

Cuando el "doctor" Brock Chisholm y otra docena de colegas conspiradores en la Federación Mundial de la Salud Mental y la Organización Mundial de Salud se apoderaron de la organización internacional a nivel popular de Clifford Beers y la desvirtuaron a favor de sus propios planes, no tenían ningún enemigo realmente poderoso en el mundo.

El ridículo al que se les había expuesto en el siglo XIX era cosa del pasado. Con gran afectación y mentiras, se habían abierto paso hasta llegar a una posición imponente de poder y autoridad.

En todos los países crearon leyes que facilitaban la detención ilegal de personas; estaban en una posición de poder secuestrar y matar a cualquier ser humano en el planeta. Su palabra era aceptada sin cuestionamiento alguno como la única autoridad en cuanto a la cordura y la demencia, el crimen y la criminalidad, la vida y la muerte. El dinero les llegaba a raudales.

Esto no fue ningún truco inferior, ya que se hizo sin demostrar *en absoluto* que pudieran curar o cambiar la demencia o lograr siquiera que un hombre estuviera bien de forma duradera. Fue un truco que se hizo sin ninguna tecnología que les ayudara. Se hizo totalmente por medio de habilidades de "PRO": relaciones públicas, prensa, pompa, alardeo, "los mejores de entre la gente".

Luego aparecieron Dianética y Scientology. Aquí estaba una tecnología real, que en verdad funcionaba. Ellos se preocuparon al respecto y consideraron que era una amenaza directa para la psiquiatría.

Y cometieron un error tremendo.

Gastaron dinero y tiempo en secreto por todo el mundo para desacreditar y suprimir a Dianética y Scientology.

Mediante jefes de grupos de prensa que ellos controlaban, mediante ministros de salud que ellos habían nombrado, con mentiras y falsedades alarmantes, combatieron a Dianética y a Scientology de forma continua y secreta.

Soportando estos ataques y manteniéndose alerta, la gente de Dianética y Scientology de alguna manera siguió adelante y se mantuvo vigilante.

En el otoño de 1968 se descubrió lo que estaba sucediendo. Se identificó la fuente de todos estos ataques durante todos esos años.

Apoyados por sus aliados, los doctores en medicina y los psiquiatras mismos, ayudados discretamente por organismos policiales y grupos nacionales de inteligencia, los scientologists fueron capaces, a la larga, de mencionar nombres y mostrar pruebas.

Ahora les tocaba a los psiquiatras recibir el golpe.

Puesto que los scientologists no infringían las leyes, no cometían crímenes y tenían una tecnología mental verdadera y efectiva, no podían ser destruidos. El público estaba de su lado.

Pero ese no era el caso con la psiquiatría.

Habían violado las leyes más básicas de la humanidad. Mutilación, violación, tortura y asesinato eran algunos de los crímenes comunes entre ellos. Cuerpos en descomposición, muertos por tortura violenta, fueron exhumados en los terrenos de asilos psiquiátricos. Depravadas conexiones políticas, fondos malversados, reclusión de pacientes por razones políticas, esto junto con una aglomeración de delitos sociales, sexuales, de drogas y delitos anormales, comenzaron a salir a la luz.

Sus leyes que facilitaban la detención ilegal de personas comenzaron a ser cuestionadas y desechadas. Se comenzaron a recortar los fondos. El hombre comenzó a alzar la cabeza nuevamente.

"El ridículo al que se les había expuesto en el siglo XIX era cosa del pasado. Con gran afectación y mentiras, se habían abierto paso hasta llegar a una posición imponente de poder y autoridad".

"Depravadas conexiones políticas, fondos malversados, reclusión de pacientes por razones políticas, esto junto con una aglomeración de delitos sociales, sexuales, de drogas y delitos anormales, comenzaron a salir a la luz".

Los scientologists eran el único obstáculo en la carrera hacia la degradación conducida alegremente por los psiquiatras.

A medida que la historia se desarrolla y se documenta, se revelan ambiciones psiquiátricas tan extrañas que son tan increíbles como los delirios dementes de Hitler.

Ellos soñaron ser los reyes-filósofos de Platón con el poder de otorgar vida o muerte sobre todo hombre, mujer y niño en el planeta. Habían tenido un éxito fantástico a lo largo de su camino. Se habían infiltrado e influido en todo cuerpo legislativo y gobierno del mundo. Habían formado leyes que les daba derecho a aprehender, dañar o matar a cualquier persona en cualquier parte. Dominaban la educación y habían intimidado a la medicina. Y casi habían borrado toda la influencia del cristianismo y de las iglesias.

Aguantar los brutales ataques encubiertos de la psiquiatría y aún sobrevivir no fue ninguna hazaña menor para los scientologists. Sin embargo, no sólo hicieron eso, sino que de hecho localizaron y reunieron evidencias sobre el enemigo. Y los scientologists están haciendo que las tendencias cambien.

En los tribunales superiores se están cuestionando y cancelando las leyes que facilitaban la detención ilegal de personas. Se están sacando a la luz los campos de exterminio.

La lucha por la dignidad y la decencia del hombre todavía está en marcha.

Esta lucha no ha terminado. No terminará hasta que a todos los psiquiatras y psicólogos se les vuelva a poner bajo la ley, se les prive de sus millones en subvenciones no merecidas y se haga que el mundo sea un lugar seguro.

No debe haber hombres por encima de la ley. No debe haber ningún grupo influyente dedicado a la degradación del hombre. Los gobiernos deben impedir que los dominen hombres que nunca podrían satisfacer el requisito fundamental de ser ciudadanos decentes.

Todo el problema de la "demencia" podría limpiarse en unos cuantos años mediante tecnología probada y demostrada en la medicina, en Dianética y en Scientology. La creciente tasa de demencia experimentada bajo la administración psiquiátrica, no sólo podría detenerse, sino reducirse drásticamente.

Que el avance sensacional de la tecnología de Dianética y Scientology se le pudiera negar al Hombre es algo serio por sí mismo.

Las guerras del hombre, sus revoluciones, su sufrimiento, todo ello proviene de su falta de datos sobre la mente y el hombre. Con la dominación psiquiátrica de este campo hemos tenido un siglo de sufrimiento y violencia enorme.

¿No es hora de apoyar a los scientologists, la gente que puede obtener resultados?

La próxima vez que oigas que se desacredita a Scientology, llega hasta la fuente de tales afirmaciones. Y echa una mano a los scientologists en su triunfante lucha por traer algo de orden a la traición, al embaucamiento y al crimen que hasta ahora han caracterizado al campo de la "curación" mental.

Siempre es sabio apostar por el ganador. Es obvio que Scientology está ganando. También es tu mundo. Ronald

Tras haber escrito este ensayo, LRH prosiguió sus investigaciones sobre la adicción a las drogas, así como sobre sus efectos a largo plazo en el cuerpo. De esta investigación surgieron tanto el Programa de Desintoxicación para liberar al cuerpo de los depósitos de drogas dañinas, como un régimen completo para abordar la adicción a las drogas e impedir la reincidencia. Actualmente el método de LRH se utiliza en centros de Narconon de todos los continentes. Se ha declarado que Narconon es el modelo de todos los centros de rehabilitación de toxicómanos, y no sólo trabaja para rehabilitar al usuario "casual" de drogas; es el único programa que atiende al adicto empedernido y lo rehabilita con éxito. O como explicó un experto en el campo: "Si no puedo ayudarlos en mis clínicas, no tengo ningún otro lugar a donde enviarlos excepto a Narconon".

Esencialmente expresan lo mismo los tribunales y las oficinas de asuntos sociales que regularmente envían a los drogadictos a los centros Narconon en toda Europa y América, y los organismos del gobierno que ahora financian ampliamente el programa.

LOS PROBLEMAS DE LAS DROGAS

de L. Ronald Hubbard

Por lo menos en dos países, Scientology está cooperando muy estrechamente con el gobierno en programas cuyo propósito es la solución del problema de la drogadicción, el cual ahora se está convirtiendo en un problema crónico en la sociedad.

Se ha descubierto que los drogadictos comienzan a tomar drogas debido al sufrimiento físico o a la desesperanza.

En un país, durante aproximadamente un año, se ha estado llevando a cabo un proyecto piloto de Scientology y ha proporcionado datos de gran valor. Incluso sin procesamiento, sino sólo mediante la educación, alrededor del 50% de los adictos internados se han recuperado y no se les ha vuelto a internar.

Al erradicar en el adicto la causa del sufrimiento o desesperanza original, este prescinde voluntariamente de la necesidad de tomar drogas.

Estos proyectos piloto de Scientology se emprendieron para desarrollar programas con vista a aplicaciones más amplias. En la actualidad la cantidad de casos que se tomaron al azar llega sólo a varios centenares.

Hasta la fecha se ha descubierto que el costo por caso, excluyendo la comida y el alojamiento, es de unas 35 libras esterlinas por persona cuando se lleva a cabo a nivel masivo y se usan especialistas individuales. La duración es de siete a diez semanas y durante las primeras seis se utiliza "el proceso de desintoxicación" bajo atención médica. El procesamiento real lleva menos de cincuenta horas para una rehabilitación total y permanente. Si sólo se resuelve el factor de las drogas, el tiempo es menos de diez horas.

Se acaba de iniciar un proyecto piloto en una prisión estatal donde se entrenará a los adictos para que manejen sus casos unos a otros. Si este proyecto tiene éxito, podría reducir mucho los costos y facilitar el manejo de grandes cantidades de casos.

Se ha descubierto que el adicto no quiere ser adicto, pero que lo incitan el dolor y la desesperanza respecto al entorno.

Tan pronto como un adicto puede sentirse más saludable y más capaz mental y físicamente estando sin drogas de lo que se siente bajo su efecto, deja de necesitarlas.

La psiquiatría se ha encogido de hombros ante la drogadicción al considerarla "trivial" y no presta atención al problema social del consumo de drogas; sino lo contrario, ya que ellos mismos introdujeron y popularizaron el LSD. Y muchos psiquiatras venden droga.

"Tan pronto como un adicto puede sentirse más saludable y más capaz mental y físicamente estando sin drogas de lo que se siente bajo su efecto, deja de necesitarlas".

Los organismos gubernamentales han fracasado notoriamente en cuanto a detener el incremento en el consumo de drogas y no ha habido un remedio real ni muy extendido.

Las implicaciones políticas del incremento en la adicción en un país son enormes. Toda nación sometida a fuertes ataques por servicios de inteligencia extranjeros ha experimentado un incremento en el tráfico de drogas y en la adicción.

Antes de la Segunda Guerra Mundial las fuerzas de inteligencia japonesas realizaban conquistas, en el país que era su blanco, esmerándose en hacer adicto a cada líder potencial que pudieran alcanzar, en particular a los niños brillantes.

La última dinastía (la Manchú) de China, fue derrocada por un país que importaba opio al reino y que promovía su consumo.

Existen muchos precedentes históricos.

El riesgo que representa la persona que toma drogas, aun después de dejarlas, es que su mente se "queda en blanco" en momentos inesperados, tiene periodos de irresponsabilidad y tiende a enfermarse con facilidad.

El procesamiento de Dianética y Scientology ha sido capaz de erradicar los daños más graves en aquellos casos que se han sometido a prueba y también ha logrado que la adicción ya no sea necesaria ni deseada.

Scientology no tiene ningún interés en los aspectos políticos o sociales de los diversos tipos de drogas, ni siquiera en el consumo de drogas como tal. Todo el interés de Scientology se concentra en aquellos que quieren "desengancharse" y "seguir desenganchados".

En una organización de Scientology en particular, al menos la mitad de los que llegaban en busca de procesamiento habían estado previamente enganchados a las drogas, y esta proporción es mucho menor que la del resto de la gente que la organización tiene alrededor, cuyo índice de uso evidentemente asciende a un porcentaje aún mayor. Por consiguiente, en 1968 y 1969 la investigación sobre esto como tema especializado culminó con éxito.

Los scientologists no pretenden castigar a los que consumen drogas ni reformar a toda una sociedad con respecto a este tema. Pero sí están preparados para ayudar a cualquier persona o a cualquier gobierno a resolver este problema, y están activos en ello.

Al igual que en la era de la juventud ardiente, durante los años 20 de la ley seca, es probable que el consumo de drogas también desaparezca como pasatiempo nacional. Pero dejará a muchas personas deseando no haberlas consumido. El scientologist puede ayudar a esas personas. Y les está ayudando ahora mismo como servicio habitual a la comunidad.

Los gobiernos necesitan al scientologist mucho más de lo que creen. 

TÉRMINOS ENREDADOS

de L. RONALD HUBBARD

EN SU ANSIEDAD POR seguir explicando sus fracasos mientras le pide a los congresos, a los parlamentos y a las legislaturas más millones con que forrar sus bolsillos, la psiquiatría continuamente redefine palabras clave relacionadas con la mente.

Sus "enfermedades" se han vuelto enfermedades totalmente diferentes en el último cuarto de siglo, y ninguna está más cerca de ser curada.

El alemán, Kraepelin, tenía una lista de enfermedades mentales que se volvió tan larga y complicada (una vez se dijo que llegaba a mil quinientas), y sobre la cual había tan poco acuerdo, que fue abandonada en gran medida.

Freud tenía muchas "enfermedades mentales", pero esos términos no están en amplio uso en la actualidad.

Lo que es sorprendente es la tendencia psiquiátrica a tratar de describir en lugar de curar.

La esquizofrenia y la paranoia parecen ser los términos modernos favoritos. ¡Pero la paranoia hoy en día se convierte en esquizofrenia!

A estos términos enredados en la actualidad se les agrega la palabra "incurable". Si uno *no puede* curar algo, la única forma de mantener una pose autoritaria acerca de ello es decir que *no se puede* curar. Esto también justifica el absorber todos esos fondos sin nada a cambio. Pero si se *supiera* que todas estas "enfermedades" son incurables, entonces, ¿por qué gastar dinero investigándolas?

El propósito principal, hoy día, de todos estos términos enredados es que se pueda decir que cualquiera tiene alguna forma de demencia con sólo pronunciar una palabra grandilocuente. Como nadie se ha puesto de acuerdo en lo que significa la palabra o en sus síntomas, esto deja al psiquiatra como "autoridad". En el tribunal y en el manicomio, todo lo que él tiene que hacer es decir: "Jm, eh, ejem, él es un... ejem... está al borde de la catatonia con... eh... ejem... síntomas de paranoia... jm, ajá".

Suena tan impresionante, y el hecho de que la persona está a punto de quedar incapacitada de por vida es tan aterrador para la persona implicada, que incluso la jurisprudencia se ve influenciada. Y mandan a un pobre tipo a un verdadero infierno.

Todos los timadores, los embaucadores, los estafadores y los psiquiatras han dominado los mismos trucos. Decir palabras largas de manera impresionante es tres cuartas partes del juego de "engañar al que se deje".

Hay por lo menos un diccionario mundial que ha sido incapaz de encontrar textos psiquiátricos que pueda citar, así que cita frases del periódico *New York Times* y de la revista *New Yorker* en sus definiciones de términos psiquiátricos. Tal vez sea o no sea intencional, pero la revista *New Yorker* es reconocida mundialmente como una revista humorística.

La famosa historia de Lord Dunsany acerca del día en que el templo se derrumbó, es un ejemplo maravilloso. Alguien entró al templo un día y le retiró la cortina a lo más sagrado; al relicario todopoderoso y misterioso que el mundo veneraba. ¡No había nada ahí!

Eso es lo que le está sucediendo a la psiquiatría actualmente. Los millones de dólares vertidos por el gobierno no compraron curaciones, sino muchos términos enredados y explicaciones de cómo todo era incurable.

Cuando se retiró la cortina, todo lo que estaba detrás era PRO, un alarde de relaciones públicas, y un agujero vacío.

Si la sociedad desea que la demencia se maneje como un problema social, que no hable con los chicos que han aumentado las tasas de demencia durante un siglo y que sólo tienen términos enredados como resultado. Que vaya con la gente que sabe lo que está haciendo: los scientologists. Ronald

"El propósito principal, hoy día, de todos estos términos enredados es que se pueda decir que cualquiera tiene alguna forma de demencia con sólo pronunciar una palabra grandilocuente. Como nadie se ha puesto de acuerdo en lo que significa la palabra o en sus síntomas, esto deja al psiquiatra como 'autoridad'".

SER BUENO

de L. Ronald Hubbard

Evidentemente se espera que nosotros en Scientology seamos ejemplos perfectos de virtud en un mundo muy desordenado.

Evidentemente se espera que los scientologists controlen por completo a cualquiera dentro del movimiento o en sus orillas.

Mientras tanto los psiquiatras pueden aconsejar el adulterio, pervertir sexualmente a sus pacientes, causar que el treinta por ciento de ellos se suiciden, mutilar o herir a cualquiera que se les acerque, golpear, asesinar y enterrar en sus terrenos a cualquiera que quieran. La conducta de la psiquiatría es tan criminal que únicamente el chantaje o la influencia en los más altos niveles podrían explicar su extraña inmunidad ante la ley.

En cuanto a los scientologists, las investigaciones llevadas a cabo por los organismos más competentes del mundo, han encontrado que no se ha violado ninguna ley y que no ha habido ninguna falta en cuanto a conducta social.

¿Entonces qué significa esto?

Es irrazonable esperar a que alguien en el campo de la salud mental sea totalmente genuino, sin embargo las investigaciones más profundas han revelado que los scientologists son precisamente eso.

Scientology aún sobrevive e incluso avanza a pesar de la difamación, las mentiras y las acusaciones injustas de una pandilla de asesinos: los grupos pantalla psiquiátricos.

¿Pero qué clase de mundo es este? ¿Qué tipo de gobiernos tenemos en realidad cuando las prácticas criminales de la psiquiatría son financiadas y apoyadas, y las acciones decentes de los scientologists son atacadas?

Cuídate de un estado que es negligente con sus criminales y sólo ataca a sus ciudadanos decentes.

Los scientologists seguirán siendo decentes, seguirán haciendo su trabajo y seguirán siendo el único grupo eficiente en el campo de la salud mental. Pero dista mucho de ser justo el hacerles la vida tan difícil.

Existe una perogrullada que dice que uno obtiene lo que paga. Si los gobiernos pagan por la psiquiatría, cosecharán caos social y criminalidad.

"Si los millones de dólares que ahora se le regalan a la psiquiatría, y que sólo compran desorden civil y más demencia, se les dieran a los grupos eclesiásticos, la sociedad mejoraría enormemente".

Si los millones de dólares que ahora se le regalan a la psiquiatría, y que sólo compran desorden civil y más demencia, se les dieran a los grupos eclesiásticos, la sociedad mejoraría enormemente.

Todos los hechos, todas las cifras, todas las estadísticas y todos los documentos señalan la incompetencia y la conducta criminal de la psiquiatría. Apestan como un circo romano.

Y todos los hechos, todas las cifras, todas las estadísticas, todos los documentos e incluso la "evidencia" de las investigaciones del estado sobre Scientology ratifican el carácter e integridad, la asistencia y el valor de Scientology.

Evidencia es evidencia.

Justicia es justicia.

¿Acaso no hay alguien encargado allá arriba en la estratosfera del gobierno?

¿O es simplemente un gran desorden que sólo tiene hombres dementes en la cima? 

LA DROGADICCIÓN

de L. Ronald Hubbard

En ausencia de una psicoterapia funcional, la drogadicción generalizada es inevitable.

Cuando una persona está deprimida o con dolor y cuando no encuentra alivio físico mediante ningún tratamiento, al final descubrirá por sí misma que las drogas eliminan sus síntomas.

En casi todos los casos de dolor, malestar o incomodidad psicosomáticos, la persona ha intentado encontrar una cura para el trastorno.

Cuando al final descubre que sólo las drogas le proporcionan alivio, se rinde ante ellas y se vuelve dependiente, hasta llegar con frecuencia a la adicción.

Años antes, si hubiera existido otra solución, la mayoría de las personas la habrían adoptado. Pero cuando se les dice que no hay otra cura, que sus dolores son "imaginarios", la vida tiende a volverse insoportable. Entonces pueden convertirse en consumidores continuos de drogas y están expuestos a la adicción.

Claro que el tiempo que se requiere para hacerse adicto varía. El problema en sí puede ser sólo "tristeza" o "fatiga". De cualquier forma, la capacidad para enfrentarse a la vida se reduce.

A partir de entonces cualquier sustancia que produzca alivio o haga la vida menos pesada en el aspecto físico o mental será bienvenida.

En un entorno poco estable e inseguro, las enfermedades psicosomáticas serán muy comunes.

Así que antes de que algún gobierno insista demasiado en extender el uso de las drogas, debe reconocer que está ante un fracaso de la psicoterapia. El científico social, el psicólogo y el psiquiatra, así como los ministerios de salud, han fracasado en el manejo de la enfermedad psicosomática generalizada.

Es demasiado fácil culpar de todo a "la agitación social" o "al ritmo de la sociedad moderna".

La cruda y pura verdad es que no ha existido una psicoterapia efectiva que se practicara de manera general. El resultado es una población drogadicta.

Dianética se diseñó para abordar la salud mental de forma extensa y a bajo costo. Es la única tecnología mental completamente ratificada por pruebas reales. Es rápida. Es eficaz.

Los servicios de salud deberían ayudar a que se logre un uso más amplio y generalizado de Dianética. Puede resolver el problema. *Ronald*

"En ausencia de una psicoterapia funcional, la drogadicción generalizada es inevitable".

A lo que LRH proporciona como un comentario amplio pero incisivo sobre la "Destrucción Cultural" causada por los servicios de inteligencia extranjeros, agreguemos unos cuantos datos específicos. En lo que respecta al empleo de los medios masivos de comunicación para causar trastornos en la población enemiga, Walter Bowart, autor de la *Operación Control de la Mente* nos informa: "...la propaganda electrónica se convirtió en un arma principal para hacer la Guerra Fría", y el arma no era de ninguna forma unilateral. En oposición a la cadena de radio, la Voz de América, de la Agencia Central de Inteligencia, que emitía propaganda occidental a través de la Cortina de Hierro, existen muchas pruebas que sugieren un continuo esfuerzo soviético para fomentar encubiertamente el conflicto racial y laboral en Estados Unidos mediante organizaciones combativas negras e izquierdistas.

Más aún, e incluso más en conformidad con lo que LRH advierte aquí, entre el arsenal que aparentemente cayó en manos de terroristas después de la disolución de los servicios de inteligencia de los países del este, se encontraba una gran diversidad de tácticas de guerra psicológica listas para ser estrenadas en este siglo XXI.

30 DE OCTUBRE DE 1969

DESTRUCCIÓN CULTURAL

de L. RONALD HUBBARD

DESDE LA SEGUNDA GUERRA Mundial, los servicios de inteligencia de los países Orientales han desarrollado una nueva arma.

Las fuerzas de seguridad de los países occidentales tienden demasiado a rastrear la historia de los servicios de inteligencia para mostrar que no hay nada nuevo.

Los servicios de inteligencia han desarrollado nuevas tecnologías cada década a lo largo del último siglo o más. La literatura sobre el tema es tan extensa y vasta que el estudiante superficial o el ejecutivo gubernamental no especializado se encuentran tan rezagados como lo estarían en el campo de la literatura china.

En los países del Este los servicios de inteligencia son altamente especializados y tienen un intrincado refinamiento. Uno de los fundadores de los extremadamente eficientes servicios alemanes, el más extendido que el Occidente había conocido, pasó 17 años estudiando la tecnología de los servicios de inteligencia japoneses y, aun así, sólo llegó a conocerla superficialmente.

No es de extrañar, entonces, que una nueva tecnología de inteligencia se haya estado usando contra Occidente desde 1948 sin ser detectada ni comprendida.

La idea básica de debilitar o corromper una población se ha estado usando desde antes de que los persas atacaran a Grecia. Naturalmente, la degradación de una población es posible a largo plazo, si la guerra real es imposible o no tiene éxito como método para acabar con un enemigo natural.

Un pueblo lo suficientemente degradado o debilitado de hecho termina desmilitarizado.

Donde la confrontación militar directa no es deseable o se considera demasiado peligrosa, el debilitamiento del comercio o de la economía de un enemigo y la contracción de su esfera de influencia por medios encubiertos se convierten en la siguiente solución disponible. Eso es estándar.

La degradación y el debilitamiento de la población enemiga en sí es más difícil y requiere un mayor lapso de tiempo. Aunque esto es considerado conveniente por atacantes potenciales, antes de 1948 jamás se había desarrollado y empleado en grado alguno una tecnología útil para lograrlo en su totalidad.

El advenimiento del transporte rápido, de los medios de comunicación masivos y de la internacionalización de los controles financieros, ofreció una oportunidad para diseñar y usar una tecnología que pudiera destruir totalmente a la población del enemigo en cuanto a ser una nación efectiva.

La bomba atómica hizo que la confrontación militar directa entre las grandes potencias fuera demasiado peligrosa y, por lo tanto, abrió la puerta a cualquier programa que prometiera la destrucción exitosa de un país considerado un enemigo, incluso a largo plazo.

Se desarrollaron, financiaron y pusieron en marcha técnicas de Destrucción Cultural.

Occidente, ingenuo y tradicional en el campo de la seguridad, ha fracasado totalmente en detectar y poner remedio a la Destrucción Cultural: la mayor arma en pleno uso hoy en día contra las naciones occidentales.

Para las fuerzas de seguridad y los políticos occidentales, el espionaje aún significa "esfuerzos enemigos para robar los planos del acorazado". Aun cuando los oficiales de seguridad de Occidente sospechen confusamente lo que está ocurriendo, no es probable que sus superiores políticos les permitan actuar, ya que han sido cuidadosamente entrenados para creer en el deterioro inevitable del hombre en la sociedad moderna.

La esencia de la campaña es hacer que todo parezca interno e inevitable, con una explicación social a mano para cada nueva decadencia.

A los espías, según los llaman aquellos que saben muy poco al respecto, por lo general se les atrapa al pasar información después de que ciudadanos a los que han persuadido para robar planes los han denunciado a los servicios de seguridad nacional.

Una nueva característica de la Destrucción Cultural es que *estos* "espías" son agentes que no informan. Simplemente *actúan*.

Instruidos durante algún periodo hace mucho, no necesitan más instrucción detallada. Simplemente siguen trabajando.

Estos agentes no necesitan ser financiados por sus jefes, ya que son financiados internamente y, muy a menudo, por los gobiernos que tratan de subvertir.

Tres cosas ocultan sus actividades: (a) asumen identidades que se consideran por encima de la ley; (b) parecen esenciales para manejar el desorden que, de hecho, están provocando; (c) el alcance y la coordinación de sus acciones son demasiado increíbles como para ser comprendidas por gente que adopta un "punto de vista razonable al respecto".

Toda la evidencia de sus triunfos está a plena vista. Sin embargo, se hacen pasar por autoridades vitales para el manejo de tales condiciones.

Las crecientes tasas de criminalidad y la extensión de la drogadicción son los distintivos de la subversión de los servicios de inteligencia, y siempre lo han sido. A esos indicios (los que más señalan un ataque a la población) la Destrucción Cultural ha añadido la introducción de doctrinas falsas en la educación, los disparados índices de demencia, la perversión sexual, las guerras raciales y el sabotaje del manejo sensato de la economía.

El impulso algo natural de las sociedades más bien bárbaras a extraviarse y a entrar en frenesí se exagera a tal grado y con tal rapidez que prácticamente cualquiera podría darse cuenta, con un poco de ayuda, de que se está fomentando mucho la turbulencia natural.

La tecnología exacta mediante la cual se está haciendo esto resulta ser un estudio fascinante y revelador. Toda la inventiva que por lo común sólo surge durante la verdadera guerra, se ha dirigido a la resolución del problema: "Cómo destruir una nación a la que no se puede combatir directamente".

"Occidente, ingenuo y tradicional en el campo de la seguridad, ha fracasado totalmente en detectar y poner remedio a la Destrucción Cultural: la mayor arma en pleno uso hoy en día contra las naciones occidentales".

Inglaterra ha presenciado la contracción de todo su imperio hasta reducirse a la posesión de Escocia, Gales e Irlanda del Norte como sus únicos territorios exteriores indisputables. Un acontecimiento que normalmente requeriría siglos de decadencia sucedió en dos décadas.

Estados Unidos, héroe conquistador de la Segunda Guerra Mundial, es reducido a regatear en conferencias, mientras que sus pequeños colegas enemigos dirigen campañas públicas para poner fin a la guerra *dentro de las fronteras de EE. UU.*

Cualquier voz que se alza en protesta contra la decadencia nacional es silenciada y calumniada; hasta ese punto ha llegado la fuerza del enemigo externo.

Las fuerzas de seguridad de Occidente solo ven en todo esto un esfuerzo para crear una revuelta interna, si es que acaso lo llegan a percibir. No es un intento de revuelta. Es Destrucción Cultural a gran escala.

Los originadores tardaron medio siglo en destrozar por completo los estándares educativos básicos de la gente de Occidente y en sustituirlos por nuevos valores, o la falta de ellos, lo cual abrió la puerta a la subversión total. Un examen de los cambiantes libros de texto y de las conexiones de los autores de los libros que luego se empezaron a usar, al igual que de los antecedentes y tendencias políticas de los "educadores" que los recomendaron, es una investigación interesante.

La zona donde se originaron las destrezas de capacitación que usan los "científicos sociales" se remonta directamente a terreno enemigo.

Las instituciones culturales básicas de las que normalmente se dependía para mantener los estándares de la sociedad occidental han sido sometidas a infiltración, desacreditadas y desprovistas de poder. El concepto de la destrucción de las iglesias surge directamente del enemigo.

En lugar de estas instituciones ha surgido una multitud de sociedades "irreprochablemente respetables" dirigidas por timadores agradables con conexiones enemigas cuyos consejos letales escuchan los congresos y parlamentos con una complacencia que las sociedades bárbaras normalmente reservaban para los padres.

Recientemente, en dos países, los gobiernos pagaron todos los gastos de las reuniones de los agentes enemigos, quienes, en sus elegantes hoteles, protegidos cuidadosamente por fuerzas de seguridad internas, planearon con cuidado e iniciaron los siguientes pasos de la Destrucción Cultural de sus anfitriones; y además tras puertas cuidadosamente cerradas, discutieron la abolición de sus constituciones y la cancelación de sus fronteras. Un gran porcentaje de aquellos que asistieron venían directamente de territorio enemigo.

Otro miembro de este grupo, una enemiga reconocida, fue escuchada atentamente por un comité del Congreso que ya estaba actuando bajo su consejo de no oponerse tan enérgicamente a la extendida drogadicción que estaban promocionando sus infinitamente "respetables" amigos.

Aproximadamente cincuenta de estos totalmente "respetables científicos sociales" se introdujeron hace poco en una nación occidental directamente desde países satélite y se pusieron a trabajar de inmediato. Están maravillosamente financiados, enteramente por encima de la ley debido a que son "autoridades" y "científicos" y porque "sociedades profesionales eminentemente respetables" "responden por ellos". Las fuerzas de seguridad presentes estaban inquietas al respecto, pero evidentemente no podían hacer nada por "las presiones desde arriba".

Esto ha llegado a tales extremos que a cualquiera que lo mencione de inmediato se le tacha de "ver un rojo bajo cada matorral". La última figura política de EE. UU. que se negó a creer que esto era "natural", fue detenido y asesinado tan seguramente como si hubiera sido envenenado.

“La zona donde se originaron las destrezas de capacitación que usan los ‘científicos sociales’ se remonta directamente a terreno enemigo. Las instituciones culturales básicas de las que normalmente se dependía para mantener los estándares de la sociedad occidental han sido sometidas a infiltración, desacreditadas y desprovistas del poder. El concepto de la destrucción de las iglesias surge directamente del enemigo”.

Hay muchas maneras de ganar en la competencia entre naciones. Cuando la guerra directa es imposible o cuando agentes militares encubiertos no son viables, ahora tenemos la Destrucción Cultural: una herramienta compleja y sumamente apta que no sólo destruye la voluntad nacional para luchar, sino que también reduce moralmente y destruye el tejido social y económico del enemigo.

Si no se emprende acción, si no se detiene esa tendencia, Occidente estará muerto dentro de una década. Ronald

ANTIGUOS VESTIGIOS

de L. Ronald Hubbard

Los psiquiatras y sus asociaciones de pantalla están en el pasado como lo están algunos de sus pacientes dementes.

Pertenecen a los terribles viejos tiempos de poco después de 1450.

Cada colina tenía su castillo dedicado a la rapiña, gobernado por gente de lo mejor, la cual provenía sólo de las mejores familias.

Bajo tierra, debajo de cada fortaleza-castillo, había calabozos con muros llenos de cadenas y salas de tortura con todo y potros, botas españolas y una tecnología muy exhaustiva para mutilar y asesinar con la mayor agonía posible durante el mayor tiempo posible.

Por cualquier capricho momentáneo cualquier campesino, soldado, mercader o viajero que estuviera de paso podía ser aprehendido sin el más mínimo proceso legal, sus posesiones podían ser confiscadas y se le podía arrojar a un calabozo durante años sin ningún tipo de cargo. Después era liberado, en las raras ocasiones en que sucedía, con la salud y los miembros destrozados y completamente loco.

Cualquier escritor o panfletista que se atreviera a dirigir a estos "señores" arrogantes y a sus "señoras" la más leve insinuación de que deberían tener cuidado, era cazado como una rata, despedazado en el potro o colgado, destripado y descuartizado.

El campo estaba en ruinas, la gente se encogía de miedo en chozas inmundas y el espíritu del hombre yacía aplastado y casi muerto.

Así fue 1450 para el "mundo civilizado".

A través de las décadas, conforme avanzaba el tiempo, el hombre ganó poco a poco pequeños derechos y libertades. Pero su precio fue la muerte de muchos "rebeldes". Se avanzó sobre una calzada pavimentada con los huesos de los valientes defensores de la Humanidad, cuyo coraje casi siempre los llevaba a la muerte.

Ahora hemos llegado al siglo XX. Tenemos leyes, procesos adecuados y, al menos, algunos derechos y libertades.

Aquí tenemos estos grupos pantalla de la psiquiatría que sólo representan a un puñado de "especialistas". Aquí están con sus "señores", sus "señoras" y los mejores de entre su gente.

Tienen sus "hospitales" mentales donde se puede llevar a cabo cualquier tortura, cualquier crimen.

Hay aquí "leyes" mentales según las cuales cualquiera puede ser aprehendido sin ningún proceso legal y retenido sin cargos de ningún tipo.

Usando "el choque", la cirugía, las "curas" de agua y las drogas violentas, sueltan a los hombres (si es que lo hacen siquiera) destrozados y convertidos en catástrofes incompetentes.

Según toda la evidencia recientemente desenterrada, la mayoría de los internos de estas "instituciones" no están dementes ni jamás lo estuvieron. Sólo la minoría están locos. ¿Y cuántos de estos locos se volvieron locos a causa de estas horribles torturas o palizas?

De modo que estos grupos pantalla de la psiquiatría se han quedado atrás en 1450.

Sólo son los mejores de entre la gente.

Miran con arrogancia despectiva a la democracia, a la decencia y a los procesos legales.

Todo esto está empezando a ser bien conocido. Está totalmente documentado.

¿Pero qué pasa con los políticos y legisladores que propician a estos grupos, que aprueban leyes para permitirles la fácil detención a cualquiera y les dan millones para sus gastos en forma de fondos de contribuyentes?

¿Qué pasa con los escritores que los adulan en la prensa y la literatura y atacan a cualquiera o a cualquier grupo, como a los scientologists, que intentan exponer tales crímenes?

Bueno, compañero, yo diría que tales políticos y escritorzuelos son un montón de malditos traidores que han traicionado a la humanidad. Eso es lo que yo diría.

No estamos en 1450, lo sabes. Es el siglo XX.

Vengan a tiempo presente, eso es lo que yo diría. Ronald

"Aquí tenemos a estos grupos pantalla de la psiquiatría que sólo representan a un puñado de 'especialistas'. Aquí están con sus 'señores' y 'señoras' y los mejores de entre su gente. Tienen sus 'hospitales' mentales donde se puede llevar a cabo cualquier tortura, cualquier crimen".

Ante la creciente frecuencia del crimen violento a finales de la década de 1970, y tomando en cuenta la investigación de LRH sobre los propósitos malignos y la mente criminal, tenemos tres artículos de principios de la década de 1980. Como un comentario sobre lo que LRH predijo tan correctamente sobre la violencia absurda y sin par de los pacientes psiquiátricos, sólo se necesita considerar el tiroteo perpetrado en 1981 contra el Presidente Ronald Reagan y el hecho de que el Secretario de Prensa de la Casa Blanca, James Brady, haya quedado lisiado, debido al ataque de una persona bajo tratamiento psiquiátrico, John Hinckley, hijo.

Además, y aunque sólo sea para enfatizar el asunto, resulta que una tercera parte de los asesinatos en los patios de las escuelas los cometen adolescentes a quienes se les han recetado medicamentos psicotrópicos, mientras que aquellos que toman estimulantes psiquiátricos son doce veces más propensos a consumir heroína, quince veces más propensos a consumir éxtasis y veintiún veces más propensos a consumir cocaína que sus compañeros de estudio que no están tomando medicamentos.

LOS CRIMINALES Y LA PSIQUIATRÍA

de L. Ronald Hubbard

Casi todos los crímenes horrendos de la era moderna han sido cometidos por un criminal conocido que había estado en manos de psiquiatras y psicólogos, a menudo muy frecuentemente.

No hay una razón especial para mencionar los interminables historiales de caso relacionados con esto. Ocurren con demasiada frecuencia en las noticias, y los archivos de los periódicos están llenos de ellos. A medida que se desarrollan esas noticias, se descubre que el perpetrador tenía, algunos desde la niñez, un largo historial de tratamiento psiquiátrico o psicológico.

Tal registro de fracasos no parece llamar la atención de los legisladores, y estos continúan vertiendo torrentes de dinero en las arcas de los psiquiatras, de los psicólogos y de sus organizaciones. Según las encuestas, la mayoría del público parece estar consciente de esta situación, si no es que de todos los hechos: los únicos clientes verdaderos que tienen los psiquiatras y psicólogos son los gobiernos; el público no los consulta por su propia voluntad.

La forma más caritativa de ver esto sería decir que los psiquiatras y los psicólogos sólo son incompetentes. Pero es posible llegar a deducciones más siniestras al respecto.

Desarrolladas a finales del siglo XIX, la psiquiatría y la psicología aparecieron en el escenario militarista de una Alemania con mentalidad de conquista que estaba rearmándose. En aquel tiempo, el archicriminal Bismarck estaba preparando el terreno para la matanza de la Primera y Segunda Guerras Mundiales. El punto de vista de que el hombre era un animal y que ni el alma ni la moralidad se interponían en el camino del asesinato en masa de la guerra, encajaba con la filosofía del militarismo.

Hasta ese momento, la Iglesia tenía cierta influencia sobre el estado y posiblemente algún poder para refrenar su conducta bestial, salvaje y demente, pero aunque fuera pequeña, era incompatible con las ambiciones infames de los militaristas. El considerar que, después de todo, el hombre sólo era un animal sin alma y sin derecho a tener decencia, llegaría a ser una doctrina muy popular. Que la demencia consistía en impulsos para dañar a otros habría sido una idea muy poco popular para los dirigentes de los gobiernos que no tenían otra cosa en mente. Y de esa forma, se aceptó con avidez la idea de que la demencia era una enfermedad física.

El principio básico de la psicología es que el hombre es sólo un animal. El principio básico de la psiquiatría es que la demencia es una enfermedad física. Ninguna de ellas tiene ninguna prueba de que estos principios sean correctos. El que un hombre pueda ser reducido a tener una conducta animal no prueba que esa sea su naturaleza básica. El que algunas enfermedades físicas produzcan también aberración mental no prueba que la causa de cualquier "enfermedad mental" sean las bacterias o virus, y sin duda jamás se ha descubierto que lo sean.

A los instigadores, patrocinadores y defensores de estos dos temas se les puede clasificar completa y demostrablemente como criminales.

Si un individuo cometiera los crímenes que el gobierno comete en un solo día, a ese individuo se le metería de inmediato en una celda y probablemente incluso en una celda acolchonada.

Desafortunadamente, los puestos de poder y autoridad atraen a seres que con demasiada frecuencia necesitan de esa alta posición para ejercer sus ansias de dañar a otros abierta o encubiertamente. Los puestos en el gobierno sirven muy bien a este fin: se usan demasiado a menudo para estar por encima de la ley. Algunos de los criminales más infames de la historia han maniobrado desde posiciones gubernamentales. Esto resulta impresionante, estadísticamente hablando, cuando se cuentan los cadáveres esparcidos.

Revisando esto (y hay amplia documentación al respecto en cualquier libro de historia o periódico), uno puede empezar a encontrarle cierto sentido. La psiquiatría y la psicología, engendradas por un gobierno demente y militarizado, encuentran un ávido apoyo en los gobiernos opresivos y dominantes. La gente clasifica a quienes las emplean como criminales, aunque se les considere desde el punto de vista más generoso. Por lo tanto, no podría ser muy asombroso que estos individuos no tengan un éxito verdadero al detectar y manejar a los criminales, o que siquiera se interesen en hacerlo.

No se puede ir tan lejos como para decir que la psiquiatría y la psicología crean criminales a sabiendas o que activamente planeen implantar a sus pacientes para que cometan crímenes, aunque pudiera parecer así en algunos casos. Más bien, estos campos son campos falsos, basados en principios falsos que encajan bien con las exigencias y las ambiciones de quienes los tienen a su servicio. Su tecnología es incapaz de detectar al criminal y mucho menos de ayudarlo. Es incluso dudoso que los gobiernos que los emplean tolerasen que existiera un tema que pudiera detectar y resolver la criminalidad, pues ¿quiénes serían los primeros en ser descubiertos? Algunos que estuvieran en los gobiernos, por supuesto. No, el lobo sólo aceptaría que un jurado de lobos juzgara el crimen de matar corderos. Es por eso que ves a los gobiernos derramar dinero en manos de los psicólogos que están en las escuelas y en manos de los psiquiatras de los departamentos gubernamentales.

Con un monopolio total en el campo de la mente, mantenido por el gobierno, los criminales potenciales permanecerán sin ser descubiertos hasta que dañen o asesinen a los ciudadanos, y después de hacerlo, estarán en manos de los psiquiatras y los psicólogos, y no recibirán alivio en relación con sus modelos de conducta, sino que incluso se les reafirmará en ellos y se les soltará al mundo para que sigan dañando y asesinando a los ciudadanos.

El crédito y el poder que tenían la psiquiatría y la psicología están menguando. Llegaron a su cenit alrededor de 1960. Entonces parecía que su palabra era ley y que podían dañar, lastimar y matar pacientes sin freno. La aparición de una verdadera tecnología de la mente –Dianética y Scientology– ha desempeñado un papel importante en cuanto a actuar como freno. En una ocasión estuvieron a punto de convertir a cada bebé en un futuro robot para manipular al estado y convertir a todas las sociedades en un manicomio de crimen e inmoralidad. El mundo aún sufre los efectos de tal dominación.

No hay verdadera razón por la cual no sea posible detectar al criminal e incluso reformarlo, usando la tecnología adecuada. También se podría, haciendo uso del Despojo de Datos Falsos, redimir a los psicólogos y a los psiquiatras; aunque esto presentaría dificultades por el hecho de que adquieren todo su poder y dinero del estado que parece tener para ellos propósitos muy diferentes.

El mundo gira, las cosas cambian. Y puede llegar un día en que a los perros rabiosos del mundo no se les pondrá a cargo de perros rabiosos. Pero eso será en la medida en que tú impulses, con éxito, Dianética y Scientology. Ronald

En relación con lo que LRH proporciona sobre el revelador vínculo entre la psiquiatría y la criminalidad, podemos tener en cuenta que fue precisamente el estratega psiquiatra Brock Chisholm quien originalmente describió la moralidad como una "distorsión psicológica". Con lo cual, exhortó a sus colegas a erradicar completamente "el concepto del bien y el mal" del pensamiento del público. En contraste total, entonces, está el código moral basado en el sentido común de L. Ronald Hubbard *El Camino a la Felicidad*, que no sólo proporciona una brújula moral a más de 100 millones de personas de todo el mundo, sino que sirve como fundamento para el aclamado programa de reforma criminal de L. Ronald Hubbard, que se sabe ha erradicado por completo la violencia en los patios de las prisiones y ha reducido las tasas de reincidencia de un 80% a prácticamente cero.

LA MENTE CRIMINAL Y LOS PSIQUIATRAS

de L. RONALD HUBBARD

A MENUDO SE HA NOTADO (e informado habitualmente en los periódicos) que los criminales "tratados" por psicólogos y psiquiatras salen y cometen crímenes.

Se podría sospechar que estos "profesionales" usaron dolor-drogas-hipnosis y otros métodos (bajo la apariencia de tratamiento) para inducir al criminal a salir y cometer más crímenes. Y posiblemente lo hagan.

Pero acabo de hacer un descubrimiento que arroja cierta luz a esta situación.

La moralidad y la buena conducta son lógicas. Este es el tema de *El Camino a la Felicidad.* Resulta entonces (y puede comprobarse) que la inmoralidad y la mala conducta son estúpidas.

Esto se ha confirmado en investigación adicional. Se podrían dejar a un lado las especulaciones sobre "bueno y malo" de la antigua Grecia y continuar con una lógica más fácil y menos contenciosa de "brillante y estúpido".

Cualquier cosa que un criminal trata de obtener puede obtenerse sin crimen si se es lo bastante brillante. Los criminales, como puede decirte la policía, normalmente son muy, muy estúpidos. Las cosas que hacen y las pistas que dejan por ahí es el distintivo de un IQ muy bajo. El criminal "brillante" se encuentra sólo en la ficción. De vez en cuando aparece un Hitler y comienza un mito de que los que están en posiciones altas son criminales; pero Hitler (y Napoleón y todos los de su ralea) eran estúpidos hasta un grado increíble. Hitler se destruyó a sí mismo y a Alemania, ¿no? Y Napoleón se destruyó a sí mismo y a Francia. Así que ni siquiera los criminales en posiciones altas son brillantes. Si hubieran sido realmente brillantes, podrían haber conseguido un reinado con éxito sin crimen.

Los restos mortales de las viejas civilizaciones son anuncios de estupidez. Las cárceles están a reventar de gente tan estúpida que hizo cosas malas e incluso las hizo de forma nada ingeniosa.

Así que analicemos de nuevo a los psiquiatras: lo que ellos llaman "tratamiento" es una supresión (mediante choques, drogas, etc.) de la habilidad de pensar. Estos psiquiatras no son lo suficientemente honestos, pues la mayoría simplemente son psicóticos que dramatizan, para publicar el hecho de que todos sus "tratamientos" (mutilación, de hecho, si no es que asesinato) hacen a la gente más estúpida.

Estas acciones de choque y asesoramiento evaluativo absurdo, etc., reducen el IQ como un ascensor de alta velocidad que baja hasta el sótano.

Esto no se lo dicen a los legisladores ni lo escriben en sus libros. Por eso dicen que "nadie puede cambiar el IQ". Ocultan el hecho de que ellos lo arruinan.

Así que los psiquiatras en las prisiones se dedican a una acción (dar choques o lo que sea) que hace que los criminales sean aún más estúpidos.

Aunque obviamente le dicen a sus víctimas que salgan y cometan más crímenes (por ejemplo, los psicoanalistas impulsan a las esposas a cometer adulterio), no tendrían que hacer esto en absoluto para fabricar más crimen.

Sus "tratamientos" hacen a los criminales más estúpidos. El estúpido comete más crímenes.

Realmente es muy simple cuando lo miras.

¿Por qué apoya el estado a los psiquiatras y a los psicólogos?

¿Porque el estado es estúpido? ¿O es que quiere que aumenten los ciudadanos que son víctima del robo y el asesinato? Es lo uno o lo otro. Decídelo tú mismo.

Uno es brillante, moral, honesto y le va bien, o es estúpido y le va mal.

La respuesta al crimen es elevar el IQ. Pero sólo los scientologists pueden hacerlo. Ronald

6 DE MAYO DE 1982

LA CAUSA DEL CRIMEN

de L. RONALD HUBBARD

DICEN QUE LA POBREZA genera el crimen. Dicen que si se mejorara la educación, habría menos crimen. Dicen que si se remediara el destino de los menos privilegiados, se habría resuelto el crimen.

Se ha demostrado que todos esos "remedios" son notablemente falsos.

En países muy pobres, hay poco crimen. La "mejora" en educación estaba ideada para crear una "reforma social", y no se enfocaba en la enseñanza de destrezas. Y es un fracaso total. Premiar a los menos privilegiados simplemente ha arruinado escuelas y vecindarios y ha costado miles de millones.

Por tanto, ¿quiénes son los que dicen todo esto?

Los psicólogos y psiquiatras, por supuesto. Estos fueron *sus* estrafalarios remedios para el crimen. Y esto ha arruinado una civilización.

Entonces, ¿cuál ES la causa del crimen? ¡El tratamiento, por supuesto! Los electrochoques, la modificación del comportamiento, el ultraje del alma. *Estas* son las causas del crimen. No habría ningún criminal en absoluto si los psicólogos y psiquiatras no hubieran comenzado a oprimir a los seres para que se vengaran contra la sociedad.

Sólo hay un remedio para el crimen: ¡librarse de los psiquiatras! ¡Ellos lo están causando!

Es cierto. En casos y más casos de investigación acerca de criminales. ¿Y hasta dónde nos lleva todo esto? ¡A los psiquiatras!

Su brutalidad y crueldad son conocidas por todos.

Los datos están llegando. Cualquier dato adicional que te llegue de un criminal o de cualquiera, mándanoslo.

Respecto al crimen, tenemos una epidemia en marcha en este planeta. Las causas incorrectas que los psiquiatras atribuyen al crimen, más sus propios "tratamientos", hacen de ellos un virus mortal.

A los psiquiatras no se les debería dejar cometer impunemente "tratamientos" que son equivalentes a actos criminales, mutilación y asesinato. No están por encima de la ley. De hecho, no existe ley alguna que los proteja, pues ¿qué sociedad en sus cabales aprobaría los crímenes contra sus ciudadanos aunque se les presentaran como ciencia? Se les debería tratar como a cualquier otro criminal. En el mejor de los casos, son psicóticos que dramatizan y son peligrosos, pero aún más peligrosos para la sociedad en general que los psicóticos que ellos tienen en sus consultorios y manicomios, ya que mienten y son traicioneros. Por qué el gobierno los subvenciona, no lo sé. Ellos son los últimos a los que se debería dejar sueltos para que manejaran a los niños. Ronald

"A los psiquiatras no se les debería dejar cometer impunemente 'tratamientos' que son equivalentes a actos criminales, mutilación y asesinato. No están por encima de la ley. De hecho, no existe ley alguna que los proteja, pues ¿qué sociedad en sus cabales aprobaría los crímenes contra sus ciudadanos aunque se les presentaran como ciencia? Se les debería tratar como a cualquier otro criminal".

SCIENTOL

CAPÍTULO CINCO

Investigando las HUMANIDADES

Investigando las Humanidades

A MODO DE COMENTARIO QUE LO ABARCA TODO SOBRE SU senda de descubrimiento más importante que llevó a la fundación de Dianética y Scientology, llega "Un ensayo sobre las dificultades de la investigación en las humanidades" de L. Ronald Hubbard. Destinado originalmente a la comunidad científica, el artículo plantea cuestiones cruciales sobre cualquier examen metódico de la existencia: es decir, el conflicto tradicional entre las ciencias materiales y los asuntos del ámbito espiritual. En la actualidad, desde luego, y a partir de un estudio más minucioso del ámbito de lo subatómico, encontramos que al final las ciencias forcejean precisamente con aquello de lo que LRH habla aquí; es decir: una ecuación puramente física no logra explicar fenómenos susceptibles de observación. De ahí la especulación creciente en el seno de una comunidad de Física Nueva con relación a una fuerza intrínsecamente no-material que opera en este universo. También son sumamente significativas las referencias de LRH a sus experimentos citológicos de 1938, en los que demostró cómo no era posible que las ecuaciones puramente químicas explicaran el comportamiento físico de las colonias celulares. Aunque no fue sino hasta principios de la década de 1990, y en base a una investigación que duplicó estos experimentos en el Instituto Nacional Francés de Investigación de Salud y Medicina, que los círculos científicos concluyeron lo mismo; es decir, como lo describiera un biólogo: una fuerza que aparente no es material "permite que las cosas se muevan y crezcan en formas que les aporten significado". ■

"La información se ha ganado con gran esfuerzo. Ha sido un camino solitario". —L. Ronald Hubbard

UN RESUMEN DE SCIENTOLOGY PARA CIENTÍFICOS

Un ensayo sobre las dificultades de la investigación en las humanidades

de L. Ronald Hubbard

Durante aproximadamente treinta y ocho años, a la fecha de este escrito (1969), he estado realizando investigación básica sobre la vida y las humanidades. Es investigación básica o pura, y tiene el mismo origen que el esfuerzo de los antiguos filósofos: el tratar de establecer la identidad de la vida como algo independiente de la materia y asociada con el mundo material y sus formas; temas que se abarcan en las ciencias puras y desarrolladas. La diferencia es que esta investigación se ha llevado a cabo desde el punto de vista de la metodología científica en la que he recibido formación.

De hecho, el tema era lo bastante desconocido y carente de nomenclatura para tener un nombre bien definido. Digo que era desconocido, ya que de manera muy evidente no ha sido capaz de avanzar al mismo paso que las ciencias naturales o físicas y de hecho, se ve amenazado por las ciencias físicas. Por ejemplo, encontramos que las protestas del científico físico se basan en violaciones en detrimento de los seres vivos o en el abuso de los seres vivos por aplicaciones físicas negligentes (*Ciencia y Supervivencia,* por Barry Commoner).

Para proteger algo, uno tiene que saber qué es lo que desea proteger y saberlo desde el punto de vista científico. Las teorías biológicas del ADN abarcan a la vida en conjunción con la materia, y todos los esfuerzos por hacer que la materia produzca vida han fracasado hasta la fecha.

Este denominador común a todos los intereses, a todos los esfuerzos por proteger, a todos los "beneficios científicos" no se había estudiado y no tenía un nombre relacionado con alguna exposición de principios razonada que llevara a una identificación o a un resultado puro y predecible. El "élan vital" de Bergson y otros aventurados postulados filosóficos no estaban de acuerdo con lo que en este siglo consideramos metodología científica ordenada y controlada. La suposición y la autoridad son una base muy deficiente en la cual fundamentar todas las predicciones.

Al no tener un verdadero nombre que abarcara el estudio en sí, era por supuesto imposible estudiar cursos sobre él. No podía tener sus respuestas en campos conocidos, ya que el tema en sí era desconocido no sólo en su identidad, sino también en sus características.

Yo estudié todos los cursos de matemáticas y física que se ofrecían en la universidad. Pero después me vi detenido en gran medida por falta de otros temas académicos que estudiar. Recuerdo que el proyecto cristalizó en mi mente cuando encontré que los cursos de psicología y filosofía que se impartían eran inadecuados para la investigación que yo tenía en mente, ya que en ninguno de ellos pude encontrar estudiantes o profesores que hubieran estudiado matemáticas o física modernas, o que utilizaran lo que yo había aprendido a considerar como metodología científica, y que, por lo que pude encontrar, reconocieran los errores de lógica (matemáticas) que yo había encontrado en esas materias. En su propio mundo ordenado, el científico físico no reconocía la confusión que existía en las humanidades.

Así que partí en una expedición y empecé a estudiar la vida. Las culturas primitivas parecían un lugar para empezar.

Ningún investigador moderno se había enfrentado jamás a tanta información o temas en conflicto y a tan pocos *resultados* entre ellos.

Sin embargo era obvio que el avance a toda máquina de las ciencias físicas en el último siglo, cuya velocidad iba en aumento incluso entonces, sobrepasaría lo que se conocía como las humanidades y que incluso las abrumaría. Y ha resultado ser así.

Con la carga de investigar durante el periodo anterior a la guerra en que hubo una carencia total de subvenciones y fondos para la investigación, tuve que resolver el aspecto económico de todo esto. Lo hice principalmente escribiendo y con películas, y me fue muy bien, al menos lo suficientemente bien como para financiar lo demás que estaba haciendo.

Escribí un libro a finales de la década de 1930 después de un avance importante en el tema, pero el libro nunca se publicó.

Al final, había pasado a través de todos los laberintos de espejos y de la absoluta niebla de las humanidades y trabajé en la citología. Tuve que estudiar el tema en los fugaces momentos que me quedaban en una vida sobrecargada de trabajo y de estrés. Encontré algunos indicios de memoria celular y de retención de patrones, y originé y abandoné como algo imposible, una teoría que aún se ve por ahí, sobre el almacenamiento de memoria en las moléculas.

Los rumores sobre el libro y algunos escritos hicieron que Rusia (a través de Amtorg) se interesara en mí y me hiciera una oferta de investigación. Como por desgracia tenía como condición ir a Rusia (lo cual todavía estaba de moda) y requería de mí un sistema para medir el potencial de trabajo de los trabajadores de ese país, tuve que declinarla. Esa fue una decisión afortunada, ya que la fecha era 1939.

Las consideraciones ideológicas y los requisitos para un mejor control o subordinación de las personas no encajaban con mi programa de trabajo.

La Segunda Guerra Mundial y el haber formado parte de ella fueron una larga interrupción. Pero hacia 1945 ya había regresado a la investigación, utilizando la biblioteca y las instalaciones del Hospital Naval de Oak Knoll.

En menos de un año, mediante el uso de experimentos endocrinos, postulando que las glándulas endocrinas son un tablero de control de estímulo-respuesta, encontré que la función parecía controlar a la estructura en los seres vivos.

Como se había considerado que lo opuesto era cierto (y eso no había proporcionado un avance importante), ahora pude, en consecuencia, avanzar en una nueva dirección.

Al final encontré que la vida aumentaba de potencial al despojarla de aditivos. Esto significaba que yo posiblemente estaba en el camino que me llevaría a aislar la *vida* como una fuerza pura.

Trabajando con energías pequeñas, al final encontré que la energía mental parecía tener su ámbito entre la vida y la emoción y lo que podría ser una esencia pura de vida.

Al resolver esto, encontré que la energía mental estaba hecha de cuadros de imagen mental, y que estos se aglomeraban formando masas hasta que ese valioso artículo llamado vida llegaba casi a extinguirse.

Al descargar estos cuadros (mediante un método para borrarlos), encontré que el potencial de vida se incrementaba.

Esto llegó a ser Dianética (*dia,* a través; *nous,* mente).

Como tenía relación con las enfermedades psicosomáticas, ofrecí los descubrimientos y documentos sobre ella a las principales sociedades de la curación, ¡y me rechazaron! ¡Ellos no tenían nada que ver con la investigación!

"Así que partí en una expedición y empecé a estudiar la vida. Las culturas primitivas parecían un lugar para empezar".

Un colega médico y un editor de obras psiquiátricas me dijeron que sólo me quedaba el público, así que escribí un libro y llegó a ser sorprendentemente popular.

Justo antes de esta publicación, la Oficina de Investigación Naval de la Armada de Estados Unidos me abordó y me hizo una amenazadora oferta de que debía ir a trabajar para ellos como civil o me asignarían de nuevo al servicio activo. El proyecto era volver más sugestionables a las personas. Conseguí renunciar antes de que pudieran llevar a cabo la amenaza. Aunque no tenía queja alguna respecto al verdadero servicio activo, ya antes de la guerra había prestado servicio en las oficinas de Washington y sabía que era poco lo que yo podía lograr ahí. Además, no tenía la ambición de hacer más sugestionables a las personas.

Este fue el segundo y último contacto relacionado con alguna ayuda para la investigación.

Antes ya había solicitado fondos de algunas fundaciones y no había nada disponible para la investigación. En esa época, pocos comprendían que la investigación básica tuviera algún valor. Sólo proyectos específicos para productos específicos cumplían los requisitos.

Se formó un grupo para hacer frente a la popularidad del libro, *Dianética.* Pero no proporcionó ayuda para la investigación, más allá de poner a prueba las vitaminas.

En esa época, yo había estado dispuesto a dejar el proyecto. De hecho, tenía prevista otra expedición. Pero el impacto del libro trajo consigo uno de esos brutales ataques simultáneos que en ocasiones experimentan los investigadores, y que lanzó mi vida a un caos. Hubo un atentado contra mi vida, escapé por poco a un secuestro y fui reprendido con severidad por fechorías que nunca cometí. Rara vez ha habido un cambio tan radical en la vida de un hombre. El lunes, yo era un escritor que gustaba mucho, y el martes era una horrible bestia. El mismo hombre.

Un científico que publica sus textos para el público o que trata de notificar a sus colegas de algún descubrimiento, en ocasiones encuentra que la prensa es un mal aliado.

Durante años, se me lanzaron las acusaciones más extrañas e imaginarias. Los reporteros nunca se me acercaban. Sólo escribían sobre mí.

No era para nada un entorno adecuado para continuar con la investigación, pero la continué, a pesar del gran estrés que me causaba, por la responsabilidad que tenía hacia un público que me apoyaba.

Quince años después de esa primera publicación ante el público, fui capaz de desarrollar la tecnología completa que aislara a un ser como una fuerza de vida pura. Era la persona en sí. Y mucho más fuerte y más capaz.

En los dos años siguientes, a pesar del pesado estrés administrativo y de la misma fuerza invisible que seguía golpeándome por las líneas públicas, fui capaz de lograr ese resultado de manera uniforme y estable en las personas mediante una tecnología que se conoce como procesamiento de Scientology.

"A diferencia del biólogo, el químico y otros científicos, el psicólogo y el psiquiatra no conocen en absoluto el método científico, sus conocimientos de matemáticas son pocos o nulos, y no comparten ninguna de las disciplinas básicas que mantienen unidos a los científicos. Están formados en temas autoritarios y su enfoque es enteramente autoritario".

Casi diecinueve años después del Primer Libro, descubrí quiénes me atacaban y por qué.

Aunque pudo haberlos motivado y financiado una iglesia o el estado, no fue así.

El secreto oculto de los ataques de diecinueve años eran los *fondos para investigación.*

En mi época no habían estado disponibles. Pero después de la guerra, los grupos de psicólogos y psiquiatras organizaron, en 1948, una actividad para fondos destinados a la investigación a través de organizaciones internacionales. Los gobiernos les aportaron cifras increíbles aunque tenían resultados de experimentación humana increíblemente insignificantes e incluso ilegales o deshonestos.

Mi obra, como está constituida hoy, se consideró (no sé cómo) una amenaza a esa asignación de fondos. También se le consideró una amenaza a los ingresos de las actividades de la salud. Durante años, supuse que esto último predominaba. Pero no es verdad. He visto las subvenciones y las listas de aquellos a quienes les fueron asignados los fondos.

No había nada de malo en asignar fondos para la investigación. Pero asignárselos, como si de una *actividad científica* se tratara, a hombres que no tenían formación alguna en la metodología científica o en las costumbres establecidas del científico, ha sido un grave error. A diferencia del biólogo, el químico y otros científicos, el psicólogo y el psiquiatra no conocen en absoluto el método científico, sus conocimientos de matemáticas son pocos o nulos, y no comparten ninguna de las disciplinas básicas que mantienen unidos a los científicos. Están formados en temas autoritarios y su enfoque es enteramente autoritario.

Los fondos no se usan para investigación real; simplemente los usan para pagarles a sus amigos. Poseo los documentos que demuestran esto.

Durante diecinueve años, este río multimillonario de dólares en todo el mundo se ha utilizado para atacar a cualquier investigador independiente y para impulsar los planes más dementes de control político que yo haya visto jamás. No haría tal declaración sin tener en mis manos documentos que me han enviado médicos a quienes tampoco les gustan estos tipos.

Por lo tanto, concluyo que es un grave error financiar a personas sin formación y sin habilidades con fondos ilimitados para la investigación, que pueden en sí convertirse en un campo pequeño individualizado, ferozmente autodefensivo y que es muy peligroso tener cerca.

Las humanidades no han avanzado al mismo ritmo que las ciencias físicas porque no había verdaderos científicos en las humanidades. Faltaban las reglas básicas y las costumbres establecidas de los científicos físicos.

Sin embargo, todo el orden social, depende para su progreso, de que las humanidades recuperen el tiempo que han perdido. Pero el entorno en que se está teniendo que llevar a cabo la investigación no ha cambiado mucho desde los tiempos de Hegel.

He estado trabajando con seriedad y de manera productiva en este campo, se me han negado todos los fondos y he combatido una oposición financiada en exceso.

La sociedad en general no se opone al avance en este campo. Las iglesias no se oponen. Pero los gobiernos, incitados por la "autoridad" incompetente, han atacado todo avance alcanzado por investigadores que trabajaban con seriedad.

Pocos tienen el valor o el vigor para enfrentarse a tal oposición y aun así continuar con su trabajo.

La campaña para desacreditar cualquier trabajo de ese tipo también desacredita su posibilidad y aleja a los verdaderos científicos.

"Las humanidades no han avanzado al mismo ritmo que las ciencias físicas porque no había verdaderos científicos en las humanidades. Faltaban las reglas básicas y las costumbres establecidas de los científicos físicos".

Cuento entre mis experiencias el haber visto cómo el doctor en medicina Wilhelm Reich, que estaba investigando pequeñas energías en la mente, fue asesinado por la FDA de Estados Unidos a instancias de ciertos intereses creados con fondos excesivos. He visto cómo otros han sido atacados maliciosamente por tratar de fomentar el conocimiento de las humanidades.

No estoy solicitando fondos para investigación y no los he necesitado durante cierto tiempo.

He logrado un avance importante en este campo. Requirió treinta y ocho años de trabajo arduo. Tiene éxito. Se le puede someter a las pruebas y controles científicos habituales. Personas competentes lo han puesto a prueba una y otra vez. Hay cincuenta y cinco axiomas, hay un cuerpo considerable de datos y registros de aplicación, se han reunido más de dieciséis millones de palabras en información.

En ocasiones se me acusa de retener la información. Ahí está, para el uso del público y de los profesionales. Pero cuando se ofreció a Estados Unidos para aumentar el coeficiente intelectual de los científicos y reducir a la mitad el tiempo de reacción de los pilotos, nuestra oficina en Washington fue objeto de una redada llevada a cabo por cargadores a punta de pistola haciéndose pasar por agentes federales, que decomisaron un medidor de resistencia eléctrica que usamos, además de libros.

Se me ha obligado a usar los medios más inusuales para impulsar la investigación.

Este es un breve historial de la razón de que no haya existido ninguna investigación realmente científica en el campo de las humanidades. Un científico en el campo de las ciencias físicas no daría crédito al caos, la incompetencia, la deshonestidad y la oposición que hay en estos temas.

Antes de Scientology no existía un campo para la actividad científica elemental y pura en las humanidades. No había materias universitarias, aparte de las matemáticas y las ciencias físicas, que tuvieran un enfoque científico. La literatura de la filosofía es interesante, pero sólo se puede llegar a organizar de forma sensata si no se aborda de la manera autoritaria en que se ofrece. En una ocasión renuncié a un doctorado en protesta a esa atmósfera.

El autoritarismo, el uso de asalariados y el dogma obscurecen a las humanidades en un grado tan extremo que se requiere de una resolución extraordinaria para llevar a cabo investigaciones en el tema. El contraataque al investigador individual está financiado con fondos para investigación que se consideran lucro, que no se usan de forma beneficiosa para el tema y se otorgan a personas que no tienen suficiente base en las ciencias para aceptar sus principios éticos o su metodología.

Si la mayoría de los verdaderos científicos están tratando de salvaguardar, mejorar o proteger la vida, entonces es hora de prestar atención al campo de las humanidades.

Este campo ha carecido por completo de organización. No ha existido un lugar para publicar, tratar o intercambiar verdadera información sin chocar con las líneas de investigación de intereses financiados en exceso, los cuales, al hablar sobre la gráfica de mejoramiento de una persona, me han dicho: "Si publica eso en nuestra revista, revolucionaría la psicología". "Muy bien, ¡publíquenlo!". "Ah, no podríamos hacerlo. Nos va a llegar financiación del Congreso para explorar esa área".

"La información de Scientology se obtuvo mediante una metodología científica y puede demostrarse con ella. Contiene un sistema funcional con relación a la vida".

Por consiguiente, esta es la historia de cómo se tuvo que desarrollar Scientology y estas son algunas de las razones de que se diera a conocer como se dio a conocer y de que sea como es.

Sin revistas, sin sociedad, sin otros contactos; esos eran los obstáculos. Es lo único en las humanidades que produce de manera uniforme un *resultado* pronosticable en muchas áreas.

En la actualidad, es ampliamente conocida por cientos de personas y la usan en programas aeroespaciales, según me ha comunicado uno de sus encargados. Porciones de ella (porciones antiguas) se están dando a conocer de tiempo en tiempo como nuevos descubrimientos provenientes de otras personas.

El hombre necesita este tema. Con sus guerras y contaminación, y con el creciente dominio de las ciencias físicas, necesita una comprensión de las humanidades que no esté pervertida por la codicia, por el asalariado y por disparates autoritarios que no han sido probados.

El hombre es un ser espiritual, no un vegetal ni un animal. Y eso es susceptible de pruebas científicas.

La información de Scientology se obtuvo mediante una metodología científica, y puede demostrarse con ella. Contiene un sistema funcional con relación a la vida.

Aún no se ha empezado a aplicar ampliamente en ninguno de los campos en que las humanidades están perdiendo terreno. Es probable que tenga una buena aplicación en la biología. Es posible que pueda aclarar unas cuantas cosas en los campos de la física y la química.

La información se ha ganado con gran esfuerzo. Gobiernos enteros me han oprimido para detenerla. No exagero. Sería una gran desgracia y tal vez una gran pérdida en lo que respecta al conocimiento, si no la revisaran otros campos de las humanidades y de las ciencias físicas. Ha sido un camino solitario. Ronald

"Por consiguiente, esta es la historia de cómo se tuvo que desarrollar Scientology y estas son algunas de las razones de que se diera a conocer como se dio a conocer y de que sea como es". —L. Ronald Hubbard, Saint Hill Manor, 1959

CCHR

CAPÍTULO SEIS

Comisión de Ciudadanos por los DERECHOS HUMANOS

Sede Internacional de la Comisión de Ciudadanos por los Derechos Humanos, Los Ángeles, California

CITIZENS COMMISSION ON HUMAN RIGHTS
CCHR
Established 1969
PSYCHIATRY
AN INDUSTRY OF DEATH
MUSEUM

Comisión de Ciudadanos por los Derechos Humanos

"HOY EN DÍA, EL MUNDO NO TOLERARÁ LAS VIOLACIONES flagrantes a los derechos como lo exige el psiquiatra. Hoy en día, el mundo no tolerará los campos de exterminio, la experimentación en seres humanos, la tortura y el asesinato. Los scientologists están luchando contra esto y lucharán hasta lograr una victoria final y cabal sobre las potencias del mal". —L. Ronald Hubbard

Por lo tanto los scientologists fundaron la Comisión de Ciudadanos por los Derechos Humanos (CCHR). Se le encargó expresamente investigar y exponer las violaciones psiquiátricas a los derechos humanos y de limpiar el campo de la salud mental. Posteriormente se le encargó la vigilancia de actividades psiquiátricas en todo el mundo. En consecuencia, y desde una sola sede, rápidamente se convirtió en una red mundial con cientos de sedes en docenas de naciones. Esas sedes son coordinadas desde la jefatura internacional en Los Ángeles California, la cual coordina los informes sobre abusos psiquiátricos que llegan y es el punto central de CCHR en cuanto a información. Considerándolo todo, entonces, con toda justicia se considera que CCHR es desbastadora para los planes e intenciones psiquiátricos; y todo esto se puede demostrar a través de su historia narrada con sencillez.

Izquierda
Gran Apertura de la sede de CCHR en Los Ángeles

En una época en que las víctimas psiquiátricas estaban prácticamente o dramáticamente descuidadas, las oficinas recién abiertas de la Comisión de Ciudadanos por los Derechos Humanos publicaron avisos públicos solicitando denuncias de abusos psiquiátricos. Entre los primeros en responder fueron los testigos de la explotación psiquiátrica en Sudáfrica; específicamente, en una red antes mencionada de

Museo de La Psiquiatría: Una Industria de la Muerte, la declaración definitiva e inolvidable del horror psiquiátrico de nuestros tiempos.

Arriba
El Congreso de Estados Unidos otorgó este reconocimiento a la Comisión de Ciudadanos por los Derechos Humanos por "un servicio destacado e invaluable a la comunidad"

campos de trabajo de esclavos, que retenía a miles de pacientes de raza negra en campos mineros abandonados. Aproximadamente cuatro años después, y a pesar de la resistencia conjunta de los ministerios del gobierno racista, CCHR logró dar a conocer un documento titulado, "Que Lleguen las Denuncias". En él se detallaron todas las atrocidades antes mencionadas y más: el hecho de que aproximadamente diez mil africanos de raza negra eran retenidos en cautiverio y cedidos como mano de obra esclava para la fabricación de perchas para la ropa y bolsas; y a pesar de que los pacientes eran drogados en exceso para mantenerlos dóciles, los tratamientos electroconvulsivos que se usaban como castigo se administraban sin anestesia porque, como uno de los principales psiquiatras del estado explicó: "Es demasiado caro...".

La respuesta del gobierno racista sudafricano fue típica. Las publicaciones de Scientology que contaban la historia fueron inmediatamente prohibidas, y aparecieron enmiendas a la Ley Nacional de Salud Mental que establecían que era una ofensa criminal informar, fotografiar o incluso hacer dibujos de las condiciones en las instalaciones psiquiátricas. Sin inmutarse, CCHR presentó entonces sus hallazgos a las Naciones Unidas y a las oficinas de la Cruz Roja. Las Naciones Unidas, a su vez, pidieron una investigación por parte de la Organización Mundial de Salud. En esa forma se corroboraron los hallazgos de CCHR; pero luego hubo algo más:

> "A pesar de que se espera que la psiquiatría sea una disciplina médica que trata al ser humano en forma integral, en ningún otro campo médico en Sudáfrica se manifiesta con mayor precisión el desprecio a la persona a causa del racismo que en la psiquiatría". Informe de la Organización Mundial de Salud, 1983.

Hay más todavía. Entre los primeros casos investigados por CCHR por violación de procedimientos de internamiento, está el caso de un refugiado húngaro que fue ingresado a un manicomio de Filadelfia como "esquizofrénico con tendencias paranoicas". En realidad, el paciente simplemente no hablaba inglés y su "incoherencia" fue erróneamente etiquetada como la de un loco. Sin embargo, sólo después de ejercer presión legal, CCHR aseguró la libertad del paciente. Posteriormente, CCHR siguió ejerciendo presión mediante una demanda que apelaba al derecho a la información, de manera que se pudiera romper la confidencialidad de los ministerios de salud franceses, y así obtener evidencia de internamientos igualmente absurdos. De hecho, la evidencia reveló un aumento del 186% en internamientos forzados en instalaciones psiquiátricas francesas y no había ninguna evidencia de que los que habían sido internados padecieran un trastorno mental verdadero. Después de lo cual CCHR continuó presionando legalmente (así como públicamente y en forma muy abierta) hasta que a los pacientes que habían sido internados se les proporcionó recurso legal y otros derechos básicos.

Hay más todavía. A pesar de las declaraciones de la psiquiatría estadounidense de que a los pacientes se les amarraba a sus camas para su propia protección, las investigaciones de CCHR revelaron que anualmente mueren por lo menos 150 personas a causa de estas correas y que más de una docena son niños. Esto a su vez llevó a reglamentos federales que prohíben el uso de restricciones físicas o químicas para usos disciplinarios y de coerción, y a un sistema nacional de denuncias para supervisar su cumplimiento por parte de los hospitales. Casos igualmente aterradores de pacientes bajo restricción psiquiátrica fueron desenterrados en Australia, Japón, Hungría, la República Checa y Grecia. Además, las condiciones en Italia eran tan inhumanas (se encerraba a los pacientes en celdas de campos de concentración) que la investigación de CCHR generó cinco años de redadas gubernamentales y la clausura de alrededor de noventa manicomios.

Igual de conmovedoras son las historias de los esfuerzos de CCHR para llevar a los criminales psiquiátricos ante la justicia y ayudar a los pacientes de los que se ha abusado criminalmente a informar a las autoridades de tales abusos. En los anales encontramos estos casos: el psiquiatra de Nueva Zelanda que poco a poco envenenó a su esposa con fármacos psiquiátricos, el encarcelamiento de un psicólogo de Georgia por casos de abuso sexual infantil y delitos graves de explotación de menores, un psiquiatra de Massachusetts que fue encarcelado por el mismo tipo de explotación contra tres jóvenes, y el psiquiatra Canadiense que también fue detenido por agresión sexual. En respuesta —y sabiendo que el abuso sexual de pacientes psiquiátricos supera el 50%, aunque se podrían dar muchos ejemplos más— CCHR organizó una exitosa campaña para la promulgación de unas dos docenas de leyes y reglamentos prohibiendo violaciones por parte de psiquiatras.

En sus investigaciones, CCHR descubrió que las irregularidades financieras y el fraude a las compañías de seguros por parte de la psiquiatría también eran desenfrenadas. Los casos de fraude son innumerables, atroces y ahora ascienden a más de mil millones de dólares en penas criminales civiles e indemnizaciones. Los casos son también de interés por el hecho de que CCHR es ahora reconocido universalmente como un experto en tales asuntos y autoridades estatales y federales la consultan con regularidad. Entre los casos investigados se encuentran: instituciones psiquiátricas que contrataban a "caza recompensas" para que secuestraran a pacientes. Después a las víctimas se les mantenía cautivas hasta que su

Arriba a la derecha
Sede de la Comisión de Ciudadanos por los Derechos Humanos: punto de coordinación de los cientos de oficinas encargadas de investigar y dar a conocer los abusos psiquiátricos en seis continentes.

Abajo a la derecha
La Sala de Logros de CCHR, que presenta una amplia gama de documentales sobre todo el panorama de atrocidades psiquiátricas, desde drogar con desenfreno a la población adolescente hasta el asesinato irrestricto de los marginados. Ahí es donde *se revela el dolor.*

póliza de seguro se terminaba (momento en que repentinamente se les declaraba sanas). También entre los antecedentes penales de psicólogos y psiquiatras que ya han sido condenados está el hecho de cobrar a las aseguradoras por sesiones de terapia que nunca se llevaron a cabo, exagerar las listas de la nómina de los hospitales para poder recibir mayores subvenciones gubernamentales y la estafa a instituciones federales. El resultado ha sido la clausura de cadenas enteras de hospitales psiquiátricos, por ejemplo, los hospitales del Charter Behavioral Health Systems, que era una de las cadenas más grandes de instalaciones psiquiátricas en Estados Unidos. También, debido a los esfuerzos de CCHR para extirpar la criminalidad psiquiátrica, vemos que regularmente se procesa a profesionales de la psiquiatría y la psicología en alguna parte del mundo; de hecho, más de uno a la semana.

Luego está todo lo que CCHR ha logrado en las crueldades "técnicamente legales" de la psiquiatría; es decir, el electrochoque y la lobotomía. En resumen, y una vez más partiendo de las palabras originales de L. Ronald Hubbard para condenar esta práctica, CCHR ha luchado sin cesar para dar a conocer los mitos inherentes en las palabras, *terapia* electro convulsiva y psico*cirugía.* Trabajando con un Comité Afro-Americano del Congreso de Estados Unidos (que representa a electores que han sido víctima de tales prácticas), CCHR encabezó la derrota de una propuesta de ley federal para financiar la psicocirugía experimental. También, como resultado de las campañas informativas de CCHR y de su testimonio legislativo están las restricciones y prohibiciones de la psicocirugía en toda Europa y en Australia.

Y como uno puede imaginar, CCHR también está a la vanguardia de los esfuerzos populares para acabar con la administración de drogas psiquiátricas, especialmente a los niños. Como se ha hecho notar, las drogas psicotrópicas son el pilar del imperio psiquiátrico a nivel mundial. No obstante, y a base de pura tenacidad, la Comisión de Ciudadanos por los Derechos Humanos ahora encabeza un movimiento popular mundial en oposición a esto. El resultado no es mínimo, hay cientos de advertencias federales y ahora hay etiquetas de "marco negro" adornando los frascos de las drogas psicotrópicas que requieren prescripción médica. De hecho, no hay ninguna droga psiquiátrica que no lleve la marca de la presión de CCHR en las agencias regulatorias para que publiquen advertencias estrictas. Como un resultado mayor, hay cientos de miles de personas que han sido salvadas de efectos colaterales fatales y de sobredosis. CCHR además se asocia con los legisladores para prohibir a las escuelas que exijan que se medique a los estudiantes y ese es otro capítulo en la misma saga. Por consiguiente, docenas de leyes de ese tipo se han promulgado o están en formación. Vale la pena señalar las Enmiendas sobre Seguridad al Medicar a los Niños que se redactaron originalmente en 2004, y una ley equivalente que

PSYCHIATRY
AN INDUSTRY OF DEATH
WARNING
GRAPHIC MATERIAL: NO ONE UNDER 18 ADMITTED WITHOUT AN ADULT
Psychiatry's damaging and lethal "treatments" are infamous. Psychiatrists claim their methods have changed. This shocking museum will give you the facts. You decide.
CITIZENS COMMISSION ON HUMAN RIGHTS
CITIZENS COMMISSION ON HUMAN RIGHTS
CCHR

MAKING HUMAN RIGHTS A FACT
You are safe so long as we are here.
MAKING HUMAN RIGHTS A FACT.
CITIZENS COMMISSION ON HUMAN RIGHTS
CCHR
Established 1969

s powerfully upon the body,
the medium of the mind,
should be employed in
e cure of madness."
Benjamin Rush
PSYCHIA
TORTURE & DEATH SOLD AS M
GYRATOR BED

limita severamente la administración de drogas a los niños en México.

De nuevo, se podrían citar muchos otros casos. Hasta la fecha de este escrito, la declaración de los derechos de los pacientes ha generado, inspirado y desarrollado más de un centenar de leyes y enmiendas en defensa de las víctimas psiquiátricas en todo el mundo. Mientras tanto, recomendaciones provenientes de la Declaración Universal de Derechos Humanos se pueden encontrar ahora en los "Principios, Directrices y Garantías para la Protección de Personas Detenidas por Razones de Mala Salud Mental o por Sufrir un Trastorno Mental" que adoptó la Asamblea General de las Naciones Unidas. Incluye declaraciones que exigen protección contra todos los abusos psiquiátricos que hemos considerado en esta publicación; y todo lo que también se describe en los diez millones de ejemplares de publicaciones de CCHR. En breve y de forma muy explícita, esas publicaciones documentan la corrupción psiquiátrica en donde sea que los psiquiatras incursionen: nuestros hogares, iglesias, escuelas, cortes, entre las mujeres, los niños, los ancianos y las minorías étnicas.

Simultáneamente, para documentar la tremenda historia de horror de la psiquiatría, ahora existe el Museo de la Industria de la Muerte al lado de la jefatura de CCHR en Los Ángeles. En otras palabras, está diseñado para alertar a los visitantes al horror de

Izquierda
Los orígenes de la psiquiatría representados en forma gráfica, con los instrumentos de tortura que de hecho se usaban en el siglo XVIII para mantener dóciles a los pacientes

Derecha
Las exhibiciones itinerantes de CCHR, que de hecho son una versión portátil del Museo de la Industria de la Muerte, presentan la impactante verdad sobre la psiquiatría en una docena de idiomas y en decenas de ciudades a nivel internacional. De hecho, la exhibición itinerante visita los lugares donde exista una presencia psiquiátrica significativa. Aquí vemos la Exhibición Itinerante de CCHR en la Cámara de Diputados de la Ciudad de México.

la psiquiatría y de ese modo presentar a todos lo que hemos considerado a través de estas páginas; y en los términos más gráficos inimaginables, con artefactos reales de tortura psiquiátrica y filmaciones mostrado el abuso. Los inicios patéticos de la psiquiatría engendrados en el manicomio infernal de Bedlam en el siglo XVII; la redefinición de los seres humanos como animales sin alma que tienen que ser forzados, manipulados y manejados como un rebaño de ovejas; los fundamentos psiquiátricos del holocausto y el principio del racismo; las desmesuradas ganancias de las drogas psiquiátricas; y la invención de enfermedades mentales para acumular a perpetuidad los ingresos que producen; esto y mucho más es *Psiquiatría: Museo de la Industria de la Muerte.*

La Exhibición Itinerante de la Industria de la Muerte es una versión portátil del museo. Está diseñada como una réplica del Museo de la Muerte en los lugares donde los psiquiatras estén haciendo presa de la población y de ese modo abrir los ojos de millones de personas sobre la subversión psiquiátrica. En un año cualquiera, el Exhibición Itinerante de la Muerte cruza muchas ciudades en docenas de países para convertirse en lo que se ha descrito acertadamente como la "muralla móvil contra de los abusos de la psiquiatría" y precipita una resistencia popular al horror psiquiátrico.

La serie de documentales de CCHR presentan otra visión importante de la psiquiatría. Detallan cada aspecto y ángulo de la subversión psiquiátrica. *La Historia no Revelada de las Drogas Psicotrópicas, Cómo las Drogas Psiquiátricas Pueden Matar a su Hijo, El Marketing de la Locura* y *El Manual Diagnóstico y Estadístico: El Timo Psiquiátrico más Mortal*; todo está impresionantemente detallado en los documentales premiados que distribuye la Comisión de Ciudadanos por los Derechos Humanos (disponibles en DVD en www.cchr.org).

El panorama incluye todas las estadísticas pertinentes; por ejemplo, el hecho de que se hayan prescrito drogas psicotrópicas a más de 500 millones de personas para condiciones que carecen de toda

base científica y que ninguna prueba médica puede comprobar. También incluye todos los datos de su uso: las drogas psiquiátricas ahora matan como a tres mil pacientes al mes y al mismo tiempo la psiquiatría amasa 750 mil millones de dólares al año.

Del mismo modo; y esta fecha coincide con la formación de la CCHR; aproximadamente 30 mil millones de dólares pudieron haberse usado para fomentar los planes y subterfugios psiquiátricos que ahora que han sido retirados de sus cofres... *y que así sea.*

Básicamente, comentó L. Ronald Hubbard, la psiquiatría cometió sólo dos graves errores: se opuso a las costumbres, los deseos y las tradiciones de la población del mundo y atacó a los scientologists sin provocación. En respuesta, él usó su influencia como escritor a beneficio de esa población, y reunió a los scientologists bajo el estandarte de la Comisión de Ciudadanos por los Derechos Humanos. Como consecuencia, y aunque el mundo aún sufre a causa de medio siglo de dominación psiquiátrica, su credibilidad y poder han disminuido considerablemente desde que L. Ronald Hubbard por primera vez expuso esta increíble subversión de los derechos humanos. ■

Después del trabajo inicial de L. Ronald Hubbard para combatir contra los abusos psiquiátricos, la Comisión de Ciudadanos por los Derechos Humanos sigue llevando la antorcha contra la injusticia. Como respuesta, llegan numerosos premios y reconocimientos de servicio público otorgados por cuerpos gubernamentales alrededor del mundo.

To L. Ron Hubbard
Great humanitarian and peace builder,
who wrote:
"On the day when we can fully trust each
other, there will be peace on Earth".
Proudly presented on the 13 March 2007
by the Universal Peace Federation, Belgium
Senate
Proclamation

Una Nota Final

El movimiento de Scientology no es el movimiento de un hombre individual, es el movimiento de millones de personas.

Si estás a favor de la dignidad y la Libertad de la Humanidad eres de hecho un scientologist, aunque no lo seas de nombre.

Somos los técnicos más capaces en el campo de la mente en el planeta y somos los únicos expertos diestros en este campo que pueden producir resultados benéficos de manera uniforme. En la actualidad hay cien veces más scientologists que psiquiatras.

Creemos en la Humanidad. Podemos ayudar al Hombre a nuestros países y a la sociedad, y les estamos ayudando.

No somos "un hombre".
Somos millones y estamos en todas partes.

L. Ronald Hubbard

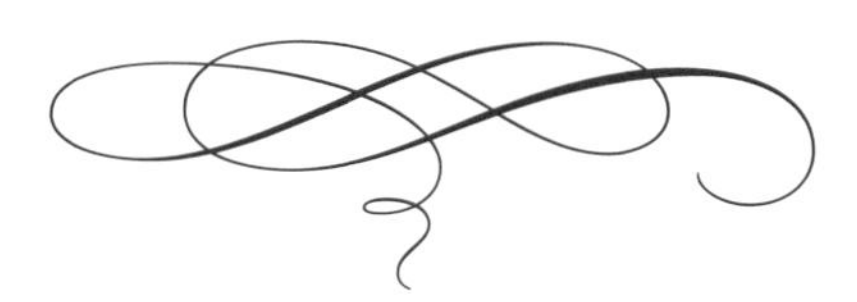

APÉNDICE

ÍNDICE ALFABÉTICO
de los Artículos de L. Ronald Hubbard

ÍNDICE CRONOLÓGICO
de los Artículos de L. Ronald Hubbard

GLOSARIO

A

aberración: desviación respecto al pensamiento o comportamiento racional. Del latín *aberrare:* desviarse, *ab:* lejos, y *errare:* andar errante. Básicamente significa equivocarse, cometer errores o, más específicamente, tener ideas fijas que no son verdad. La palabra se usa también en su sentido científico. Significa desviarse de una línea recta. Si una línea debería ir de A a B, entonces, si está "aberrada", iría de A a algún otro punto, a algún otro punto, a algún otro punto, a algún otro punto, a algún otro punto, y finalmente llegaría a B. Tomada en su sentido científico, significaría también falta de rectitud o ver las cosas de forma torcida, como por ejemplo, un hombre ve un caballo, pero cree ver un elefante. La conducta aberrada sería conducta incorrecta, o conducta no respaldada por la razón. La aberración es lo contrario a la cordura. Pág. 85.

aborrecer: sentir aversión o rechazo de (alguna cosa o alguien). Pág. 53.

abrazar: hacerlo algo suyo; adoptar o aceptar. Pág. 54.

abrogar: declarar oficialmente que una ley, decisión o acuerdo ya no está en vigor; retirar formal u oficialmente. Pág. 63.

absolución: absolver (a una persona) de un cargo mediante una declaración de no culpabilidad. Pág. 70.

absorción bancaria de 1932: resultado del derrumbamiento de los bancos durante la *Depresión,* la crisis económica mundial que comenzó en 1929. En Estados Unidos aproximadamente la mitad de los veinticinco mil bancos que existían entonces habían fracasado para 1933. Una *absorción* es una adquisición o el hecho de ganar control de una corporación a través de la compra o el intercambio de acciones. Pág. 53.

abstracto(a): separado de las realidades concretas o de casos reales; teórico, no práctico. Pág. 4.

Abwehr: organización alemana militar de inteligencia y contraespionaje establecida originalmente en 1920. *Abwehr* significa defensa en alemán y el propósito original de la organización era servir como la defensa de Alemania contra el espionaje extranjero. Durante la Segunda Guerra Mundial (1939–1945) sus funciones se expandieron, dirigiendo operaciones de espionaje en países extranjeros. Pág. 76.

Adler: Alfred Adler (1870–1937), psicólogo y psiquiatra austríaco que se separó de Freud (1911) al enfatizar que un sentido de inferioridad, en lugar de un impulso sexual, es la fuerza que motiva la vida humana. Pág. 113.

Administración de Alimentos y Drogas: agencia federal de Estados Unidos, responsable por el comercio y la seguridad de alimentos y drogas. Pág. 24.

ADN: sustancia que se encuentra en todos los organismos, responsable de transmitir los caracteres hereditarios de una generación a la siguiente. El ADN son las siglas de *á*cido *d*esoxirribo*n*ucleico. Pág. 219.

adular: referido a una persona, decirle o hacerle de manera intencionada y generalmente desmedida lo que se cree que puede agradarle. Pág. 202.

Agencia de Dirección de Emergencia Federal: la abreviatura es *FEMA (Federal Emergency Management Agency),* una agencia del gobierno de los Estados Unidos formada en 1979 para coordinar las actividades de otras muchas agencias de desastres. La FEMA tiene el propósito de coordinar actividades federales de ayuda en desastres, en acontecimientos como huracanes, terremotos, inundaciones, incendios y ataques terroristas. Pág. 53.

agente federal: funcionario de la policía federal estadounidense que ejecuta órdenes judiciales en un distrito judicial federal determinado, y cuyos deberes son similares a los de un sheriff local (principal funcionario de la policía de un condado, que en general se encarga de mantener la paz y del cumplimiento de las órdenes judiciales). *Federal* significa que tiene que ver con el gobierno central en Estados Unidos. Pág. 223.

agente provocador: persona empleada para unirse a miembros de un grupo y mediante una fingida simpatía hacia sus metas o actitudes incitarlos a alguna acción ilegal o dañina que haga que puedan ser capturados o detenidos y castigados; agente secreto o encubierto. Pág. 163.

agente secreto: espía por parte de un gobierno u organización que se usa para descubrir los secretos militares, políticos o técnicos de otras naciones u organizaciones. Pág. 34.

agitador: persona que intenta provocar (agitar) a la gente para que apoye una causa social o política. Pág. 9.

Alaska: estado de Estados Unidos, situado al noroeste de Norteamérica, separado del resto de la parte continental del país por una parte de Canadá. Pág. 105.

aletargar: mostrar o tener poco o ningún interés en nada; que no le importa, apático. Pág. 5.

Aliados: las veintiséis naciones que lucharon en la Segunda Guerra Mundial (1939–1945) contra Alemania y aquellos países que lucharon al lado de Alemania (Japón, Italia, y a menudo Bulgaria, Hungría y Rumania). Pág. 19.

Almacén de Libros Escolares de Texas: almacén de varios pisos para el almacenaje de libros de texto escolares y materiales relacionados, localizado en Dallas, Texas. El edificio figuró en el asesinato del presidente John F. Kennedy cuando las autoridades encontraron una escopeta cerca de la ventana del edificio después del disparo. Pág. 77.

AMA: abreviatura de *American Medical Association (Asociación Médica Americana).* Pág. 77.

Amenaza Amarilla: la presunta amenaza a la civilización occidental que se aseguraba surgiría de la expansión del poder y la influencia de los pueblos de oriente (como los chinos o los japoneses). Pág. 50.

Amtorg: compañía organizada por la Unión Soviética en 1924, ubicada en la ciudad de Nueva York, para servir como una agencia exclusiva de importación y exportación de mercancías entre la Unión Soviética y Estados Unidos. El nombre es la forma abreviada de *Amerikanskaja torgovlja* (comercio americano). Amtorg estuvo en funcionamiento antes y durante la Segunda Guerra Mundial, (1939–1945), se utilizaba en ocasiones para encubrir a los espías rusos que trabajaban en los Estados Unidos. Pág. 220.

antimonopolio: que se opone o que intenta restringir fideicomisos, monopolios u otras grandes combinaciones de negocios y capital, especialmente con el punto de vista de mantener y promover la competencia. Un *fideicomiso* es una combinación de corporaciones que tienen el propósito de reducir la competencia y de controlar los precios. Pág. 77.

año de producción de alimentos, el: cantidad de alimentos, especialmente en términos de productos agrícolas, durante el periodo de un año. Pág. 95.

Años dorados: *dorado* aquí se refiere a caracterizarse por una gran prosperidad, felicidad y logros. El término *años dorados* se ha utilizado en referencia al periodo de gran crecimiento económico que siguió la Segunda Guerra Mundial (1939–1945) y que terminó a comienzos de la década de 1970. Pág. 83.

años luz: una gran distancia, en concreto en el desarrollo o progreso de algo. Literalmente, un *año luz* es la distancia que la luz viaja en un año, equivalente a 9.46 billones de kilómetros, como 63,000 veces la distancia de la Tierra al Sol. Pág. 122.

APA: abreviatura de *American Psychiatric Association (Asociación Psiquiátrica Americana).* Pág. 77.

apartheid: (en la República de Sudáfrica) política estricta de discriminación y segregación política y económica de la población de color, que estuvo vigente desde 1948 hasta 1991. Pág. 15.

apatía: carencia completa de emoción o interés por las cosas en general; incapacidad de responder emocionalmente. Un individuo en apatía no tiene energía. Pág. 9.

arca: suministros o reservas de dinero que a menudo pertenecen a un gobierno u organización. De una caja o baúl, especialmente una en que se guardan cosas valiosas o dinero. Pág. 205.

archivo de los periódicos: un cuarto o archivo en la oficina de un periódico que contiene información que se conserva para consultarla en el futuro. Pág. 205.

aristocracia: gobierno formado por unos cuantos con privilegios, rangos o posiciones especiales; gobierno por unos cuantos de élite que están por encima de la ley general; grupo de personas que, por nacimiento o posición, son "superiores a todos los demás" y que pueden hacer leyes o aplicarlas a otros, pero que consideran que las leyes no les afectan. Pág. 10.

aristócrata: miembro de una clase alta privilegiada o de un grupo gobernante considerado como superior y que tiene posiciones de alto rango y estatus. Pág. 29.

armamento: armas y suministros de guerra con los que está equipada una unidad militar. Pág. 49.

arquetipo: patrón o modelo original en el que se basan todos los del mismo tipo y del cual se han copiado. Pág. 60.

arrojar (cierta) luz: aclarar, ayudar a explicar proporcionando más información. Pág. 209.

artero: que es mañoso o tiene astucia. Pág. 161.

artillería: se refiere a *proyectiles,* contenedores de metal llenos de explosivos. Los proyectiles se disparan de grandes armas a largas distancias. Pág. 4.

as: de primer o más alto rango o cualidad. Pág. 77.

Asamblea General: grupo principal de las Naciones Unidas, compuesto de delegaciones de las naciones participantes. Pág. 235.

ascensor de alta velocidad: elevador que es directo o rápido, especialmente uno que hace pocas paradas intermedias o ninguna. Pág. 210.

asesinatos rituales como los de las colonias británicas recientes: referencia a los sacrificios humanos y los asesinatos rituales de algunos grupos y religiones del oeste africano que se practicaban en las antiguas colonias inglesas de la costa de oro (ahora Ghana) y Nigeria. Los dos países lograron su independencia de Gran Bretaña a mediados del siglo XX. Pág. 114.

Asociación Psicológica Americana: asociación americana de psicólogos fundada en 1892. Pág. 6.

Asociación Psiquiátrica Americana: sociedad nacional de psiquiatras fundada en 1844 como la Asociación de superintendentes médicos de las Instituciones americanas para el demente. Pág. 6.

asociaciones y colegios de abogados: organizaciones establecidas para promover la competencia profesional, imponer estándares de conducta ética y promover un espíritu de servicio público entre los miembros de la profesión del derecho. Pág. 63.

Atenas: ciudad principal de la antigua Grecia. Desde el año 500 a. C., Atenas funcionó bajo una constitución democrática, con la participación libre en el gobierno de todos los ciudadanos, debatiendo temas importantes en juntas abiertas. Pág. 51.

atrocidad: actos que son extremadamente malignos, crueles o brutales. Pág. 134.

atroz: fiero, cruel, inhumano. Pág. 42.

auditor: un profesional de Dianética o Scientology. La palabra *auditor* significa alguien que escucha, oyente. Pág. 53.

auto-determinismo: la condición de ser *auto-determinado,* tener poder de elección y la capacidad para dirigirse a sí mismo o determinar sus acciones. Pág. 121.

autoritario: que se caracteriza por una obediencia completa a la autoridad o que la favorece, sin cuestionarla y sin hacer referencia a hechos o resultados. Pág. 222.

autoritarismo: el sistema o práctica de una *autoridad* (o *autoridades*), alguien que se supone es un experto o alguien cuya opinión sobre algún tema es probable que se acepte sin cuestionarse y sin que se haga mención de hechos ni resultados. Bajo el autoritarismo se abandona la libertad individual de juicio y acción a favor de la absoluta obediencia a los "expertos". Pág. 223.

axiomas: enunciados de leyes naturales similares a los de las ciencias físicas. Pág. 172.

B

Bailey, Harry: Harry Richard Bailey (1922–1985), jefe psiquiatra en el hospital de Chelmsfors en Sidney, Australia. Su uso de drogas, choques eléctricos, y "sueño profundo" tuvieron como resultado muchas muertes, suicidios y complicaciones mentales. Después de su suicidó en 1985, la Comisión Real de Investigación condenó los actos de Bailey, y el parlamento de Nueva Gales del Sur prohibió el uso del "sueño profundo". Pág. 134.

Balcanes: referencia a la *Península de los Balcanes,* una península mayormente montañosa en el sureste de Europa que incluye los países de Bulgaria, Rumania y Croacia entre otros. La historia de los Balcanes se ha caracterizado por peleas militares y políticas incluyendo unas cuantas revoluciones, revueltas y guerras en los siglos XIX y XX. Pág. 174.

baluarte: lugar ocupado o dominado por un grupo que tiene o apoya una creencia en particular. Pág. 113.

barbitúrico: cualquiera del grupo de medicamentos que actúan como tranquilizante y que se usan como sedantes o hipnóticos. Pág. 107.

barón feudal: un señor o noble durante la Edad Media que poseía tierra como intercambio por contar con el ejército y otros servicios, conforme se describía en el *sistema feudal,* un sistema político y social donde la tierra, trabajada por campesinos que estaban sujetos a ella, era controlada por nobles de bajo rango a intercambio de contar con un ejército y otros servicios que se prestaban a nobles de un rango más alto. Pág. 89.

básico(a): fundamental, esencial. Pág. 4.

Bastilla: fortaleza y prisión en París, Francia, conocida como un símbolo de la tiranía, donde se retenía y torturaba a muchos delincuentes políticos. El 14 de julio de 1789, la Bastilla fue atacada por el pueblo, se liberó a los prisioneros y el edificio fue destruido, un suceso que marcó el inicio de la Revolución Francesa (1789–1799). El 14 de julio, día de la Bastilla, es un día festivo nacional en Francia, en el que se celebra la caída de la Bastilla. Pág. 98.

Bedlam: antiguo manicomio (su nombre completo es *Saint Mary of Bethlehem*) en Londres, conocido por sus tratamientos inhumanos y su entorno inmundo. A los internos se les encadenaba a los muros o al suelo y cuando se mostraban agitados o violentos se les daban palizas, latigazos o se les sumergía en agua. Pág. 236.

Beers, Clifford: Clifford Whittingham Beers (1876–1943), filántropo estadounidense que dedicó su vida al estudio y progreso de la higiene mental. Entre 1900 y 1903, Beers fue recluido en un asilo. Logró gran reconocimiento por el libro que escribió acerca de su experiencia (1908) y por la organización que fundó, la Asociación Nacional de la Higiene Mental (1909). Este grupo más tarde se convirtió en la Asociación Nacional para la Salud Mental. Pág. 178.

Belsen: nombre de uno de los muchos campos de concentración dirigidos por los nazis durante la Segunda Guerra Mundial (1939–1945). Belsen se estableció en 1943 en el norte de Alemania para retener prisioneros de guerra así como a judíos. Aunque fue construido para alojar sólo a diez mil prisioneros, al final de la guerra tenía alojados a más de cuarenta mil. El campo tenía algunas de las condiciones de vida más horribles que puedan existir, con cientos de miles de prisioneros muriendo de hambre, enfermedad y agotamiento. Fue el primer campo que liberó el ejército británico en abril de 1945, y fue quemado poco después. Pág. 174.

Bergson: Henri Bergson (1859–1941), filósofo francés que propuso una teoría de la evolución basada en la dimensión espiritual de la vida humana (élan vital). Pág. 219.

bestial: brutal o irracional. Pág. 205.

Bethesda: un suburbio del estado de Maryland ubicado al noroeste de Washington, D.C. Es el lugar donde se encuentra el Centro Médico Naval Nacional (un hospital grande del gobierno de Estados Unidos fundado en 1942 y dirigido por la Marina) y el Instituto Nacional de Salud Mental. Pág. 168.

Bismarck: Otto von Bismarck (1815–1898), líder político alemán, responsable por la unión de los numerosos estados alemanes pequeños formando un imperio. Fue el primer canciller (jefe de gobierno) de Alemania de 1871 a 1890. Bismarck declaró que los grandes problemas de su época se tenían que abordar con "sangre y hierro" y no con discursos y revoluciones. Pág. 205.

Blain, Daniel: (1898–1981) psiquiatra estadounidense. En 1948, Blain se convirtió en el primer director médico de la Asociación Psiquiátrica Americana. Pág. 106.

bolchevique: relacionado con el grupo mayoritario radical del Partido Socialista ruso que formó el Partido Comunista después de apoderarse del poder en la revolución de 1917. Pág. 63.

bomba de sodio: explosivo que utiliza el *sodio,* un elemento reactivo metálico, blando. El metal es extremadamente activo químicamente; nunca aparece en su estado libre en la naturaleza sino sólo en combinación con otros elementos. Se descompone (rompe) en agua, produciendo gas hidrógeno y un compuesto de sodio; la reacción es extremadamente violenta, pues produce muchísimo calor que hace que en muchas ocasiones el hidrógeno se encienda. Pág. 76.

bomba H: abreviatura de *bomba de hidrógeno,* una bomba más potente que la bomba atómica, que deriva su energía explosiva de la fusión (combinación) de átomos de hidrógeno. Pág. 171.

bombo y platillo: presentación ruidosa y llamativa, del uso en música de un *bombo y un platillo.* Pág. 159.

bota española: instrumento medieval de tortura que se utilizaba para hacer confesar a los prisioneros. El instrumento consistía de una larga "bota" de hierro en donde se introducía el pie del prisionero. Entre el metal y el pie se insertaba una cuña de madera a la que se daban fuertes golpes de martillo, lo que provocaba la compresión y la rotura de los huesos del pie. La bota española fue una forma de tortura común en Escocia, Irlanda y Francia. Pág. 201.

botín de los vencedores: valores, dinero, mercancía, etc., que se obtiene, normalmente por la fuerza a través de la guerra o el robo. Pág. 10.

Bowart, Walter: Walter Bowart Howard (1939–2007), autor del libro *Operación Control de la Mente,* un informe de investigación publicado en 1978 que detalla los programas por parte del gobierno para el control de la mente a través del uso de drogas como el LSD, la modificación del comportamiento, la hipnosis y cosas similares. Pág. 194.

Brady, James: James Scott Brady (1940–), secretario de prensa en la Casa Blanca bajo el presidente Ronald Reagan. En el atentado contra Ronald Reagan de 1981, Brady recibió lesiones de bala y quedó incapacitado de forma permanente. *Véase también* **Hinckley, hijo, John.** Pág. 204.

brújula: instrumento para determinar las direcciones de la superficie terrestre. En sentido figurado, algo que ayuda a encontrar el curso de acción correcto. Pág. 208.

Burgess: Guy Burgess (1911–1963), diplomático británico que espió para la Unión Soviética durante y después de la Segunda Guerra Mundial (1939–1945). Como corresponsal de una sociedad de radiodifusión británica, miembro de la agencia de inteligencia británica y miembro del Ministerio de Asuntos Exteriores desde 1944, facilitó grandes cantidades de información a la Unión Soviética. En 1951, se le pidió a Burgess que renunciara debido a su comportamiento cada vez más inestable. A él y a su colega, el espía Donald Maclean, se les advirtió que una investigación a los servicios de inteligencia era inminente. Ambos desaparecieron misteriosamente y aparecieron de nuevo cinco años más tarde en Moscú donde anunciaron su deserción de Gran Bretaña. Pág. 124.

C

calumniar: hacer declaraciones falsas y maliciosas; hablar muy mal de alguien. Pág. 198.

Cámara de Diputados: una *cámara* es un cuerpo legislativo en algunos países. En México la *Cámara de Diputados* es uno de los dos cuerpos legislativos del gobierno nacional. Pág. 236.

camarilla: partido o grupo pequeño y exclusivo de personas que se han asociado para fines indignos o egoístas, como imponerse como autoridad suprema en un campo concreto. Pág. 9.

campos de exterminio: **1.** campo para el asesinato en masa de seres humanos; se refiere a los campos establecidos por la Alemania nazi durante la Segunda Guerra Mundial (1939–1945). Pág. 20.
2. referencia a los campos de concentración para la encarcelación de prisioneros políticos u oponentes, ciudadanos, disidentes religiosos, etc., en donde sería muy improbable que los reclusos sobrevivieran o donde habían sido enviados para su ejecución, como los campos que se usaron para exterminar a los prisioneros bajo el control de Hitler en la Alemania nazi durante la Segunda Guerra Mundial (1939–1945). Pág. 109.

Candidato de Manchuria, El: novela escrita por el novelista y dramaturgo estadounidense Richard Condon (1915–1996), también adaptada al cine, sobre un grupo de soldados estadounidenses que en la guerra de Corea fueron capturados por los chinos comunistas y recibieron un lavado de cerebro. Regresaron a Estados Unidos, sin recuerdo de haber sido capturados, sin embargo, uno de los soldados fue programado para asesinar, llegando a ser parte de un plan de asesinato comunista contra varias personalidades políticas importantes. Pág. 107.

capitalismo: sistema económico en el que el comercio y la industria de un país están bajo el control de propietarios privados y no de los gobiernos. Estos propietarios los dirigen para obtener utilidades, y donde el dinero (el capital) se invierte o se presta a cambio de un beneficio. Pág. 86.

Capitolio: edificio de mármol blanco y con cúpula en Washington, D.C., donde el congreso de los Estados Unidos se reúne. Pág. 2.

cardos, pasto de: pasto lleno de *cardos,* plantas muy espinosas. Por lo tanto, un *pasto de cardos* sería un lugar despreciable o inhabitable para un animal que pasta, como la vaca. Pág. 90.

Carr, Sir William: (1912–1977) presidente de un diario británico conocido como *News of the World (Noticias del Mundo).* Pág. 109.

carreta: carreta burda utilizada durante la revolución francesa para llevar a los prisioneros condenados al lugar en el cual eran decapitados. Pág. 20.

carta de política: lo mismo que *Carta de Política de la Oficina de Comunicaciones Hubbard,* tipo de publicación escrita por L. Ronald Hubbard y que trata sobre la pericia para dirigir una organización. *Véase también* **Oficina de Comunicaciones Hubbard.** Pág. 37.

caso: término general para una persona a la que se está tratando o ayudando. También se usa para referirse a toda la acumulación de trastornos, dolor, fracasos, etc., que residen en la mente de una persona. Pág. 53.

casta: clase social separada de otra por distinciones de rango hereditario, profesión o riqueza. Pág. 42.

casta de superhombres: la clase más alta (casta) de una sociedad, compuesta de superhombres. En las obras del filósofo y poeta alemán Friedrich Nietzsche (1844–1900), un superhombre es un ser ideal y superior, un hombre de fuerza o capacidad extraordinarias que a través de la creatividad y la integridad es capaz de elevarse por encima del bien y del mal y es la meta de la evolución humana. En su libro *Así Habló Zarathustra,* Nietzsche presenta al superhombre como alguien cuyos deseos ilimitados de destruir conforman un código de conducta deseable. Pág. 42.

Castro, Fidel: (1926-) gobernante de Cuba desde 1959. Nació en una finca de gran tamaño en una familia rica. Llegó al poder mediante la revolución armada de 1959, derrocando al gobierno miliar. Tras tomar todas las propiedades y negocios que pertenecían a los cubanos y a los extranjeros, creó un estado comunista y se estableció como dictador. Pág. 88.

catatonia: condición que se caracteriza por periodos de inmovilidad o un estado aparente de aturdimiento y rigidez de los músculos. Pág. 185.

caza recompensas: alguien que persigue a personas buscadas con motivo de recibir la recompensa por su apresamiento. Pág. 231.

celta: referencia a los celtas y su cultura, la cual prosperó durante varios cientos de años a. C. en la mayor parte de Europa, llegando al oeste hasta las islas británicas, hasta que fueron conquistados por los romanos, especialmente durante el primer siglo a. C. y el primer siglo d. C. Hoy en día, quienes representan mayormente a los celtas son los irlandeses, los escoceses y los bretones, que habitan en una región al noroeste de Francia. Pág. 113.

cenit: punto o estado más elevado; culminación; clímax. Pág. 206.

censura: sistema o práctica de eliminar o prohibir cualquier cosa que se considere inapropiada para el conocimiento público. Pág. 49.

Center, Dr.: Dr. Abraham Center de una institución para enfermos mentales de Savannah, Georgia, donde se llevó a cabo gran parte de la investigación inicial de Dianética a finales de los años 40. Toda la "lista de caridad" de Savannah, más o menos 20 hombres y mujeres en total, fueron finalmente dados de alta del manicomio después de que LRH aplicara procedimientos de Dianética. Pág. 118.

chamán tribal: persona en algunas sociedades que intenta curar la enfermedad y expulsar a los espíritus malignos de una persona, lugar, etc., mediante el uso de la magia. Pág. 173.

Chambers, Whittaker: (1901–1961) declarado espía soviético que fue el testigo principal en los juicios de perjurio del anterior oficial del Departamento de Estado de los Estados Unidos, Alger Hiss (1904–1996). Chambers acusó a Hiss de ser miembro de una banda de espionaje comunista de la que él mismo fue parte y presentó microfilms de documentos confidenciales del gobierno que Hiss le había dado en los años 30 para mandarlos a la Unión Soviética. Pág. 155.

charlatán: alguien que aparenta tener conocimiento o capacidades de experto; farsante. Pág. 129.

Checoslovaquia: una antigua república de Europa central, en existencia desde el 1918 hasta 1993 y haciendo límite con Polonia, Alemania, Austria, Hungría y Ucrania. En 1993 se dividió en la República Checa y Eslovaquia. Pág. 42.

China Nacionalista: también llamada *República de China,* una república que consiste principalmente de la isla de Taiwán en la costa de la China continental. *Nacionalista* se refiere a los partidarios del *Partido Nacionalista,* un partido político que controlaba gran parte de China a principios del siglo XIX. A finales de la década de 1940, cuando los comunistas chinos ganaban más territorio en toda la China continental, los nacionalistas se trasladaron a Taiwán y establecieron allí un gobierno que ha continuado separado de la República Popular China, el gobierno del continente. Pág. 101.

Chisholm, Brock: (1896–1971) psiquiatra canadiense que ocupó puestos como el de Secretario del Ministro de Sanidad y de bienestar social de Canadá a mediados de los años 40 y el de presidente de la Federación Mundial de Salud Mental en los años 50. Pág. 33.

Church, Frank: Frank Forrester Church (1924–1984), senador de EE.UU. del estado de Idaho (1957–1981). En 1975 sirvió como jefe del Comité Selecto para el Estudio de Operaciones Gubernamentales con respecto a las Actividades de Inteligencia, un Comité del Congreso que investigaba los abusos de poder de la Agencia Central de Inteligencia y el FBI (Oficina Federal de Investigaciones). El comité reportó numerosos incidentes de actividades de inteligencia que "amenazaban y socavaban los derechos constitucionales de los estadounidenses". Pág. 121.

CIA: agencia del gobierno de Estados Unidos creada en 1947. El propósito declarado de la CIA es obtener información (inteligencia) y dirigir operaciones secretas para proteger la seguridad nacional del país. Pág. 36.

"ciencia de la saliva": referencia irónica a los campos de la psiquiatría y psicología y a las raíces de sus teorías que se encuentran en los experimentos de Ivan Petrovich Pavlov (1849–1936) fisiólogo ruso, célebre por sus experimentos con perros. Pavlov enseñaba comida a un perro mientras hacía sonar una campana. Después de repetir este proceso varias veces, el perro (anticipadamente) segregaba saliva al sonar la campana, tanto si había comida como si no. Pavlov concluyó que todos los hábitos adquiridos por el hombre, incluso sus actividades mentales superiores, dependían de los reflejos condicionados. Pág. 6.

Ciencia de la Supervivencia, La: libro escrito por L. Ronald Hubbard en 1951 que proporciona la primera predicción exacta del comportamiento humano. Pág. 107.

ciencia material: cualquiera de las ciencias, como la física y la química, que estudian y analizan la naturaleza y las propiedades de la energía y la materia inerte. *Material* indica que pertenece a la materia; a lo físico. Pág. 217.

ciencias físicas: cualquiera de las ciencias, como la física y la química, que estudian y analizan la naturaleza, las propiedades de la energía y la materia inerte. Pág. 171.

Cinturón de la Herrumbre: centro industrial en decadencia en los estados del noreste y de la zona central del oeste de Estados Unidos, donde la producción reducida de productos como el acero y los automóviles tuvo como resultado el que muchas fábricas se deterioraran y se llenaran de herrumbre. En este contexto, *cinturón* se refiere a una zona geográfica. Pág. 6.

cirugía psiquiátrica: uso de la cirugía cerebral como supuesto tratamiento para trastornos mentales. Pág. 60.

cirujanos de vuelo: oficial médico en la Fuerza Aérea de Estados Unidos, formado en medicina aeronáutica. Pág. 25.

citología: rama de la biología que trata de la estructura, función e historia de la vida de las células. Pág. 217.

citológico: relacionado con la citología o con sus métodos. *Véase también* **citología.** Pág. 217.

Código de Núremberg: documento que se basa en los derechos humanos que trata sobre la ética médica y que se escribió en 1947 en Núremberg, Alemania, durante el juicio de criminales de guerra nazis que cometieron numerosos crímenes y llevaron a cabo "experimentos" inhumanos en seres humanos en los campos de concentración. El código, que al final firmaron todas las naciones, declara que a un ser humano se le debe informar sobre la naturaleza, duración y propósito de cualquier experimento médico en el que participe y que su consentimiento voluntario es absolutamente necesario. Pág. 23.

Código Penal: conjunto de leyes que se ocupan de diversos crímenes o delitos y sus penas legales. Pág. 46.

colgar, destripar y descuartizar: la pena de muerte que se daba a un criminal en Inglaterra antes del siglo XV, normalmente por un crimen mayor. Consistía en arrastrar a la persona con un caballo hasta el emplazamiento de la ejecución, colgarlo brevemente, abrirle el estómago y sacar sus órganos internos (destripar), decapitarlo y luego cortar el cuerpo en cuatro trozos (descuartizar). Pág. 201.

colonia celular: grupo de células (unidades estructurales más pequeñas de un organismo que son capaces de supervivencia independiente) que en conjunto forman estructuras y que viven o crecen en asociación estrecha unas con otras. Pág. 217.

comisario: oficial del partido comunista encargado de la instrucción política y de garantizar la lealtad al partido. Pág. 88.

Comisión de Ciudadanos por los Derechos Humanos (CCHR): organización de beneficio público establecida en 1969 por la Iglesia de Scientology, la cual expone violaciones de los derechos humanos en el campo psiquiátrico, y trabaja activamente para eliminar todas y cada una de las prácticas dañinas presentes en el campo de la salud mental. Pág. 126.

comisión de investigación: investigación oficial de una cuestión de interés público para determinar los hechos. Pág. 25.

Comisión de Investigación: cuerpo que dirige sus propios procedimientos mediante métodos arbitrarios o injustos, se refiere al *Star Chamber* un antiguo tribunal real en Inglaterra (abolido en 1641), famoso por sus sesiones secretas sin un jurado, sus juicios severos y arbitrarios y su uso de la tortura para obligar a los acusados a confesar. Pág. 26.

Comité Afro-Americano del Congreso: un grupo de miembros afro-americanos del Congreso de Estados Unidos que se concentra en temas de interés particular para los americanos de color. Se formó a principios de la década de 1970. Pág. 232.

comité del Congreso: grupo compuesto de miembros del Congreso que dirige investigaciones y considera, evalúa y recomienda acción sobre las leyes legislativas. Pág. 76.

comité directivo: grupo de personas elegidas que deciden sobre programas y temas a discutir y que dan prioridad a asuntos urgentes. Pág. 106.

Commoner, Barry: biólogo y catedrático estadounidense (1917–) que ayudó a iniciar el movimiento ambiental actual. Autor de varios libros sobre el daño al medio ambiente causado por las pruebas nucleares y por las tecnologías capitalistas, fundó un partido político (Partido Ciudadano) para fomentar su mensaje ecológico y lanzó su candidatura para presidente de Estados Unidos en las elecciones de 1980. Pág. 219.

Commonwealth: asociación de países (Inglaterra, Gales, Escocia, Irlanda del Norte y varios estados con gobierno propio como Canadá, Australia, Nueva Zelanda, Sudáfrica) que anteriormente eran parte del

Imperio Británico. La Commonwealth se estableció formalmente en 1931 para fomentar el comercio y las relaciones amistosas. Pág. 25.

Comte, Auguste: (1789–1857) filósofo francés y fundador de la sociología. Fue secretario del socialista Claude Henri de Rouvroy, Conde de Saint-Simon (1760–1825), cuya influencia se ve reflejada en muchas de las obras de Comte. Pág. 143.

comunidad de inteligencia: gente que está involucrada en reunir inteligencia (información secreta sobre el enemigo), como los miembros de departamentos del gobierno o del ejército, cuyo propósito es el obtener información, especialmente mediante un sistema de espías. En este contexto, una *comunidad* es un grupo de personas que comparten características comunes y que otros perciben, o se perciben a sí mismos, como distintos en algunos aspectos de la mayor parte de la sociedad en la que viven. Pág. 6.

comunismo: teoría o sistema político en que todos los miembros de una sociedad sin clases poseen toda la propiedad y la riqueza, y el partido, con poderes absolutos, dirige la economía y los sistemas políticos del Estado. Se imponen amplias restricciones sobre las garantías personales y la libertad, y los derechos individuales están subordinados a las necesidades colectivas de las masas. Pág. 76.

Conde de Saint-Simon: Claude Henri de Rouvroy, Conde de Saint-Simon (1760–1825), filósofo francés que favorecía la creación de un orden social dirigido por hombres de la ciencia y de la industria en el que toda la gente trabajaría y recibiría recompensas equivalentes a su trabajo. Ninguna persona podría heredar riquezas y todos los individuos comenzarían la vida con las mismas bases. (*Conde* es un título de la nobleza). Pág. 54.

condecorar: dar una medalla u otro honor o premio para reconocer la valentía, la dedicación o un logro. Pág. 3.

condenar: hablar abiertamente contra algo. Pág. 36.

condicionamiento: método pensado para controlar o influenciar la forma en que la gente o los animales se comportan o piensan, usando un proceso de entrenamiento gradual. Pág. 105.

Condon, Richard: (1915–1996) novelista, dramaturgo y escritor de crimen conocido mayormente por sus novelas. *El Candidato de Manchuria* (1959) y *El Honor de Prizzi* (1982). *Véase también* ***Candidato de Manchuria, El.*** Pág. 107.

confrontar: **1.** encarar una persona con otra. Pág. 63.
2. hacer frente sin encogerse o eludir. Pág. 118.

Congreso: grupo electo de políticos que es responsable de elaborar las leyes en Estados Unidos. El *Congreso* consta de dos partes: la Cámara de Representantes (el inferior de los dos órganos legislativos) y el Senado (el superior de los dos órganos legislativos). Pág. 75.

Congreso de Organizaciones Industriales: asociación de sindicatos laborales formada a finales de la década de 1930. Se unió con la Federación Sindical de Estados Unidos en 1955, formando la *AFL-CIO,* una organización sindical compuesta de sindicatos locales de todo Estados Unidos. Pág. 76.

consejo de guerra: juicio por un tribunal de oficiales militares o navales nombrado por un comandante para juzgar a personas bajo la ley del ejército. Pág. 20.

constitución: un instrumento que establece o modifica un gobierno. Pág. 15.

Constitución de Estados Unidos: documento que contiene las leyes fundamentales de Estados Unidos, que se puso en vigor el 4 de marzo de 1789. Establece la forma de gobierno nacional y define los derechos y libertades del pueblo estadounidense. Pág. 16.

contrainteligencia: grupo de cuerpos del gobierno y del ejército responsables de reunir información sobre espías del enemigo, obstruyendo sus actividades y proporcionándoles información falsa. Pág. 75.

Convención Nacional Democrática: reunión de muchas personas que organiza el Partido Demócrata cada cuatro años, antes de la elección presidencial, para seleccionar candidatos y adoptar principios y políticas para el partido. El Partido Demócrata es uno de los dos partidos principales de Estados Unidos (el otro es el Partido Republicano que es más conservador). El Partido Democrático sigue un programa liberal que favorece un fuerte gobierno central y representa de forma tradicional el trabajo organizado y las minorías. Pág. 16.

Corea: país de Asia Oriental que se dividió en dos países en 1948: Corea del Norte (comunista) y Corea del Sur (no comunista). En junio de 1950 se inició una guerra entre ambas secciones cuando Corea del Norte invadió Corea del Sur. La China comunista ayudó a Corea del Norte, y Estados Unidos y muchos otros países ayudaron a Corea del Sur. Durante la guerra, que duró de 1950 a 1953, los chinos y los coreanos usaron técnicas de lavado de cerebro con los prisioneros estadounidenses en un intento de convertirlos al comunismo. Pág. 139.

Cortina de Hierro: barrera impenetrable para la comunicación o la información, en particular la barrera política, militar e ideológica erigida por la Unión Soviética para cerrarse y cerrar a sus aliados europeos y evitar un contacto abierto con el Occidente y con otras zonas no comunistas; esta Cortina de Hierro existió desde 1945, después de la Segunda Guerra Mundial, hasta la caída de los gobiernos comunistas del este de Europa entre 1989 y 1991. Pág. 126.

crédito: aceptación que se basa en el grado en que algo es creíble o se considera que es real o válido. Pág. 206.

crédulo: muy fácil de convencer de que algo es verdad. Pág. 38.

crematorio: un horno donde los cuerpos son incinerados (quemados hasta ser ceniza); también, un edificio con tal horno. Pág. 174.

criador de perros: literalmente, el chico encargado de los perros. Se usa en sentido figurado para referirse a alguien que supervisa personas que, como "un buen perro", son blandos, dóciles y nada agresivos. Pág. 147.

crimen organizado: redes poderosas, despiadadas y a gran escala de criminales profesionales. Pág. 77.

cristalizar: realizarse, llegar a ser o adoptar una forma definitiva. Pág. 220.

Cromwell: Oliver Cromwell (1599–1658), líder militar inglés que derrotó a las fuerzas del rey Carlos I e instaló un gobierno (1653–1658) basado en principios religiosos muy estrictos. Se le consideró un dictador que acabó con el sistema constitucional tradicional, no tuvo gran apoyo, y después de su muerte, Inglaterra le devolvió el trono al rey. Pág. 75.

cuadro(s) de imagen mental: cuadro que, almacenado en la mente reactiva, es una grabación completa, hasta el último y preciso detalle, de cada percepción presente en un momento de dolor y de inconsciencia parcial o completa. Estos cuadros de imagen mental tienen su propia fuerza y son capaces de darle órdenes al cuerpo. Pág. 221.

cura de agua: tratamiento psiquiátrico que supuestamente le quitaba los demonios a una persona, en el cual se colocaba al paciente en el suelo y se le echaba agua en la boca desde cierta altura. Pág. 202.

curso rápido: un curso intensivo de estudio diseñado para revisar o enseñar el material necesario para un propósito específico, o frecuentemente, materia que fue previamente enseñada pero no completamente comprendida. Pág. 172.

D

Dachau (campo de exterminio): campo de concentración alemán que se organizó en 1933 y terminó en 1945. Llegó a tener más de 160,000 trabajadores esclavos y disponía de instalaciones para asesinatos en masa y cremación de los reclusos del campo. También fue un centro de investigaciones médicas donde se realizaron experimentos con más de 3,500 reclusos. Dachau es una ciudad 16 kilómetros al noroeste de Munich, Alemania. Pág. 168.

Das Kapital: libro escrito por el filósofo, economista y socialista alemán, Karl Marx (1818–1883), que trata de las relaciones económicas, sociales y políticas dentro de la sociedad. En el libro, Mark atacaba al capitalismo como algo perverso, y delineaba las teorías políticas del comunismo. Exigía que todas las industrias fueran controladas por el estado, e impulsaba la terminación de la propiedad privada de los servicios públicos, los medios de transporte y los medios de producción. El libro contenía las creencias básicas del comunismo, y se convirtió en la biblia del Partido Comunista. Pág. 86.

Declaración de Derechos: adición que se hizo a la Constitución de Estados Unidos en 1791, que garantiza ciertos derechos a la gente, incluyendo la libertad de expresión y la libertad de religión. También prohíbe a la policía y a otros oficiales del gobierno registrar el hogar o las oficinas de la gente o allanar sus propiedades sin una buena razón y una autorización apropiada. Pág. 6.

Declaración de Derechos de los Contribuyentes: ley aprobada entre 1988 y 1998 para la protección del contribuyente contra abusos del sistema de recaudación de impuestos de la *Internal Revenue Service, (Oficina Federal de Impuestos),* la división del departamento del Tesoro de EE.UU. responsable de cobrar impuestos sobre el ingreso y otros impuestos y del cumplimiento de las leyes relacionadas con esto. Pág. 18.

Declaración Universal de Derechos Humanos: una declaración oficial hecha en 1948 por las Naciones Unidas siguiendo el poco aprecio de los derechos humanos que resultaron en los horrores de la Segunda Guerra Mundial (1939–1945). Establece los derechos civiles, económicos, políticos y sociales básicos, y la libertad de cada persona, tal como el derecho a juicio justo, el derecho a poseer propiedad, el derecho a igual pago por igual trabajo. Declara que toda la gente nace libre e igual en dignidad y derechos. Su introducción establece que la declaración está dirigida a servir como "modelo estándar de logro para todas las personas y todas las naciones". Pág. 1.

Decreto de Libre Información: ley establecida en 1966 que requiere que los registros del gobierno (excepto aquellos relacionados con la seguridad nacional, datos financieros confidenciales y la aplicación de la ley) estén disponibles para el público cuando lo solicite. Pág. 18.

degenerado: alguien en decadencia, por ejemplo, en la moral o el carácter, a partir de un estándar que se considera correcto y aceptable. Pág. 136.

Delaware: estado en el este de Estados Unidos, en la costa Atlántica. Pág. 167.

delegación: una o más personas elegidas o escogidas para representar a otros, por ejemplo en una conferencia. Pág. 165.

delusorio: relacionado, basado o marcado por falsas ilusiones (creencias falsas y persistentes que se conservan a pesar de tener evidencia de lo contrario). Pág. 155.

Departamento de Justicia: departamento ejecutivo del gobierno de los EE.UU. Ejecuta las leyes federales y proporciona asesoría legal al presidente, a los dirigentes del gobierno y a otros departamentos ejecutivos. Una de las agencias más grandes dentro del Departamento de Justicia es el FBI (Federal Bureau of Investigation), que investiga violaciones de las leyes federales. Pág. 5.

depresión: periodo de drástico declive en la economía nacional, caracterizado por una decreciente actividad empresarial, caída de precios y aumento del desempleo. El periodo de depresión más conocido es el de la Gran Depresión, que ocurrió en los años 30 en EE.UU. Pág. 89.

derechos humanos: derechos civiles, económicos, políticos y sociales de cada persona, como la libertad, la justicia y la igualdad. Pág. 1.

desmilitarizado: privado de organización o potencial militares. Pág. 195.

despersonalizada: privada de personalidad o individualidad; hacer que alguien pierda su sentido de identidad personal y realidad externa. Pág. 21.

Despojo de Datos Falsos: un procedimiento que ayuda a una persona a distinguir los datos verdaderos acerca de un tema de los datos u opiniones conflictivos que ha adquirido. Esto elimina los datos falsos y le permite continuar con el tema. Pág. 207.

despotismo: ejercer la absoluta autoridad. Pág. 44.

determinismo: acción de causar, afectar o controlar. Pág. 121.

determinismo ajeno: condición en la que las acciones de uno se ven determinadas por alguien o algo diferente a uno mismo; asignación de causa en algún otro lugar. Pág. 121.

detonador para torpedo: mecanismo que se utiliza para hacer explotar un *torpedo,* un misil cilíndrico y auto-propulsado que se lanza desde una aeronave, buque o submarino y que viaja por debajo del agua para golpear contra su objetivo. Pág. 76.

Dewey: John Dewey (1859–1952) filósofo, educador y autor estadounidense que recibió una fuerte influencia de la psicología moderna y la teoría de la evolución. El origen del funcionamiento deficiente del sistema educativo de la actualidad podría atribuirse a las reformas introducidas por Dewey. Pág. 86.

día D: el día elegido para el comienzo de una operación militar o alguna otra operación, de la fecha (6 de junio de 1944) en que las fuerzas Aliadas aterrizaron al norte de Francia para comenzar la liberación de la Europa ocupada en la Segunda Guerra Mundial (1939–1945). Pág. 144.

Dianética: Dianética es una precursora y subestudio de Scientology. Dianética significa "a través de la mente" o "a través del alma" (del griego *dia,* a través y *nous,* mente o alma). Es un sistema de axiomas coordinados que resuelve problemas acerca del comportamiento humano y las enfermedades psicosomáticas. Combina una técnica funcional y un método minuciosamente validado para aumentar la cordura al borrar sensaciones indeseadas y emociones desagradables. Pág. 59.

Dick, el Tramposo: apodo poco favorecedor utilizado para el político Richard M. Nixon, en referencia a su reputación de *tramposo. Véase también* **Nixon, Richard M.** Pág. 16.

diezmar: causar gran mortandad en un lugar debido a las enfermedades, la guerra, el hambre o cualquier otra calamidad. Pág. 144.

Diógenes: (¿412?–¿323? a. C.) filósofo griego que rechazaba los hábitos sociales y que se decía vivía en la pobreza, que pedía comida y que utilizaba un barril como vivienda para mostrar su desprendimiento de las posesiones. De acuerdo a la tradición, una vez fue por las calles con un candil encendido a plena luz del día buscando un hombre honesto. Pág. 165.

disidente: alguien que no está de acuerdo con los métodos o las metas de un grupo, organización, decisión oficial o algo similar. Pág. 9.

Disraeli: Benjamin Disraeli (1804–1881), escritor británico y primer ministro (1868 y 1874–1880), que durante más de tres décadas ejerció una profunda influencia en la política británica. Aunque mantuvo una postura conservadora, apoyó políticas que iban desde la ampliación del derecho al voto a la clase obrera, hasta medidas diplomáticas que aumentaron la influencia de Inglaterra a nivel internacional. Pág. 10.

dócil: tranquilo, incapaz de causar problemas; fácil de manejar. Pág. 98.

dogma: conjunto de creencias, opiniones, principios, etc., establecidos y sostenidos como verdad incuestionable. Proviene de la palabra griega *dogma,* opinión. Pág. 223.

dólar respaldado por oro: un dólar cuyo valor se define por el valor del oro. Hasta el 1971, el dólar estadounidense, que se utilizó para la mayoría de las transacciones internacionales comerciales y financieras, tenía un valor fijo en términos de onzas de oro y, por ley, los billetes de dólar de los Estados Unidos se podían convertir en oro cuando se demandara. Esto, sin embargo, significó que el número de dólares en circulación estaría fijo y dependería de la cantidad de oro que físicamente poseía Estados Unidos. Esto creó unas dificultades tremendas frente al crecimiento económico y, a partir de 1971, Estados Unidos dejó de usar este sistema. Subsecuentemente, el dólar estadounidense no se basó en ninguna materia prima. Pág. 83.

doscientas ciudades de Estados Unidos estallando en motines: referencia a una ola de disturbios y demostraciones violentas que tuvieron lugar durante 1968 y 1969 en ciudades alrededor de todo Estados Unidos. Sólo en el verano de 1968, se desataron disturbios raciales en más de 100 ciudades estadounidenses después de los cuales, en abril, siguió el asesinato del líder de derechos civiles Martin Luther King, hijo (1929–1968). La discriminación racial generalizada y el papel de los Estados Unidos en la Guerra de Vietnam (1954–1975) fueron las causas principales de las protestas. Pág. 5.

dramatizar: pensar o actuar como un actor representando la parte que se le indica y llevando a cabo toda una serie de acciones irracionales. Pág. 210.

Dunsany, Lord: Edward John Moreton Drax Plunkett Dunsany (1878–1957), poeta, dramaturgo y novelista irlandés. Muchas de sus obras tratan sobre "los reinos misteriosos donde termina la geografía y comienza la fantasía". Dunsany utilizó esto como base para ironizar el comportamiento humano de una forma simple y encantadora. Pág. 186.

E

E-Metro: Electropsicómetro, un instrumento especialmente diseñado, que ayuda al auditor de Scientology a localizar en una persona áreas de tribulaciones o aflicción espiritual. El electropsicómetro es un aparato religioso y sólo lo pueden utilizar los auditores de Scientology o los que se están entrenando para ser auditores. No diagnostica ni cura nada. (Un auditor es un practicante de Dianética o Scientology. La palabra *auditor* significa alguien que escucha). Pág. 24.

École Polytechnique: escuela francesa de ingeniería fundada en 1794 para el entrenamiento de administradores civiles y militares. Se le considera una de las instituciones más prestigiosas de educación avanzada en Francia. Pág. 143.

élan vital: según la filosofía de Henri Bergson (1859–1941), fuerza vital creativa presente en todo ser vivo. En francés, la palabra *élan* significa "empuje o impulso hacia delante; movimiento inspirado por un sentimiento fuerte o intenso". *Vital* significa "de la vida". Pág. 219.

electroconvulsivo: que tiene que ver con el "tratamiento" psiquiátrico de *electrochoque,* un procedimiento salvaje en donde una corriente eléctrica se aplica a la persona a través de electrodos que se colocan en la cabeza. Causa convulsiones severas (un sacudimiento incontrolable del cuerpo) o ataques (inconsciencia e incapacidad para controlar los movimientos del cuerpo) y resulta en pérdida de la memoria y daño físico permanente, dejando a la persona emocionalmente como un vegetal. Pág. 34.

élite del poder: una alianza muy unida compuesta de militares, gobernantes y jefes de corporaciones consideradas como el centro de riqueza o poder político en los EE.UU. Pág. 9.

embaucador: alguien que engaña o que obtiene el máximo beneficio de otro con trucos, halagos, etc. Pág. 21.

embaucar: engañar o timar. Pág. 139.

embelesado: con un interés o fascinación extremos; captar la atención por completo. Pág. 128.

endocrino: relativo al sistema de glándulas que secretan hormonas (sustancias químicas) de ciertos órganos y tejidos corporales, o que tiene que ver con dicho sistema. Estas glándulas y sus hormonas regulan el crecimiento, el desarrollo, la función de ciertos tejidos, y coordinan muchos procesos dentro del cuerpo. Por ejemplo, algunas de estas glándulas producen sustancias que aumentan la presión sanguínea y el ritmo cardíaco durante los momentos de estrés. Pág. 220.

Enemigo Público mediante un número: criminales que encabezaban la lista del FBI de los 10 criminales más buscados. Por ejemplo: el Enemigo Público Número 1. Pág. 75.

engendrar: traer a la existencia; producir. Pág. 16.

enigma: algo que no se entiende con facilidad; una situación o suceso confuso o inexplicable. Pág. 110.

enseñar a los osos a patinar usando patines calientes: referencia a la práctica que tenían los rusos de entrenar osos a usar patines o incluso a jugar hockey sobre hielo para exhibirlos en espectáculos y circos. *Patines calientes* alude a las duras condiciones de entrenamiento. Pág. 174.

equitativo: justo y razonable de manera que da un trato igual a todos. Pág. 23.

équites: en la antigua Roma, clase especialmente privilegiada de ciudadanos destacados. Originalmente, los miembros de los équites de Roma eran aquellos que habían servido a la caballería de las legiones de Roma. Se les llamaba *équites,* palabra en latín que significa jinete o caballero. A través de los siglos, el poder financiero y político de esta clase se amplió a costa de la gente del pueblo. Pág. 29.

escalofriante: que causa un sentimiento de pavor o terror. Pág. 107.

escritorzuelo: escritores cuyas obras tienen muy poco valor o importancia. Pág. 202.

escuela antigua: gente que se adhiere a los valores y prácticas antiguas, pasadas de moda y obsoletas, las cuales no son aceptadas en los estándares actuales. Pág. 124.

Escuela Militar Gubernamental de Estados Unidos: escuela de gobierno militar establecida en la Universidad de Princeton, Princeton, Nueva Jersey, EE.UU., en octubre de 1944. El propósito era entrenar a oficiales de la armada y del ejército para proporcionar el personal necesario para actividades de gobierno militar, así como para deberes civiles especializados. Pág. 3.

Esparta: ciudad de la antigua Grecia, famosa por su poderío militar. Esparta era conocida por su gobierno militarista en el que todo varón pertenecía al estado desde el momento de su nacimiento y se imponía la esclavitud sobre los pueblos conquistados. Los espartanos llevaban una vida comunal, comiendo todos en "comedor público", los varones estaban obligados a vivir en barracones hasta los treinta años y la mayoría de los ciudadanos cuidaban parcelas de tierra que eran propiedad del estado. Pág. 86.

esquizofrenia: condición en la cual una persona tiene dos (o más) personalidades aparentes. *Esquizofrenia* significa *tijeras* o *dos,* más *cabeza.* Literalmente, *división de la mente,* de ahí, *personalidad dividida.* Pág. 185.

estandarte: principio que rige, causa o filosofía, del sentido literal de un *estandarte,* una bandera, como la que utiliza un país o un rey en una batalla. Pág. 6.

estatuto: **1.** conjunto de leyes establecidas por una asamblea legislativa y escritas formalmente. Una *asamblea legislativa* es un órgano oficial de personas, normalmente escogidas por elección, que tienen el poder de hacer, cambiar o cancelar leyes. Pág. 64.
2. declaración formal por escrito que describe los derechos, privilegios especiales, inmunidad y exenciones que se permiten a una persona en concreto o a un grupo. Pág. 134.

este, países del: grupo de países que consistía en la Unión Soviética y sus aliados. *Véase también* **Unión Soviética.** Pág. 194.

estéril: que no da fruto, que no produce nada. Pág. 46.

estibador: persona que trabaja en la costa, en los muelles, cargando y descargando barcos. Pág. 25.

estigmatizar: caracterizar o marcar como deshonroso o muy malo. Pág. 147.

estímulo-respuesta: cierto estímulo (algo que pone en acción o da energía a una persona o cosa o que produce una reacción en el cuerpo) que automáticamente genera cierta respuesta. Pág. 132.

estrafalario: extraño, excéntrico e impráctico; loco. Pág. 211.

estratagema: táctica o maniobra, especialmente una calculada para engañar o frustrar a un oponente. Pág. 46.

estructura: la forma en que algo está construido, o su diseño físico, la manera en que están dispuestas o reunidas las partes para formar un todo, a diferencia de la *función,* los poderes intelectuales; la acción mental; el pensamiento. Pág. 1.

esvástica: dibujo de origen antiguo con forma de cruz con los cuatro brazos iguales, cada uno doblado formando un ángulo hacia la derecha. Esta figura fue el emblema oficial del partido nazi. Pág. 19.

ética: un sistema de principios morales para la conducta apropiada de un grupo, profesión, etc. Pág. 224.

evocadoramente: de manera que trae imágenes, recuerdos o sentimientos fuertes a la mente. Pág. 4.

exhortar: urgir vehementemente; aconsejar; advertir. Pág. 208.

expatriado: situado fuera del país natal, como en algunos gobiernos durante la Segunda Guerra Mundial, que se establecieron fuera de las fronteras de sus países natales y desde ahí trabajaban para derrocar las fuerzas ocupacionales de la Alemania nazi. Pág. 20.

exponente: gente que representa o simboliza algo o que hablan a favor de algo o lo apoya. Pág. 127.

éxtasis: droga ilegal sintética a base de anfetaminas que se utiliza para crear una sensación artificial de bienestar o placer. Las *anfetaminas* son un grupo de drogas fuertes que crean dependencia, llamadas estimulantes; actúan en el sistema nervioso central (el cerebro y la médula espinal), aumentan la frecuencia cardiaca y la presión arterial mientras reducen la fatiga. Su uso continuo puede causar problemas mentales graves. Pág. 204.

extirpar: quitar algo completamente. Pág. 232.

extorsión: obtener dinero de alguien mediante la fuerza, amenazas o cualquier otro método injusto o ilegal. Pág. 117.

F

falaz: embustero, falso. Pág. 64.

fanático: persona que muestra un excesivo entusiasmo por una causa, particularmente una causa religiosa. Pág. 49.

fascismo: sistema de gobierno dirigido por un dictador que tiene poder absoluto, suprime por la fuerza a la oposición y la crítica, y controla toda la industria, el comercio, etc. Pág. 78.

fascista: de o relacionado con el fascismo. *Véase también* **fascismo.** Pág. 60.

fatídicos peldaños: referencia al patíbulo que tradicionalmente se construía con trece peldaños. Al final de la escalera había una plataforma con una puerta falsa, y por encima una soga suspendida. La persona condenada subía los trece peldaños para ser ahorcada. Pág. 136.

FBI: siglas de Federal Bureau of Investigation (Oficina Federal de Investigaciones), una oficina del gobierno de Estados Unidos que trata con asuntos de seguridad nacional, crímenes interestatales y delitos contra el gobierno. Pág. 6.

fechoría: ofensas criminales menores. Pág. 64.

Federación Mundial de Salud Mental: una organización formada en 1948 por el psiquiatra canadiense Brock Chisholm (1896–1971) y el psiquiatra inglés John Rawlings Ress (1890–1969) para ejercer control sobre las Asociaciones Nacionales de la Salud Mental en todo el mundo. Pág. 6.

filántropo: alguien que ayuda y que está preocupado por mejorar el bienestar y la felicidad de la gente. Pág. 2.

filipino: nativo o habitante de las Islas Filipinas. Pág. 71.

Filipo de Macedonia: (382–336 a. C.) rey de Macedonia (359–336 a. C.), reino antiguo al norte de Grecia que ahora está dividido entre la moderna Macedonia, Grecia y Bulgaria. Filipo expandió su reinado, y finalmente llegó a gobernar toda Grecia. Fue asesinado en el año 336 a. C., después de lo cual su hijo, Alejandro Magno (356–323 a. C.), conquistó Oriente Medio, Egipto, Persia y parte de la India. Pág. 51.

fiscal: de o relacionado con el gasto, ingreso y deuda del gobierno. Pág. 83.

Fiscal General de Estados Unidos: el oficial de la ley más importante de Estados Unidos, elegido por el presidente con la aprobación del Senado de Estados Unidos. Su puesto es el de jefe del Departamento de

Justicia y es miembro del gabinete del presidente, responsable de manejar cuestiones legales que involucran al gobierno y de proporcionar consejo legal al presidente. Pág. 59.

Física Nueva: cuerpo de trabajo en la física teórica que señala las fallas de las anteriores descripciones mecánicas del universo. En lugar de argumentar que el universo tiene un diseño significativo, la Física Nueva desarrolla teorías que exploran la relación entre la física y campos como la filosofía y la religión. Pág. 217.

flota del Pacífico: flota naval de la Marina de Estados Unidos estacionada en el Océano Pacífico. Durante la invasión en Pearl Harbor, Hawai, el 7 de diciembre de 1941, las fuerzas japonesas hundieron o dañaron seriamente a ocho acorazados y a otros trece buques navales. El ataque dañó severamente a la flota del Pacífico y costó la vida de más de tres mil miembros del personal, motivando la entrada de Estados Unidos en la Segunda Guerra Mundial (1939–1945). Pág. 77.

fomentar: promover, impulsar o proteger algo, por ejemplo, en su crecimiento o desarrollo. Pág. 45.

Fondo Monetario Internacional: agencia de las Naciones Unidas que empezó a funcionar en 1947, responsable por promover una corporación internacional monetaria y facilitar la expansión del comercio internacional. Una función clave del fondo es autorizar préstamos a corto plazo a los países miembros. Pág. 95.

foro: discusión abierta (o un lugar para tal discusión) acerca de cuestiones de interés general. En un principio, un *foro* era una plaza pública o mercado en las antiguas ciudades romanas donde se realizaban negocios y donde estaban los tribunales de justicia. Pág. 37.

franco: unidad monetaria básica de Francia hasta el 2002, cuando fue reemplazado por el *euro,* la principal unidad monetaria de la mayoría de los países europeos. Pág. 98.

***Freedom,* revista:** revista publicada por la Iglesia de Scientology desde 1968 que es famosa por la forma en que expone los abusos contra los derechos humanos y por su periodismo de investigación. *Freedom* ha revelado importantes historias sobre la medicación forzada de niños en las escuelas, la experimentación del gobierno en relación con la guerra química y biológica. Pág. 1.

fresas: alusión a una historieta de Willie Howard (1886–1949), comediante estadounidense nacido en Alemania. En la historieta muestra un revolucionario que dice: "Compañeros trabajadores, ha llegado el momento. ¡La copa de nuestra amargura está llena hasta el borde! Debemos deshacernos del yugo de la opresión... ¡Revolución! ¡Revolución! ¡Llega la revolución, comeremos fresas con crema!". Alguien interrumpe gritando que a él no le gustan las fresas con crema. Willie dice: "¡Comerás fresas con crema y te gustarán!". Pág. 144.

Fromm-Reichmann, Frieda: (1889–1957) psicoanalista y psiquiatra alemana. Entrenada en las técnicas freudianas, emigró a Estados Unidos a principios de los años treinta. Su libro *Principios de la Psicoterapia*

Intensiva (1950) describe cómo debería de trabajar un terapeuta con un paciente, enfatizando la necesidad de comprensión entre este y el paciente, y la capacidad de compartir sentimientos y consideraciones. Pág. 124.

fuerzas de ocupación: tropas asignadas a mantener control de una región recientemente conquistada hasta que terminan las hostilidades o se establezca un gobierno. Pág. 3.

fuerzas saboteadoras: aquellos que se dedican al *sabotaje,* es decir a perjudicar deliberadamente o destruir la propiedad o equipamiento para debilitar a un enemigo o para realizar una protesta. Pág. 33.

funcionario: persona que generalmente tiene una posición, puesto, papel, etc., a que se le ha asignado. Pág. 10.

funcionario público: persona que trabaja en *servicios sociales,* los departamentos o agencias del gobierno que no son legislativos, judiciales o militares. Por ejemplo, trabajadores de correos y aquellos que hacen planificaciones para la ciudad. Pág. 75.

funcionarios laboristas: en el Reino Unido, personas que trabajan para el gobierno que son miembros o apoyan al *Partido Laborista* uno de los principales partidos políticos creado para apoyar los intereses de los obreros y promover la posesión por parte del gobierno de las industrias principales, como los ferrocarriles, minas de carbón, etc. El Partido Laborista estuvo en el poder a finales de los años 40 y de nuevo en los 60. Pág. 114.

futilidad: de poca o ninguna importancia o utilidad. Pág. 42.

G

gato por liebre, dar: engañar a alguien normalmente convenciéndole para que acepte algo que no es verdad o deseable. Pág. 172.

Gengis Kan: (alrededor de 1162–1227) emperador y general mongol. Conocido por su liderazgo militar y gran crueldad, conquistó enormes porciones del norte de China y del sudoeste asiático. Pág. 170.

gente de peso: gente o cosas con un poder o influencia considerables. Pág. 106.

geopolítico: perteneciente a la *geopolítica,* relaciones políticas entre las naciones, especialmente cuando se relacionan con reclamaciones y disputas sobre las fronteras, territorios, etc. Pág. 1.

germen: algo que sirve como fuente o fase inicial para un desarrollo subsecuente; base. Pág. 95.

Goldwater, Barry: (1909–1998) político estadounidense. Después de dos periodos de seis años como senador de Arizona, Goldwater se presentó como candidato republicano para presidente, perdiendo las elecciones frente al demócrata Lyndon B. Johnson. Regresó al senado en 1968 hasta que se retiró en 1986. Pág. 155.

grandilocuente: que se expresa con palabras y expresiones demasiado cultas y rebuscadas o que da un énfasis excesivo a aspectos del discurso que no lo merecen. Pág. 185.

grano y la caña, el: referencia al trigo y a la caña de azúcar que se cultivan en Rusia y en Cuba, respectivamente. Estos productos agrícolas por tradición han formado gran parte de la producción de estos países. Pág. 88.

Griebl-Voss-Hofmann-Rumrich, banda: referencia al Dr. Ignatz Griebl, Otto Hermann Voss, Johanna Hofman y Guenther Gustave Rumrich, miembros de una banda de espías nazis que actuó en Nueva York y en sus alrededores desde 1935 hasta que se les descubrió y arrestó en 1938. Se les declaró culpables de espionaje y se les sentenció a prisión. Pág. 76.

Grupos Nacionales de Salud Mental: referencia a las *Asociaciones Nacionales de Salud Mental,* organizaciones privadas y con fines de lucro establecidas en diversos países. Están bajo la Federación Mundial de Salud Mental. Trabajan para lograr que se aprueben leyes que permitan a los psiquiatras escoger libremente gente y ponerla en hospitales mentales. Al utilizar la palabra *nacional* en su nombre, estos grupos aparentan ser parte de un gobierno, pero no lo son. Pág. 33.

guardia nacional en Estados Unidos: las fuerzas militares de los estados individuales que se pueden llamar a filas en caso de emergencias, para la defensa nacional, como la fuerza de policía o algo similar. Pág. 59.

guardia nacional en Francia: fuerza armada de ciudadanos que a finales del siglo XVIII se organizó para la defensa general. Pág. 98.

Guerra de Independencia de Estados Unidos: la guerra entre Gran Bretaña y sus colonias americanas (1775–1783), mediante la cual las colonias lograron su independencia. Pág. 88.

Guerra Fría: hostilidades de conflicto militar que existieron después de la Segunda Guerra Mundial (1939–1945) entre la Unión Soviética y países que apoyaban el sistema comunista, y los países democráticos del mundo occidental bajo el liderazgo de Estados Unidos. Pág. 6.

guerrillas: pequeñas fuerzas de defensa de soldados irregulares, normalmente voluntarios, que atacan por sorpresa. Pág. 95.

Guillotin, Dr.: médico francés Joseph-Ignace Guillotin (1738–1814). Recomendó que en las ejecuciones se usara una máquina para decapitar a la gente, la cual finalmente llegó a llevar su nombre. Consistía de dos postes con un surco en medio para hacer descender una pesada cuchilla a través del cuello de una persona. Consideró esto una manera rápida y compasiva de morir. La guillotina se utilizó en Francia durante la Revolución Francesa (1789–1799) y hasta finales del siglo XIX. Pág. 98.

guillotina, preparar cabezas para la: referencia a las ejecuciones que ocurrieron durante la Revolución Francesa (1789–1799), cuando miles de personas fueron decapitadas en la guillotina. Pág. 72.

Gulag: prisión o campo de trabajos forzados, especialmente para prisioneros políticos, como ocurrió en Rusia bajo el control comunista. La palabra representa las primeras letras de las palabras rusas que significan Administración Principal de Campos de Trabajos Forzados Correccionales. También se utiliza en sentido figurado para referirse a cualquier lugar o situación similar a un campo de trabajos forzados o a una prisión. Pág. 105.

Gung-Ho, Grupo: grupo compuesto de scientologists locales, amigos interesados y miembros del público general. *Gung-ho* significa "esforzarse para unir" en chino. El grupo tiene el propósito de esforzarse para unir a otros grupos en la comunidad para así trabajar para mejorar a la sociedad y al área. El programa del grupo trabaja con el lema de que una comunidad que se esfuerza por unirse puede crear una sociedad mejor para todos. Pág. 37.

H

Haight-Ashbury: barrio de San Francisco, California. Durante la década de 1960 Haight-Ashbury se convirtió en un centro para el movimiento hippie y también fue conocido por el uso generalizado de drogas. Pág. 107.

Hamilton, Alexander: (1757–1804) abogado y estadista estadounidense. Como primer Secretario del Tesoro de Estados Unidos (1789–1795), estableció el primer *Banco de los Estados Unidos,* una corporación privada que actuaba bajo una licencia federal y estaba autorizada a emitir dinero. Pág. 10.

Hearst: William Randolph Hearst (1863–1951), editor polémico americano que estableció y desarrolló la mayor cadena de periódicos de Estados Unidos. Sus periódicos se destacaron por un periodismo que ganaba o mantenía el interés de los lectores publicando artículos o escribiendo titulares de forma sensacionalista o escandalosa, o que contenían noticias comunes muy distorsionadas. Pág. 50.

hedor: olor desagradable y penetrante. Se usa en sentido figurado. Pág. 174.

Hegel: Georg Wilhelm Friedrich Hegel (1770–1831), uno de los filósofos más influyentes de Alemania. Su meta era proponer un sistema filosófico tan amplio que abarcara las ideas de sus predecesores y creara un marco conceptual en el que tanto el pasado como el futuro se pudieran comprender filosóficamente. En sus obras escritas y en sus conferencias publicadas intentó presentar una solución unificada para todos los problemas filosóficos. Pág. 10.

heroína: compuesto derivado de la morfina (droga utilizada en la medicina para aliviar el dolor) que se consume de forma ilegal como droga fuerte y adictiva y que causa una sensación de reducir el dolor y la velocidad de la respiración, y depresión. Los síntomas de abstinencia incluyen dolores tipo calambres en las extremidades, sudor, ansiedad, escalofríos, severos dolores musculares y de huesos, fiebre y más. Si se produce una sobredosis, puede ser mortal. Pág. 107.

Hilton: de la *Corporación de Hoteles Hilton,* una cadena de hoteles estadounidense que administra cientos de hoteles en todo el mundo. Pág. 147.

Hinckley, hijo, John: John Warnock Hinckley, hijo (1955–), asesino que intentó matar a Ronald Reagan, presidente de Estados Unidos. En 1981, cuando el presidente salía de un hotel en Washington D.C., Hinckley, un paciente psiquiátrico que estaba entre la muchedumbre, disparó algunos tiros hiriendo al presidente y a otras dos personas. Fue juzgado y declarado inocente del crimen por demencia. Este violento ataque se atribuyó más tarde al Valium, un medicamento psiquiátrico que él estuvo tomando mientras recibía tratamiento, antes del atentado. Pág. 204.

hipocresía: fingimiento de cualidades o sentimientos contrarios a los que verdaderamente se tienen o experimentan. Pág. 34.

hipoteca (hipotecario): una *hipoteca* es un acuerdo mediante el cual alguien pide dinero prestado de una organización o individuo contra algún tipo de aval. Para garantizar que se pagará el préstamo, la organización o individuo prestatario tiene el derecho de tomar posesión de la propiedad (generalmente tierra, edificios, etc.) de la persona que recibe el préstamo, si esta no pagara el dinero. Pág. 86.

Hiss, Alger: (1904–1996) antiguo funcionario del gobierno de Estados Unidos que en 1950 fue condenado por perjurio, por negar su asociación con el espía soviético Whittaker Chambers (1901–1961). Chambers acusó a Hiss de ser parte de una banda de espionaje comunista de la que él mismo era parte y presentó microfilms de documentos gubernamentales confidenciales que declaró que Hiss le había dado en los años 30 para enviarlos a la Unión Soviética. Hiss fue condenado y sentenciado a cinco años de prisión, pero continuó afirmando su inocencia todo ese tiempo. Pág. 177.

Hitler: Adolf Hitler (1889–1945), líder político alemán del siglo XX, que soñaba con crear una raza dominante que gobernaría el mundo durante mil años como tercer imperio alemán. Tomó el control de Alemania por la fuerza en 1933 como dictador, e inició la Segunda Guerra Mundial (1939–1945), sometiendo gran parte de Europa a su dominio y asesinando a millones de judíos y a otros que consideraba "inferiores". Se suicidó en 1945 cuando la derrota de Alemania era inminente. Pág. 33.

holocausto: cualquier destrucción masiva, especialmente la de la Segunda Guerra Mundial (1939–1945), la exterminación sistemática de millones de judíos y otras personas consideradas "inaceptables" por parte de los nazis. Pág. 236.

Hombre-G: agente del FBI. *G* es la sigla de *gobierno.* Pág. 60.

Hoover, J. Edgar: (1895–1972) oficial del gobierno de Estados Unidos y director del FBI (Federal Bureau of Investigation) (1924–1972). Pág. 6.

Hospital Naval de Oak Knoll: hospital naval que se encuentra en Oakland, California, EE.UU., donde LRH pasó un tiempo recuperándose de heridas que sufrió durante la Segunda Guerra Mundial (1939–1945) e investigando los efectos de la mente en la recuperación física de los pacientes. Pág. 220.

huir subrepticiamente: abandonar un lugar de manera abrupta o secreta; irse. Pág. 68.

humanidades: ramas del conocimiento relacionadas con el pensamiento y las relaciones humanas, a diferencia de las ciencias; especialmente la literatura, la filosofía, la historia, etc. (Originalmente, las humanidades se referían a la educación que capacitaba a una persona para pensar libremente y juzgar por sí misma, a diferencia de un estudio limitado de destrezas técnicas). Pág. 128.

I

idealismo: el abrigar o ir tras principios, propósitos, metas, etc., elevados o nobles. Pág. 50.

ideología: doctrinas, opiniones o modo de pensar de un individuo, clase, etcétera; especialmente el conjunto de ideas en las que se basa cierta teoría o sistema económico o político. Pág. 67.

Imperio Británico: grupo de países y territorios en todo el mundo, que antes estaban conectados con Gran Bretaña y controlados por ella; los cuales, en su apogeo, durante la Primera Guerra mundial (1914–1918), comprendían el 20% de la superficie y la población mundiales. Después de la Primera Guerra Mundial, varias colonias empezaron a reclamar su independencia y a luchar por ella, y desde la Segunda Guerra Mundial (1939–1945), la mayoría de las áreas del antiguo imperio consiguieron la independencia y no estuvieron ya bajo mandato británico. Pág. 143.

impuesto individual para el sufragio: un impuesto fijo, no una cantidad graduada, por cabeza, que deben pagar todos los adultos y su pago es a menudo un requisito para poder votar. En 1905 hubo en Estados Unidos un cambio por el cual el impuesto individual se reemplazó por un impuesto sobre la renta, multando así a las personas por ganarse la vida. Pág. 46.

inadaptado: persona que no se adapta bien, especialmente en relación a las circunstancias sociales, del entorno, etc.; incapaz de sobrellevar las dificultades de la vida diaria. Pág. 159.

inalienable: que no se puede quitar o transferir. Pág. 15.

incisivo: punzante, afilado, penetrante, mordaz. Pág. 1.

incriminar: hacer que (alguien) parezca culpable de un crimen o delito. Pág. 60.

incursión: acción de invadir algo como un grupo u organización para encontrar y quedarse con los beneficios. Pág. 106.

indiscriminado: que se hace sin pensar en el resultado, especialmente cuando causa daño a la gente. Pág. 176.

inepto: no apto ni a propósito para una cosa. Pág. 20.

infamia: maldad, vileza en cualquier línea. Pág. 16.

infiltrar: (dicho de algo nocivo) penetrar o entrar en un área, sustancia, grupo, etc., difundiéndose o introduciéndose en ellos. Pág. 50.

ingeniero social: alguien involucrado en la aplicación de la ciencia social para la solución de problemas sociales. Las *ciencias sociales* son el estudio de un área en concreto de la sociedad humana, como la economía, la psicología, la historia, etc. Pág. 147.

ingreso global: la cantidad total de dinero que se recibe durante un periodo antes de tomar en cuenta las deducciones usuales, como los gastos. Pág. 90.

ingreso neto: la cantidad total de dinero que queda después de pagar todos los gastos necesarios, como impuestos, etc. A menudo se contrasta con el ingreso bruto o global. Pág. 90.

Instituto Nacional de Salud Mental: centro del Gobierno de Estados Unidos para la investigación y financiación de investigaciones sobre enfermedades mentales, establecido a finales de la década de 1940; el instituto es uno de los diversos organismos de Servicio de Salud Pública de Estados Unidos. Pág. 107.

Instituto Nacional Francés de Investigación de Salud y Medicina: organización de investigación científica dedicada a la salud pública. Fue creada en 1964 con el objetivo de mejorar la comprensión de las enfermedades humanas. Pág. 217.

instrumento: documento formal legal donde se crea o se confirma un derecho, o se registra un hecho; escrito formal de cualquier tipo, como un contrato, un registro, etc. Pág. 45.

insurgente: que se levanta contra la autoridad establecida; que se subleva. Pág. 21.

Inteligencia Naval, Oficina de: la agencia de inteligencia militar formada en 1882 para proporcionar inteligencia, contrainteligencia, requisitos de investigación y seguridad de la Marina de los Estados Unidos. Pág. 75.

interés especial: forma corta de *grupo de interés especial,* al que también se podría llamar grupo de interés "escondido". Se caracteriza por tener cierta idea fija, pero expresa otra cosa. Se compone de fanáticos que trabajan excluyendo cualquier otro interés, y el bienestar de aquellos que no están "alineados" con la idea fija de ese grupo. Pág. 42.

International Telephone & Telegraph: compañía estadounidense de telecomunicaciones establecida en 1920. La compañía se expandió a nivel internacional y pronto se convirtió en un importante fabricante de telecomunicaciones. A mediados del siglo XX, ITT, como se le conocía normalmente, adquirió más de 250 compañías más, incluyendo hoteles, compañías de seguros y casinos. Pág. 59.

Interpol: organización privada y casi policial (nombre completo, *Organización Internacional Criminal Policial*) establecida para promover la cooperación mutua entre las autoridades policiales alrededor del mundo. En un principio, en la década de 1920, se estableció en Viena, Austria; los nazis tomaron control de la Interpol durante la Segunda Guerra Mundial (1939–1945). Después de la guerra, la organización se trasladó a Francia. A finales del siglo XIX, la Interpol contaba con más de 170 países miembros. Pág. 77.

intrínseco: que pertenece a algo que es un elemento básico o esencial que hace que sea lo que es. Pág. 18.

investigación ministerial: referencia a la investigación del gobierno por parte del Ministerio de Salud de Sudáfrica en 1995 sobre las negligencias profesionales y las violaciones de los derechos humanos en los hospitales psiquiátricos. *Ministerial* significa relacionado con un ministro del gobierno o con el departamento de ese ministro. Pág. 134.

Investigación Real: en el Reino Unido, Australia y otros países de la Commonwealth de Naciones, un comité que se forma con la autoridad del monarca bajo el consejo del gobierno para conseguir información sobre una cuestión. Pág. 134.

irreprochablemente: de tal manera que no es posible acusarlo, desafiarlo, desacreditarlo o cuestionarlo (por ejemplo, el honor o la reputación de una persona). Pág. 198.

ismos: creencias, teorías, sistemas o prácticas específicos; del sufijo *-ismo* se usa en estas palabras. Pág. 88.

izquierdista: en favor de un punto de vista radical, reformador o socialista. Pág. 194.

J

Jefferson, monumento a: importante monumento en Washington, D.C., en Estados Unidos, donde se erige una estatua en honor a Thomas Jefferson (1743–1826). Jefferson fue el autor de la Declaración de Independencia en 1776, y tercer presidente de los Estados Unidos (1801–1809). Pág. 60.

jerarquía: un grupo de cualquier clase que controla; un cuerpo de personas que tiene autoridad suprema, a veces en un sistema ordenado por rango, grado, clase, etc. Pág. 161.

Johannesburgo: ciudad situada en el nordeste de Sudáfrica, en la zona donde está el filón de oro más rico del mundo. Es la ciudad industrial y comercial más importante del país. Pág. 105.

judicial: sistema de tribunales para la administración de la justicia. Pág. 5.

Jung: Carl Gustav Jung (1875–1961), psiquiatra y psicólogo suizo que colaboró con Sigmund Freud en un principio pero que se separó y fundó su propia escuela de pensamiento independiente porque creía que Freud daba demasiada importancia a los instintos sexuales en el comportamiento humano. Jung teorizó que todos los humanos heredan una "inconsciencia colectiva" que contiene símbolos universales y memorias de sus antepasados. Esta inconsciencia compartida es lo que causa que la gente reaccione ante situaciones de maneras similares a la de sus antepasados. Por ejemplo, Jung interpretó los fenómenos contemporáneos en relación con algunos aspectos de los druidas. Pág. 113.

jurisprudencia: ciencia o filosofía de la ley; conocimiento sistemático de las leyes, costumbres y derechos de los hombres, en un estado o comunidad, necesario para la debida administración de la justicia. Pág. 20.

juventud ardiente, era de la: periodo de la década de 1920, cuando la gente joven en Estados Unidos adoptó un estilo de vida caracterizado por un comportamiento o manera de ser vigorosa y desenfrenada. Las mujeres jóvenes se cortaban el pelo y llevaban faldas cortas. Los lugares favoritos eran clubes nocturnos donde los jóvenes bebían licor ilegal (la prohibición estuvo vigente de 1920 a 1933), escuchaban jazz (lo último en música) y bailaban. Pág. 184.

K

Káiser: Wilhelm II (1859–1941), último emperador de Alemania que tenía un programa agresivo de expansión comercial y colonial y quien llevó a Alemania a la Primera Guerra Mundial (1914–1918). *Káiser,* título utilizado por los gobernantes de Alemania hasta 1918, es la forma alemana de la palabra en latín *cesar,* que significa emperador. Pág. 132.

Kastrakraneus, Dr.: nombre humorístico inventado que alude a la práctica psiquiátrica de cortar (operar) el cerebro de la gente. Pág. 10.

Keynes: John Maynard Keynes (1883–1946), economista y escritor inglés. Sus teorías económicas, *economía Keynesiana,* recomendaban el uso de políticas y programas de gobierno para incrementar el empleo a través de un gran gasto del gobierno en tiempos de recesión. Pág. 83.

KGB: abreviatura de *Komitet Gosudarstvennoj Bezopasnosti* en ruso, (Comité de Seguridad Nacional) la policía secreta, de espionaje y seguridad de la antigua Unión Soviética. Sus responsabilidades incluían operaciones secretas de inteligencia, la protección de los jefes políticos soviéticos y el control de las fronteras para mantener a los ciudadanos dentro y a los intrusos fuera. Pág. 143.

King, Cecil: Cecil Harmsworth King (1901–1987), editor de un diario británico, director del Banco de Inglaterra y jefe de la Asociación Nacional de Salud Mental del Reino Unido. Pág. 109.

Kraepelin: Emil Kraepelin (1856–1926), psiquiatra alemán que desarrolló un sistema de clasificación de las "enfermedades mentales". Hizo distinciones entre los trastornos que él creía que eran de origen externo, y por lo tanto, tratables y aquellos que él pensaba que tenían causas biológicas, y que por lo tanto, eran incurables. Kraepelin siguió refinando su clasificación y publicó numerosas revisiones de su libro de texto de psiquiatría de varios volúmenes, *Tratado de psiquiatría.* Pág. 185.

L

laberinto de espejos: sistemas de caminos con espejos a los lados, construidos para la diversión y diseñados para confundir a la gente que trata de encontrar el camino de salida. Se usa en sentido figurado. Pág. 220.

Lafayette, Marqués de: (1757–1834) aristócrata francés y hombre de estado que luchó por la independencia de Estados Unidos y fue un destacado líder en las primeras etapas de la Revolución Francesa (1789–1799) que derrocó al rey. Nació en una familia adinerada, ya había heredado una gran fortuna en 1774. Pág. 88.

lagartijas de cola larga: una lagartija de América del Norte y América del Sur que se caracteriza por su gran agilidad y viveza. Pág. 107.

lamaserías del Tibet: los monasterios de los *lamas,* sacerdotes o monjes del *lamaísmo,* una rama del Budismo que intenta encontrar la liberación de los sufrimientos de la vida y obtener un estado de felicidad y paz totales. El lamaísmo se practica en el Tibet, un territorio en el centro de la zona sur de Asia, y en áreas como Mongolia, un país al norte de China. Pág. 3.

Lasswell, Harold D.: Harold Dwight Lasswell (1902–1978), científico político estadounidense conocido por sus estudios sobre la relación entre la personalidad, la política y la propaganda como medio para convencer a la población de que debe seguir a aquellos que están en el poder. Pág. 135.

lastimeramente: que expresa desdicha o tristeza. Pág. 4.

latín: idioma de la antigua Roma y de su imperio. El latín también se usó en Europa (en especial durante la Edad Media, desde el año 400 al 1400) como lengua del gobierno, de los médicos, abogados, eruditos y sacerdotes. Pág. 147.

Lebensohn, Zigmond: (1910–2003) psiquiatra estadounidense, defensor principal del electrochoque y presidente de la junta del Departamento de Psiquiatría en el Hospital Sibley Memorial, hospital privado en Washington, D.C. Pág. 59.

legislativa, cámara: órgano oficial de personas, normalmente escogidas por elección, con el poder de hacer, cambiar o cancelar las leyes. Pág. 53.

Leipzig: ciudad en la parte oriental del centro de Alemania donde está la Universidad de Leipzig, lugar en que Wilhelm Wundt, psicólogo alemán, y otros, desarrollaron la "psicología moderna" en 1879. Pág. 131.

lettre de cachet: carta que lleva un sello oficial (como un sello real) y normalmente autoriza el encarcelamiento sin un juicio de una persona que se nombra. Pág. 20.

Lewis, John L.: John Llewellyn Lewis (1880–1969), líder sindical estadounidense. Desde 1920 hasta 1960 encabezó a los Trabajadores Mineros Unidos, un movimiento laboral para mejorar las condiciones de los mineros. Durante finales de la década de 1930, ayudó a formar el Congreso de Organizaciones Industriales, una asociación de sindicatos laborales, y también fue su primer presidente. Pág. 76.

ley de extinción de derechos civiles: ley promulgada por la cual se declara culpable a una persona, sin juicio, de un supuesto crimen; en un principio se trataba de un crimen serio como la traición. En Estados Unidos la Constitución prohíbe esa ley. Pág. 64.

ley de la oferta y la demanda: principio de la economía según el cual el precio de un producto lo determina el nivel de demanda y la cantidad disponible. Por ejemplo, si la demanda supera a la oferta, el precio aumenta, lo cual hace que se reduzca la demanda y de esta manera se hace posible cubrir la demanda, y viceversa. Pág. 173.

ley de Siberia: referencia al proyecto de ley sobre salud mental de Alaska, que se presentó ante la asamblea legislativa de Estados Unidos a mediados de la década de 1950, para establecerla como ley. El proyecto de ley Siberia proponía que se construyera un tipo de campo siberiano en una región lejana de Alaska, muy parecida a Siberia, para pacientes con problemas de salud mental. El proyecto de ley proponía un "procedimiento de internación simplificado", que permitía a cualquier funcionario del Estado, amigo, médico y por supuesto, a un psiquiatra, comenzar procedimientos para la internación de una persona. Estaba redactada de tal forma que cualquier hombre, mujer o niño podía ser detenido en la calle y ser transferido a este tipo de campo sin un proceso judicial. Las iglesias de Scientology junto con otros grupos de derechos civiles unieron fuerzas para luchar contra esta propuesta y evitar que se convirtiera en ley. Se emprendió una campaña para informar al público de lo que estaba pasando. Esto, junto con una campaña masiva de cartas, que inspiraban una oposición política, logró parar la sección de la ley relacionada con la internación, dejando simplemente la cláusula que autorizaba la financiación de salud mental en el territorio de Alaska. Pág. 105.

libelo: hacer una declaración falsa o dar mala fama a alguien. Pág. 68.

liberalidad: cualidad o estado de ser liberal en actitud o principios. *Liberal* se refiere a la filosofía política que, en teoría, resalta la importancia del individualismo, rechaza el gobierno autoritario, defiende la libertad de expresión y de religión y el derecho a la propiedad, y favorece la existencia de garantías gubernamentales para los derechos individuales y las libertades civiles, con tolerancia hacia las ideas y el comportamiento de los demás. Pág. 41.

Libertad, Igualdad y Fraternidad: alusión a la consigna nacional de Francia: "Liberté, Égalité, Fraternité" (Libertad, Igualdad, Fraternidad). Esta frase fue originalmente la consigna de la revolución francesa (1789–1799) y la usaron los dirigentes de la revolución para animar a aquellos que luchaban. Pág. 143.

libre empresa: práctica o sistema económico que permite que los individuos y los negocios privados actúen en mercados competitivos con un control gubernamental mínimo, se limita primordialmente a proteger los derechos de los individuos más que a supervisar la economía. Pág. 88.

Licurgo: legislador griego del siglo VIII a. C. Cuando pidió que se desarrollara una nueva forma de gobierno para Esparta, redistribuyó la tierra y prohibió el dinero, con esto se suponía que estaba haciendo que todos los ciudadanos fueran iguales. Pero el control permanecía en manos de unos pocos de sus ciudadanos. En el sistema social creado por Licurgo, una supervisión estricta desde el momento del nacimiento impuso disciplina y el entrenamiento militar. Pág. 86.

linaje: línea de los antepasados de una persona. Pág. 31.

linchar: acto de ajusticiar, especialmente por ahorcamiento, el individuo es ejecutado por una multitud y sin autoridad legal. Pág. 68.

lobotomía: operación psiquiátrica en la que se taladran agujeros en el cráneo para penetrar en el cerebro y cortar los accesos nerviosos a los dos lóbulos frontales, lo que tiene como resultado que el paciente se transforme en un vegetal emocionalmente. Pág. 232.

Lodge, Henry Cabot: (1850–1924) hombre de estado de Estados Unidos y senador republicano durante más de treinta años (1893–1924). Pág. 97.

-logía: estudio o conocimiento, normalmente se utiliza en referencia a una ciencia u otra rama del conocimiento. Pág. 139.

loquero: alusión jocosa a una persona que se dedica al tratamiento de los trastornos mentales o emocionales. Pág. 53.

LSD: droga que causa que una persona tenga cambios en sus procesos mentales, en su estado de ánimo y en sus percepciones. Además de causar experiencias aterrorizantes, el LSD causa *alucinaciones*, disturbios visuales que ocurren mucho después de que se haya consumido la droga. *LSD* es la abreviatura del compuesto químico *dietilamida del ácido lisérgico*. Pág. 107.

Ludwig: Karl Friedrich Wilhelm Ludwig (1816–1895), profesor de psicología de varias universidades incluyendo las de Zurich, Viena y Leipzig. Pág. 131.

M

Maclean: Donald Maclean (1913–1983), diplomático británico y miembro del Ministerio de Asuntos Exteriores Británico, que proporcionó información a la Unión Soviética sobre el desarrollo atómico y sobre la formación de la Organización del Tratado del Atlántico Norte (OTAN). *Véase también* **Burgess.** Pág. 124.

Madison Avenue: calle en la ciudad de Nueva York donde en un tiempo estaban muchas de las principales agencias publicitarias y compañías de relaciones públicas de Estados Unidos. Con los años, Madison Avenue se ha convertido en sinónimo de la industria publicitaria en general, y de los métodos, prácticas, principios y actitudes de las comunicaciones de masas y la publicidad. Pág. 89.

Mafia: organización secreta italiana supuestamente involucrada en el contrabando, el tráfico de drogas y otras actividades criminales en Italia y otros países. Pág. 117.

magnate: persona de gran influencia, importancia o posición en una empresa, campo de negocios, etc. Pág. 50.

Magnum 357: cartucho diseñado para un revolver con un cilindro giratorio de recamara, permitiendo que se hagan varios disparos sin recargarlo. La designación de *.357* se refiere al tamaño del cartucho o cañón del revolver construido para dispararlo, mide aproximadamente 7 centímetros (0.357 de pulgada). *Magnum* hace referencia al cartucho que tiene una carga y una funda más grande que los cartuchos de otras armas del mismo diámetro. Pág. 75.

majestuoso: la cualidad o estado de ser grande o imponente; muy impresionante o espléndido. Pág. 20.

malentendido: en Scientology, cualquier error u omisión en la comprensión de una palabra, concepto o símbolo. Los malentendidos tienen como resultado una incapacidad para desempeñarse en los campos donde se encuentre la palabra, el concepto o el símbolo malentendido. Pág. 86.

mancha: un comentario de paso. Pág. 11.

Manchú: gente que originalmente llegó de Manchuria (una región montañosa en el noreste de China) y formó una dinastía poderosa que duró desde el siglo XVII hasta principios del siglo XX. Pág. 184.

Manson, Charles: (1934–) criminal infame y al que se dio amplia publicidad a finales de los años 60; tenía seguidores que vivían en comunidad en un rancho de California, practicaban el amor libre y consumían drogas. Sus seguidores asesinaron brutalmente a 7 personas. Finalmente Manson fue capturado, declarado culpable y condenado a cadena perpetua. Pág. 107.

marcha fúnebre: obra musical de pesar o dolor, especialmente en relación con la muerte, o escrita para un funeral. Pág. 9.

marginal: (de un grupo dentro de la sociedad) que no tiene ningún poder o influencia debido a estar forzado por aquellos en el poder para ocupar el *margen,* el borde del grupo, lejos del centro del poder. Pág. 232.

Marx, Karl: (1818–1883), filósofo político alemán, cuyas teorías eran una forma de *socialismo,* el tipo de sistema económico en el que la producción y la distribución de los bienes está controlado por el gobierno en lugar de los individuos. Marx afirmó que la clase trabajadora se sublevaría y derrocaría al gobierno capitalista, sustituyéndolo por una sociedad sin clases. Sus ideas condujeron a la formación del comunismo del siglo XX. La afirmación que resume su filosofía es la famosa frase: "de cada uno según su capacidad, a cada uno según lo que necesite". Pág. 86.

Maryland: estado en el este de Estados Unidos en la costa Atlántica, rodea a Washington, D.C. en todos sus lados menos en uno. Pág. 168.

Medicare: en Estados Unidos, un programa de seguro médico fundado parcialmente por el gobierno y que proporciona atención médica y tratamiento hospitalario para los ancianos. Se estableció a mediados de la década de 1960. Pág. 176.

medidor de resistencia eléctrica: referencia a uno de los primeros E-Metros que contenía un *puente de Wheatstone,* un tipo de circuito eléctrico que se usaba para determinar una resistencia desconocida comparándola con resistencias conocidas. Este tipo de circuito recibió este nombre por su inventor, Sir Charles Wheatstone (1802–1875), un físico inglés. Pág. 223.

megalómano: individuo que supuestamente está afectado por un trastorno mental que se caracteriza por delirios de grandeza (falsas creencias sobre la personalidad o el estatus de uno mismo, pues se piensa que es más importante de lo que es en realidad), y delirios de riqueza, poder, etc. Pág. 155.

mejores planes cuidadosamente urdidos por las ratas y los hombres: variación humorística de la frase: "los mejores planes de ratones y hombres suelen salir mal" de una línea del poema "A un Ratón" del poeta escocés Robert Burns (1759–1796). Después de dañar el lugar donde un ratón pasaría el invierno con su arado, el poeta le dice al ratón que los planes más cuidadosamente organizados de los dos, los ratones y los hombres, a menudo salen mal o fallan, sin importar con cuanto cuidado se organicen o se piensen. (El uso de ratas en vez de ratones alude al laboratorio de ratas de los psicólogos y psiquiatras). Pág. 26.

mercurio: metal pesado, venenoso y de color plateado que se encuentra líquido a temperatura ambiental. Se usa en cosas como termómetros, productos farmacéuticos, empastes dentales y lámparas. Pág. 151.

Mesmer: Anton Mesmer (1734–1815), físico austríaco que trató de curar a la gente mediante el uso de un imán y la influencia magnética que creía que había en su interior y podía transmitir a otros a través del tacto (a menudo golpeando los brazos de la persona por debajo del hombro), poniéndole en trance. Aunque sus métodos (una forma antigua de hipnotismo) fueron desacreditados, otros pudieron inducir este estado de trance, que finalmente recibió el nombre de *mesmerismo.* Pág. 121.

metanfetamina: droga estimulante muy adictiva que es extremadamente dañina para el sistema nervioso central. Causa la pérdida de apetito, ritmo cardíaco rápido e irregular, aumento de la tensión sanguínea, irritabilidad, ansiedad, confusión, convulsiones e incluso la muerte. Pág. 107.

MI5: (en el Reino Unido) agencia del gobierno (sección de inteligencia militar 5) responsable de la seguridad interna y el contraespionaje en el territorio británico. Pág. 76.

1789, otro: otra *Revolución Francesa,* revuelta en Francia desde 1789 hasta 1799 que derrocó a la familia real, a la clase aristócrata y al sistema de privilegios que tenían. La revolución fue en parte una protesta contra la monarquía absoluta de Francia, su nobleza firmemente establecida y no productiva, y la consecuente falta de libertad para la clase media. Durante la revolución, miles de personas fueron arrestadas y decapitadas en la guillotina. Pág. 72.

1941, guerra de: referencia a la entrada de Estados Unidos en la Segunda Guerra Mundial (1939–1945) inmediatamente después de los ataques japoneses el 7 de diciembre de 1941 en la base naval de Estados Unidos de Pearl Harbor en Hawai. Pág. 50.

1984: famosa novela satírica del autor inglés George Orwell (1903–1950) publicada en 1949. La novela está ambientada en el futuro, en una sociedad supuestamente "perfecta", pero donde la libertad de pensamiento y de acción han desaparecido y el mundo está dominado por unos cuantos estados totalitarios. El gobierno mantiene una vigilancia continua sobre su gente, negándoles cualquier privacidad, con carteles que proclaman "El Gran Hermano (el todopoderoso dictador del estado) Te Vigila". Pág. 37.

militarismo: tendencia a considerar la eficiencia militar como el ideal supremo del estado y subordinar todos los otros intereses a esos de los militares. Pág. 205.

ministerio de salud: agencia o departamento gubernamental responsable de proporcionar información, elevar la consciencia sobre la salud y la educación, asegurarse de que los servicios de salud sean accesibles y del control de la calidad de los servicios sanitarios proporcionados al ciudadano. Están bajo la dirección de un ministro de salud o el equivalente en cada país. Pág. 34.

Ministerio del Interior: departamento del gobierno inglés que se encarga de la ley, del orden público, de la seguridad pública, inmigración, de los bomberos, los pasaportes, las prisiones y la policía. Pág. 25.

ministro de salud: oficial a cargo del *Ministerio de Salud,* la antigua organización del gobierno británico responsable de proporcionar información, elevar la consciencia sobre la salud y la educación, asegurarse de que los servicios de salud sean accesibles al pueblo y tener control de calidad en los servicios sanitarios que se proporcionan al ciudadano. Un *ministro* es un miembro superior a cargo de un departamento del gobierno o de la rama de un departamento. Pág. 19.

Ministro del Interior: miembro superior del gobierno británico que está a cargo de un departamento importante. El título se daba originalmente a un oficial que dirigía la correspondencia real de un rey o una reina. Pág. 24.

Mitchell, John N.: John Newton Mitchell (1913–1988), fiscal general de Estados Unidos (1969–1972). Su condena por cargos de conspiración por su papel en el escándalo de Watergate le llevó a la cárcel (1977–1978). *Véase también* **Watergate**. Pág. 59.

mofar: menospreciar algo abiertamente; mostrar desprecio o burla. Pág. 44.

monetario: relacionado con el dinero o con la organización y los medios por los que se suministra el dinero a la economía. Pág. 1.

Monumento a Washington: obelisco de mármol blanco situado en Washington, D.C., dedicado a George Washington (1732–1799), primer presidente de Estados Unidos (1789–1797). Mide 169 metros de altura y es una de las estructuras de piedra más altas del mundo. Pág. 6.

mundo "libre": referencia irónica al *mundo libre,* las naciones del mundo que funcionan principalmente bajo sistemas democráticos y no bajo el totalitarismo o comunismo. Pág. 68.

N

nacionalismo: lealtad y devoción a una nación; especialmente, una actitud, sentimiento o creencia que se caracteriza por un sentido de la consciencia nacional y un énfasis en la lealtad y el fomento de la cultura, los intereses y la independencia política de una nación. Pág. 51.

Naciones Unidas: organización internacional de países creada para promover la paz y la cooperación mundiales. Las Naciones Unidas se fundaron al término de la Segunda Guerra Mundial en 1945. Su misión es mantener la paz mundial, desarrollar buenas relaciones entre los países, promover la cooperación para resolver problemas mundiales y fomentar el respeto por los derechos humanos. Pág. 18.

Napoleón: Napoleón Bonaparte (1769–1821), líder militar francés. Subió al poder en Francia por la fuerza de las armas, se proclamó emperador y condujo campañas de conquista por Europa hasta su derrota final a manos de los ejércitos aliados que se le enfrentaron en 1815. Medio millón de hombres murieron en las Guerras Napoleónicas de 1799 a 1815. Pág. 135.

nazi: miembro del Partido Nacional Socialista Obrero Alemán, que en 1933, bajo el mando de Adolf Hitler, se apoderó del control político del país, suprimiendo toda oposición y estableciendo una dictadura sobre todas las actividades del pueblo. Promovió e impuso la creencia de que el pueblo alemán era superior y que los judíos eran inferiores (y que por lo tanto debían ser eliminados). El partido fue abolido oficialmente en 1945 al término de la Segunda Guerra Mundial (1939–1945). *Nazi* viene de la primera parte de la palabra alemana para el nombre del partido, *Nati(onalsozialistische),* que se pronuncia *nazi* en alemán. Pág. 19.

New York Times: periódico publicado en la ciudad de Nueva York desde 1851 y que hoy en día se distribuye en todo el país. Pág. 186.

New Yorker: revista semanal estadounidense publicada por primera vez en 1925, reconocida por sus artículos literarios y su humor. Pág. 186.

Nixon, Richard M.: Richard Milhous Nixon (1913–1994), político estadounidense que sirvió como vice presidente (1952–1960) y luego se postuló para presidente, perdiendo frente a John F. Kennedy (1917–1963), trigésimo quinto presidente de los Estados Unidos (1961–1963). Nixon se postuló para presidente una vez más en 1968 y ganó la elección, convirtiéndose en el trigésimo séptimo presidente de Estados Unidos. Se postuló una vez más en 1972 y fue elegido pero dimitió en 1974 bajo la amenaza de ser retirado de la presidencia por el escándalo en su papel sobre la autorización del robo de las oficinas del candidato del partido contrario durante la elección de 1972. Pág. 16.

Nueva Jersey: estado en el este de Estados Unidos, en la costa atlántica, cerca de Nueva York. Pág. 176.

número 98 de la Serie de Informes Técnicos de la Organización Mundial de la Salud de las Naciones Unidas, el: documento escrito en julio de 1955 titulado "Legislatura que Afecta al Tratamiento Psiquiátrico". Fue escrito por la Organización Mundial de la Salud y contiene los puntos de vista colectivos de un grupo internacional de supuestas "autoridades" en temas como los servicios psiquiátricos, la legislatura, las categorías de los pacientes, etc. Pág. 110.

O

obstinado, da: que se niega firme o tercamente a cambiar de opinión o de manera de proceder; no cede al razonamiento o a la persuasión. Pág. 220. Pág. 9.

occidente: los países de la Europa occidental y las Américas. Pág. 7.

Oficina de Comunicaciones Hubbard: Oficina de L. Ronald Hubbard, que originalmente se organizó con el propósito de manejar y agilizar las líneas de comunicación de LRH. Más tarde fue la división de una Iglesia de Scientology que construye, mantiene, dota de personal y controla a la organización. Contrata personal, le asigna puestos y lo entrena; encamina las comunicaciones de entrada y de salida; y mantiene la ética y la justicia entre los scientologists en el personal y en el área. Pág. 37.

Oficina de Inteligencia Naval: la agencia de inteligencia militar formada en 1882 para proporcionar inteligencia, contrainteligencia, requisitos de investigación y seguridad de la Marina de los Estados Unidos. Pág. 75.

Oficina de Investigación Naval: oficina de la Marina de Estados Unidos, establecida en 1946 con el propósito de planear y fomentar la investigación científica para mantener el poder naval y preservar la seguridad nacional. La oficina dirige la investigación en áreas como ingeniería, física, electrónica y ciencias cognitivas (el estudio de la inteligencia, la percepción, la memoria, el criterio, etc.) Pág. 221.

Oficina Fiscal de Estados Unidos: Internal Revenue Service, la división del Departamento del Tesoro de Estados Unidos que es responsable de cobrar impuestos sobre la renta y de otro tipo y de hacer que se cumplan las leyes relacionadas con los impuestos. Pág. 16.

ofuscado: notablemente torpe en comprender o insensible. Pág. 4.

ojos brillantes, visionario de: soñador cuyas ideas, planes, etc. no son prácticas o son demasiado fantásticos. Se caracteriza por tener *ojos brillantes*, ojos que muestran un fuerte deseo de actuar, de obtener o de conseguir algo. Pág. 94.

oligarquía: forma de gobierno en que el poder gobernante actúa de acuerdo a sus propios intereses excluyendo el bienestar social del pueblo que gobierna. Pág. 10.

oneroso: pesado, molesto o difícil de soportar. Pág. 97.

opio: droga adictiva que se prepara con el jugo de la adormidera (planta de grandes flores rojas, anaranjadas o blancas). Pág. 184.

oportunista: que se aprovecha hábilmente de oportunidades y situaciones para ganar dinero o poder, sin considerar si sus acciones son correctas o incorrectas. Pág. 9.

orden ejecutiva: una orden con la fuerza de la ley que el presidente de Estados Unidos da al ejército, a la marina o a cualquier otra parte de la rama ejecutiva del gobierno. Por ejemplo, la orden ejecutiva 9066 emitida durante la Segunda Guerra Mundial (1939–1945) por el presidente Franklin D. Roosevelt, autorizaba al ejército a excluir a cualquiera que considerara necesario de las zonas del ejército. Esta orden sirvió como base para destituir a aproximadamente 120,000 soldados de etnia japonesa, dos terceras partes de los cuales eran ciudadanos estadounidenses, de la costa del Pacífico, y debido a esto se les trasladó a diez campos establecidos en el interior de los EE.UU. Pág. 42.

Organización Mundial de la Salud: agencia de las Naciones Unidas establecida en 1948 con el propósito declarado de mejorar la salud de la gente a nivel mundial y de evitar o controlar las enfermedades contagiosas. Pág. 178.

Orwell, George: seudónimo de Eric Arthur Blair (1903–1950), famoso escritor inglés que ganó reputación por su astucia política y sus sátiras mordaces. Autor de novelas y de ensayos, Orwell comenzó a resaltar a principios de los años 40 gracias a sus dos libros más famosos: *Rebelión en la Granja* y *1984,* los cuales reflejan su eterna desconfianza y su desacuerdo con un gobierno dictatorial. Pág. 37.

Oscurantismo: periodo en la historia europea desde el año 400 d. C. y el siglo XIV. Este término hace alusión a la oscuridad intelectual, como la carencia de aprendizaje y educación durante este periodo, la pérdida de muchas destrezas artísticas y técnicas, y la virtual desaparición del conocimiento de las previas civilizaciones griega y romana. Este periodo fue también notable por muchas guerras, horribles ejecuciones y fuerza brutal en general. Pág. 174.

Oswald, Lee Harvey: (1939–1963) acusado de haber asesinado al presidente John F. Kennedy. Oswald fue arrestado después del asesinato el 22 de noviembre de 1963 pero antes de presentarse ante tribunal, Jack Ruby, propietario de un club nocturno de Dallas, le disparó mortalmente, afirmando estar consternado por el asesinato del presidente. Pág. 77.

Overholser, Winfred: (1892–1964) psiquiatra estadounidense y director del *Hospital St. Elizabeth,* un hospital psiquiátrico subvencionado por el gobierno para enfermos mentales y dementes criminales, fundado a mediados del siglo XIX en Washington D.C. Pág. 59.

P

Padres Fundadores: referencia a los estadistas norteamericanos del periodo revolucionario (finales del siglo XVIII) que abogaron y lucharon por ciertos principios fundamentales, como que toda la gente es igual ante la ley y que todos poseen ciertos derechos, que los gobiernos existen para proteger estos derechos y que reciben su poder para gobernar sólo mediante el acuerdo de la gente. Muchos de estos estadistas se reunieron como delegados para la Convención Constitucional en Filadelfia en 1787 (cuatro años después de la Guerra de Independencia de Estados Unidos), y redactaron la Constitución de los Estados Unidos. Pág. 10.

país satélite: país bajo el dominio o control de otro, se refiere especialmente a los países del este de Europa, como Hungría, Polonia, Checoslovaquia y otros que fueron dominados y controlados por la Unión Soviética en el siglo XX. Pág. 198.

países del este: grupo de países que consistía en la Unión Soviética y sus aliados. *Véase también* **Unión Soviética.** Pág. 194.

pan y circo: comida y entretenimiento; referencia a la práctica en la antigua Roma de dar de comer a la gente y de proveer entretenimiento público oficial (circos en el ruedo) en un intento por evitar disturbios y controlar a la población. Pág. 20.

panfletista: un escritor de panfletos que ataca a algo o impulsa una causa. Un *panfleto* es una hoja pequeña de papel o un folleto, normalmente de hojas sueltas y sin cubierta, que da información o apoya una postura. Pág. 201.

paraje: áreas de tierra, mar o aire que están o que pueden llegar a estar involucradas directamente en las operaciones de guerra. También se les llama *parajes de guerra.* Pág. 3.

paranoia: término psiquiátrico para una condición mental caracterizada por delirios o alucinaciones, sobre todo de grandeza, persecución, etc. Pág. 185.

parar el reloj: la acción de detener el tiempo, como cuando se para un reloj. Se refiere a *Beat the Clock, (Ganarle al Reloj)* un concurso popular de la televisión estadounidense a mediados del siglo XX, en el que los participantes intentaban realizar una tarea específica dentro de un tiempo límite (normalmente sesenta segundos o menos). Por ejemplo, a un concursante se le podía pedir que formara una frase conocida con palabras colocadas en desorden en un tablero magnético. Un gran reloj en el escenario iba contando el tiempo conforme la hazaña avanzaba. Aquellos que lograran "ganarle al reloj" ganaban dinero o premios. Pág. 31.

parlamentario, ria: relacionado con los *parlamentos,* conferencias, consejos oficiales o formales, normalmente involucrados con asuntos gubernamentales o asuntos públicos, tales como el proponer que se corrijan las leyes o se creen leyes nuevas. Pág. 24.

Partido Macedonio: referencia a los partidarios del conquistador extranjero Filipo de Macedonia (382–336 a. C.) en el senado griego. Cuando Grecia era una democracia, el rey del país vecino, Macedonia, Filipo II, que ya había conquistado algunas ciudades griegas por la fuerza, utilizó su dinero para sobornar a partidarios influyentes en Atenas. Como ahora podía ejercer su influencia en otras ciudades griegas, inició una serie de conquistas militares que eventualmente acabaron con la libertad griega. Grecia no recuperó su libertad de la ocupación extranjera hasta comienzos del siglo XIX. Pág. 51.

"pasatiempo": se refiere a relaciones o actividades sexuales sin restricciones. Pág. 19.

Pavlov: Ivan Petrovich Pavlov (1849–1936) fisiólogo ruso, célebre por sus experimentos con perros. Pavlov enseñaba comida a un perro, mientras hacía sonar una campana. Después de repetir este proceso varias veces, el perro (anticipadamente) segregaba saliva al sonar la campana, tanto si había comida como si no. Pavlov concluyó que todos los hábitos adquiridos por el hombre, incluso sus actividades mentales superiores, dependían de los reflejos condicionados. Pág. 10.

Pearl Harbor: puerto en Hawai, emplazamiento de una importante base naval de Estados Unidos. Un devastador ataque aéreo japonés sobre Pearl Harbor por sorpresa el 7 de diciembre de 1941 impulsó a Estados Unidos a entrar en la Segunda Guerra Mundial (1939–1945). Pág. 77.

peldaños, fatídicos: referencia al patíbulo que tradicionalmente se construía con trece peldaños. Al final de la escalera había una plataforma con una puerta falsa, y por encima una soga suspendida. La persona condenada subía los trece peldaños para ser ahorcada. Pág. 136.

penitenciaría: prisión donde un estado o el gobierno federal de Estados Unidos encarcela a delincuentes que han cometido crímenes graves. Pág. 40.

perro, buen: característica de una persona que es suave, blanda y para nada agresiva. Pág. 7.

persas atacan a Grecia: los ataques de la antigua Persia (un imperio en el oeste y suroeste de Asia) contra los griegos a finales del año 400 a. C. En algunas batallas clave los griegos derrotaron a los persas, poniendo así fin a los intentos de los persas por extender su imperio hacia el oeste. Pág. 195.

persona non grata: literalmente, persona que no es aceptable. Esta frase se utiliza para referirse a alguien que por alguna razón no es aceptable, es censurable o no es bien recibido. Pág. 15.

perspicacia: agudeza y rapidez mentales. Pág. 4.

picahielos: referencia a la operación psiquiátrica en la que se introduce con fuerza un picahielos a través de las cuencas oculares taladrando el delgado hueso que las separa de los lóbulos frontales. La punta del picahielos se inserta entonces en los lóbulos frontales para cortar las fibras nerviosas que los conectan con el resto del cerebro, haciendo que el paciente se convierta emocionalmente en un vegetal. Pág. 117.

pilares: gente vista como esencial para la continua existencia de una sociedad, estado, organización, etc., debido a su apoyo (financieramente u otra cosa) a esa sociedad, estado, organización, etc. Pág. 9.

Platón: (427–347 a. C.) filósofo griego cuya obra sobre el estado justo, que lleva el título de *La República,* describía al *rey-filósofo,* el gobernador ideal, entrenado e ilustrado filosóficamente. Según Platón, los individuos deberían ser educados hasta un nivel compatible con el interés y la capacidad. Aquellos que terminan todo el proceso educativo llegan a ser reyes-filósofos, y serán capaces de tomar las decisiones más inteligentes. Pág. 135.

policía secreta: fuerza policiaca que funciona como brazo impositivo de las políticas de un gobierno y cuyas actividades, que incluyen vigilancia, intimidación y violencia física como medio de reprimir el desacuerdo con las políticas, están ocultas al público. Pág. 10.

político: relativo a la *política,* la ciencia o práctica de gobernar; la reglamentación y dirección de una nación o gobierno para preservar su seguridad, paz y prosperidad. El *gobierno* es la entidad que controla a una nación, estado o pueblo y que dirige su política, sus acciones y sus asuntos. Pág. 1.

Polo, Marco: (1254–1324) viajero y escritor originario de Venecia, Italia, cuyos relatos de sus viajes y experiencias en China ofrecieron a los europeos una visión de primera mano de las tierras de Asia y estimularon el interés en el comercio con Asia. Pág. 3.

pompa: gran despliegue de medios que acompañan un acto importante o una ceremonia. Pág. 178.

Popov, Dusko: Dusan "Dusko" Popov (1912–1981), espía británico de origen serbio que trabajó con los británicos como doble agente durante la Segunda Guerra Mundial (1939–1945). Pág. 77.

porra: palo corto que un oficial de policía usa como arma. Pág. 59.

Port Orchard: centro turístico y comunidad pesquera en el oeste del estado de Washington en *Puget Sound,* una bahía larga y angosta del Océano Pacífico en la costa noroeste de Estados Unidos. Pág. 71.

portátil: movible y fácil de transportar. Pág. 236.

postulado: pensamiento auto-determinado que comienza, para o cambia esfuerzos pasados, presentes o futuros. Pág. 101.

potro: antiguo instrumento de tortura que consistía en un armazón sobre el cual se ataba a una persona de las muñecas y los tobillos para ser estirado lentamente conforme el armazón se extendía. Pág. 201.

preclear: de *pre-* y *Clear,* una persona que todavía no es Clear; generalmente una persona que está recibiendo auditación y que por lo tanto, está en camino de llegar a Clear; nombre de un estado que se alcanza mediante la auditación o un individuo que ha alcanzado dicho estado. El Clear es una persona que no está aberrada. Es racional porque concibe las mejores soluciones posibles con los datos que tiene y desde su punto de vista. Pág. 117.

prefacio: se refiere al Prefacio de la Constitución de Estados Unidos, que declara que la Constitución tiene el propósito de "formar una Unión más perfecta, establecer Justicia, asegurar la tranquilidad doméstica, proveer defensa nacional, ayudar al bienestar general, y proteger las Bendiciones de la Libertad para nosotros mismos y para nuestra Posteridad". Pág. 46.

preparar cabezas para la guillotina: referencia a las ejecuciones que ocurrieron durante la Revolución Francesa (1789–1799), cuando miles de personas fueron decapitadas en la guillotina. Pág. 72.

préstamos de ayuda: sistema establecido por el gobierno estadounidense en 1941, por medio del cual Estados Unidos proporcionó armas, comida, equipo, etc., a sus aliados durante la Segunda Guerra Mundial (1939–1945) con el acuerdo de que tal ayuda se reembolsaría después de la guerra. Sin embargo, después de la guerra surgieron objeciones para exigir el pago, pues algunas personas dijeron, por ejemplo, que estas contribuciones de los Estados Unidos habían sido compensadas por los sacrificios de otros países. Pág. 97.

Primer Libro: *Dianética: La Ciencia Moderna de la Salud Mental,* el texto básico de las técnicas sobre Dianética, escrito por L. Ronald Hubbard y publicado por primera vez en 1950. Pág. 222.

PRO: práctica de intentar promover la buena voluntad, a menudo creando una falsa impresión. Literalmente, las iniciales para la *Oficina de Relaciones Públicas* o el *Oficial de Relaciones Públicas.* Pág. 178.

problema de tiempo presente: un problema que está sucediendo en tiempo presente, absorbiendo la atención de la persona. Pág. 85.

procedimiento legal: curso de procesos legales establecidos por el sistema legal de una nación o estado para proteger los derechos individuales y las libertades. A ningún ciudadano se le niega su derecho legal y todas las leyes deben ajustarse a principios legales, aceptados y fundamentales, como el derecho del acusado a confrontar sus acusadores. Pág. 19.

procesamiento: aplicación de las técnicas de Dianética o Scientology (llamadas *procesos*). *Véase también* **procesar.** Pág. 164.

procesar: aplicar las técnicas de Dianética y Scientology (procesos) a (alguien). Un *proceso* es una serie exacta de instrucciones o secuencias de acción aplicadas por un profesional de Dianética o Scientology para ayudar a una persona a descubrir más sobre sí misma y sobre su vida y para mejorar su condición. Pág. 53.

procesos adecuados: los procesos legales establecidos por el sistema legal de una nación o estado para proteger los derechos y las libertades individuales. A ningún ciudadano se le negarían sus derechos legales y todas las leyes deben ajustarse a principios fundamentales y legales aceptados, como el derecho del acusado a confrontar a sus acusadores. Pág. 201.

Profumo, escándalo de: un escándalo (en 1963) que involucró a John Profumo (1915–2006), que entonces Ministro del Interior para la Guerra, en el Reino Unido, quien tuvo una aventura con la prostituta profesional Christine Keeler. El jefe de Keeler, Stephen Ward, trabajaba al servicio de la MI5 (agencia de inteligencia británica) que estaba tratando de atrapar a Eugene Ivanov, un oficial de la embajada soviética y posible agente de inteligencia. El consiguiente escándalo suscitó preguntas sobre la seguridad nacional (un secretario del gabinete británico y un posible espía soviético estaban teniendo una aventura con la misma mujer), y también reveló fiestas descabelladas y promiscuidad que involucraban a varios personajes de la sociedad británica. Profumo dimitió de su posición en medio de toda la controversia. Pág. 114.

profusamente: con excesiva abundancia. Pág. 143.

Programa de Ministros Voluntarios: establecido por L. Ronald Hubbard a mediados de la década de 1970, el Programa de Ministros Voluntarios es un movimiento mundial a nivel popular en el que participan personas todos los ámbitos de la vida, que se dedica a proporcionar ayuda práctica a otros en comunidades alrededor del mundo. Un *Ministro Voluntario* es una persona que ayuda a sus semejantes como voluntario a restaurar su propósito, la verdad y los valores espirituales. Pág. 4.

Prohibición, Acta de: ley que estuvo vigente durante un periodo en Estados Unidos (1920–1933) cuando la ley federal prohibió la fabricación, el transporte y la venta de bebidas alcohólicas. Mucha gente ignoró esta prohibición nacional. Pág. 46.

provocación: motivo para atacar a alguien. Pág. 136.

provocadores de la chusma: alguien que provoca ira, violencia u otro sentimiento fuerte en un grupo o multitud mediante la emoción, especialmente por razones políticas. Pág. 9.

psicodélico: relacionado con el periodo o la cultura asociada con las *drogas psicodélicas,* drogas (como el LSD) capaces de producir alucinaciones y otros efectos psíquicos anormales que parecen ser trastornos mentales. Pág. 107.

psicopático: de los *psicópatas,* aquellos cuyo comportamiento es mayormente antisocial y sin principios morales; se caracteriza por la irresponsabilidad, la falta de remordimiento o vergüenza, el comportamiento criminal y otros graves defectos de la personalidad. Pág. 155.

psicopolítico, pieza de engranaje: elemento que se caracteriza por la interacción de la política y la psiquiatría o los medios psiquiátricos para conseguir fines políticos. Pág. 6.

psicosomático: *psico* se refiere a la mente, y *somático* se refiere al cuerpo; el término *psicosomático* quiere decir que la mente hace que el cuerpo enferme o se refiere a dolencias creadas físicamente en el cuerpo por la mente. La descripción de la causa y fuente de las enfermedades psicosomáticas se encuentra en *Dianética: La Ciencia Moderna de la Salud Mental.* Pág. 191.

psicotrópico: que afecta la actividad mental, el comportamiento o la percepción. Pág. 204.

Psiquiatría Comunitaria: rama de la psiquiatría que se ocupa de la supuesta detección, prevención y tratamiento de trastornos mentales dentro de un área social, cultural o geográfica especificas. Pág. 151.

Psiquiatría, revista: revista fundada en 1938 por el psiquiatra estadounidense Harry Stack Sullivan (1892–1949). Sullivan, que también editaba la revista, fundó también la Escuela de Psiquiatría de Washington D.C. y estuvo involucrado en la formación de la Federación Mundial de Salud Mental en 1948. Pág. 135.

quinta columna: durante la Guerra Civil Española (una guerra entre 1936 y 1939, en la que participaron las fuerzas rebeldes bajo el general español Francisco Franco y el Gobierno Español) un grupo de simpatizantes en Madrid trabajó en secreto para ayudar a las fuerzas rebeldes a derrocar al gobierno. A estos simpatizantes se les llamó la *quinta columna,* en 1936, cuando uno de los hombres de Franco hizo una emisión de radio en un intento de desmoralizar a las fuerzas del gobierno, afirmando: "Tenemos cuatro columnas en el campo de batalla en su contra y una quinta columna dentro de sus rangos". Desde entonces la *quinta columna* ha significado cualquier grupo de agentes secretos o traidores que operan dentro del país. Una *columna* es una formación de tropas donde los soldados marchan uno detrás del otro. Pág. 105.

R

ralea: tipo, especie o clase. Pág. 209.

rama ejecutiva: una de las tres secciones principales del gobierno de Estados Unidos. La rama ejecutiva, a cuya cabeza está el presidente, se encarga de ejecutar planes, acciones o leyes, y de administrar asuntos públicos. Estas funciones son distintas a las de las otras dos secciones principales: *la rama legislativa* que elabora las leyes de la nación, y la *rama judicial,* que interpreta las leyes si surgen preguntas. Pág. 6.

rapiña: robo o saqueo violentos. Pág. 201.

raza aria: gente de raza caucásica (blanca), cuyo origen no fuera judío, que se suponía tenían capacidades superiores para gobernar, para la organización social y para la civilización. Pág. 31.

razonable: que emplea o muestra razonamiento o sano juicio; sensato. Pág. 2.

Reagan, Ronald: (1911–2004) estadista estadounidense y cuadragésimo presidente de los EE.UU. (1981–1989). Como actor de cine, Reagan apareció en unas cincuenta películas. Después de servir en el ejército durante la Segunda Guerra Mundial (1939–1945) se involucró en la política y llegó a ser gobernador de California, una posición que mantuvo desde finales de la década de 1960 hasta principios de la de 1970. Ganó las elecciones presidenciales en 1980 y en 1984. En 1981, mientras salía de un hotel en Washington D.C., John Hinckley, hijo, un paciente psiquiátrico que estaba entre la muchedumbre hizo varios disparos hiriendo al presidente y a otras dos personas. *Véase También* **Hinckley, hijo, John.** Pág. 204.

realeza de Austria: referencia a la monarquía austriaca a principios del siglo XX. Especialmente el Archiduque Francis Ferdinand (1863–1914) heredero al trono de Austria, que fue asesinado el 28 de junio de 1914. Más tarde, después de la derrota en la Primera Guerra Mundial (1914–1918) y el consecutivo hundimiento del imperio Austríaco, el emperador Carlos I (1887–1922) fue destronado y desterrado. Pág. 128.

Rebelión de Shays: revuelta en Massachusetts (1786–1787) por los granjeros que se enfrentaron al encarcelamiento o pérdida de sus propiedades porque no podían pagar sus deudas. El levantamiento fue dirigido por Daniel Shays (¿1747?–1825), ex capitán del ejército en la guerra de Independencia de Estados Unidos, y fue una de las diversas protestas durante la depresión económica que ocurrió después de la guerra. La rebelión fue sofocada finalmente, los involucrados fueron perdonados y se aprobaron leyes que eliminaron los impuestos opresivos. Pág. 46.

Rebuznes, ministro: nombre inventado para un ministro. Pág. 49.

recesión: periodo de contracción económica, marcado por una reducción del empleo, los beneficios y las ventas. Pág. 83.

recluta: se refiere a una persona que ha sido obligada a unirse al ejército y luchar. Pág. 21.

recurso: maneras en las que uno puede conseguir ayuda o una solución a un problema. Pág. 68.

Rees, John Rawling: (1890–1969) psiquiatra británico y director médico de la Clínica Tavistock desde 1934 (una clínica experimental en Londres), también fue el primer presidente y director de la Federación Mundial de la Salud Mental. Rees estaba a favor de la psicocirugía y el tratamiento de electrochoque. Pág. 105.

referéndum: someter una ley, propuesta o ya en efecto, al voto directo del pueblo. Pág. 46.

regenerado: persona a la que se restaura o eleva una vez más desde una condición inferior. Pág. 155.

régimen: una forma de gobierno o dominio; sistema político. También, un sistema, especialmente uno impuesto por un gobierno. Pág. 10.

Regüéldez, senador: nombre inventado para un político. Pág. 49.

Reich, Wilhelm: (1897–1957) psiquiatra y crítico social austriaco. Después de ser expulsado por el partido comunista en 1937, se trasladó a Estados Unidos donde ejerció durante muchos años. En los últimos años de su vida, Reich mostró poco interés en la psiquiatría, y en su lugar dedicó sus esfuerzos a los descubrimientos en el campo de la física. Desarrolló el acumulador orgone, el cual creía que podía capturar cierta energía en la atmosfera (lo que llamó *orgone*) para curar el cáncer. En 1956 fue sentenciado a dos años de prisión por desobedecer un requerimiento judicial del gobierno que la Administración de Alimentos y Drogas había presentado en su contra, ordenando la destrucción de todas las cajas de orgone, sus diarios y libros. Murió estando en prisión un año más tarde. Pág. 223.

repatriado: caracterizado por haber regresado al país de origen o ciudadanía de uno. Pág. 3.

represalia: castigo que se causa o impone por el mal que se ha hecho. Pág. 136.

represión: condición que ocurre cuando se ejerce control a la fuerza en cosas como la libertad de expresión, pensamiento, creatividad o algo similar. Pág. 2.

reprochar: criticar a alguien por haber hecho algo mal. Pág. 167.

república: un estado donde el poder supremo está en el pueblo y en los representantes o funcionarios que ha elegido, a diferencia de un pueblo gobernado por un rey o un gobernante similar. Pág. 10.

réquiem: composición musical para la misa de difuntos. Pág. 10.

retención: la capacidad de recordar. Pág. 220.

retórico: lenguaje capaz de deleitar, persuadir o conmover. Pág. 18.

Revolución Cubana: levantamiento en Cuba en 1958 que derrocó la dictadura militar de Fulgencio Batista (1901–1973) y llevó al poder al líder revolucionario Fidel Castro (1926–). La revolución estableció el único estado comunista en el hemisferio occidental y produjo cambios significativos en la estructura económica y social de la sociedad cubana. Pág. 88.

revolución de 1917: la revolución Rusa de 1917 que derrocó al Zar (emperador de Rusia), consistió en dos revoluciones distintas, una en febrero de 1917, en la cual un gobierno temporal tomó el poder, y la otra en octubre, en la cual este gobierno fue reemplazado por el Gobierno Soviético Comunista encabezado por Vladimir Lenin (1870–1924). Pág. 131.

Revolución Francesa: revolución que tuvo lugar en Francia (1789–1799), que derrocó a la monarquía y a la aristocracia francesas y al sistema de privilegios de que disfrutaban. Pág. 88.

rey-filósofo: de acuerdo con Platón, el gobernador ideal, alguien que está entrenado e ilustrado filosóficamente. *Véase también* **Platón.** Pág. 135.

rivalizar: contender unos con otros, aspirando a lograr algo. Pág. 36.

Robinson, Kenneth: (1911–1996) ministro de salud en Gran Bretaña a finales de los años 60. Robinson fue el ex-vicepresidente de la Asociación Nacional de la Salud Mental, un grupo privado en el Reino Unido que se especializa en el "tratamiento" de las familias de aristócratas. Fue una de las personalidades clave en el ataque británico de 1968 contra Scientology y después de esto fue destituido como ministro de salud debido a esta campaña impopular. Pág. 26.

Rodesia: antigua región en el sur de África, actualmente es el país de Zimbabue. Pág. 15.

Roma: la ciudad (y más tarde, el imperio) de la antigua Roma, que en su apogeo incluía a la Europa occidental y meridional, Gran Bretaña, el Norte de África y los territorios orientales del Mar Mediterráneo, que duró desde el año 500 a. C. hasta el año 400 d. C., cuando sucumbió ante las tribus invasoras germánicas. En el último siglo del imperio, las condiciones comenzaron a decaer marcadamente debido a la desintegración económica, los emperadores débiles, las tribus invasoras y el hecho de que el gobierno central proporcionara pocos servicios y escasa protección mientras que exigía mayores impuestos. Pág. 20.

Roosevelt: Franklin D. Roosevelt (1882–1945), trigésimo segundo presidente de Estados Unidos (1933–1945). Fue el único presidente elegido cuatro veces. Roosevelt dirigió Estados Unidos durante la depresión económica de la década de 1930 y durante la Segunda Guerra Mundial (1939–1945). Pág. 76.

rueda: rueda imaginaria que simboliza suerte u oportunidad que se dice hace girar el ser mitológico conocido como Fortuna. Pág. 10.

Rusia zarista: Rusia bajo los *zares,* emperadores rusos que tenían poder absoluto. La Rusia zarista existió desde mediados del siglo XVI hasta la Revolución Rusa de 1917. Esta revolución derrocó al zar y estableció un gobierno comunista. Pág. 42.

S

sadismo: crueldad refinada con placer de quien la ejecuta. Pág. 44.

Saint Hill Manor: "manor" en inglés significa una casa grande junto con sus terrenos. Básicamente es una finca. Saint Hill Manor está ubicada en East Grinstead, Sussex, en Inglaterra, y fue la residencia de L. Ronald Hubbard y también el centro de comunicaciones y entrenamiento internacional de Scientology desde finales de los años 50 hasta mediados de los años 60. Pág. 7.

Saint-Simon, Conde de: Claude Henri de Rouvroy, Conde de Saint-Simon (1760–1825), filósofo francés que favorecía la creación de un orden social dirigido por hombres de la ciencia y de la industria en el que toda la gente trabajaría y recibiría recompensas equivalentes a su trabajo. Ninguna persona podría heredar riquezas y todos los individuos comenzarían la vida con las mismas bases. (*Conde* es un título de la nobleza). Pág. 54.

sala de oficiales: en un buque de guerra, un comedor y salón para los oficiales, distintos del comandante en jefe. Pág. 20.

sanatorio: se refiere a una institución para los enfermos mentales. Pág. 98.

Savannah: puerto marítimo en la costa atlántica de Georgia, estado en el sureste de los Estados Unidos. Pág. 118.

Schopenhauer: Arthur Schopenhauer (1788–1860), filósofo alemán que creía que la voluntad de vivir es la realidad fundamental y que esta voluntad, al ser un esfuerzo constante, no se puede satisfacer y sólo causa sufrimiento. Pág. 86.

Scientology: Scientology es el estudio y tratamiento del espíritu con relación a sí mismo, los universos y otros seres vivos. La palabra Scientology viene del latín *scio,* que significa "saber en el sentido más pleno de la palabra" y la palabra griega *logos,* que significa "estudio". En sí, la palabra significa literalmente "saber cómo saber". Pág. 1.

secretorio: que está conectado o que ayuda a la *secreción,* el proceso de producir una sustancia a partir de las células y fluidos en el interior de una glándula u órgano y hacerla salir. Pág. 131.

secuaz: partidario leal o seguidor de un líder político corrupto o criminal. Pág. 135.

Segunda Guerra Mundial: (1939–1945) conflicto que implicó a todas las grandes potencias mundiales. Por un lado estaban los aliados (principalmente Gran Bretaña, Estados Unidos y la Unión Soviética) y por el otro lado estaban las potencias del Eje (Alemania, Japón e Italia). El conflicto fue el resultado de la aparición de regímenes militaristas en Alemania, Japón e Italia tras la Primera Guerra Mundial. Acabó con la rendición de Alemania el 8 de mayo de 1945 y la de Japón el 14 de agosto de 1945. Pág. 3.

sen: una moneda de poco valor en algunas monedas de Asia, de una palabra en chino que quiere decir *dinero* o *moneda.* Pág. 101.

senado: asamblea o consejo de ciudadanos que tienen el poder más alto para tomar decisiones importantes, especialmente el organismo legislativo de un estado o nación. Pág. 51.

servidor público: persona elegida o nombrada para una posición gubernamental. Pág. 42.

Sicilia: isla en la punta sur de Italia, lugar de lucha durante la Segunda Guerra Mundial (1939–1945), cuando las fuerzas aliadas capturaron la isla (agosto de 1943). Desde Sicilia, los aliados fueron finalmente capaces de continuar hacia el norte a través de Italia, lo cual fue clave para derrotar a los ejércitos de Italia y Alemania. Pág. 170.

simbiótico(a): que se caracteriza o resulta de un estado de *simbiosis,* cualquier relación interdependiente o mutuamente benéfica entre dos personas, grupos, etc. Pág. 59.

sindicato laboral: organización de asalariados que se establece para ayudar y apoyar los intereses de sus afiliados en lo que se refiere a salarios, beneficios, horarios y condiciones laborales. Pág. 76.

singular: extraordinario, muy notable. Pág. 53.

siniestro: maligno, malvado o malo, sobre todo, de alguna manera oscura y misteriosa. Pág. 6.

socialismo: sistema económico en el que la producción y la distribución de los bienes los controla el gobierno en lugar de los individuos. Pág. 86.

Sociedad Real: la *Sociedad Real de Londres,* la sociedad científica más prestigiosa y más antigua del Reino Unido, a través de la cual el gobierno británico ha apoyado investigaciones científicas desde 1662. Pág. 131.

sociología: estudio de los individuos, grupos e instituciones que constituyen la sociedad humana, incluyendo la forma en que los miembros de un grupo responden entre sí. Pág. 83.

sociólogo: alguien que practica la *sociología.* Pág. 144.

Stalin: Joseph Stalin (1879–1953), primer ministro de la Unión Soviética de 1941 a 1953, que gobernó mediante el terror, no permitiendo que nadie se opusiera a sus decisiones y bajo quien millones de personas fueron ejecutadas o enviadas a campos de trabajo. Entre esos millones estaban aquellos que más le ayudaron a elevarse al poder, también campesinos soviéticos que se oponían a su programa de la agricultura colectiva (granjas controladas por el gobierno). Pág. 49.

Stonehenge: dos círculos concéntricos de grandes rocas colocadas en posición vertical que se encuentran unos 130 kilómetros al oeste de Londres, Inglaterra, y se cree que fueron construidos entre los años 2500 y 2000 a. C. En la antigüedad, se utilizaban para ceremonias religiosas y sacrificios. Pág. 113.

subatómico: perteneciente a las pequeñas partículas en un átomo. Esto incluye a aquellas que se encuentran en el núcleo del átomo, tal como un protón (partícula con carga positiva) o neutrón (partícula que no tiene carga); o cualquier otra partícula fuera del núcleo, como los electrones (partículas con carga negativa). Pág. 217.

subordinación: el estado o condición de estar preparado para obedecer a otros incondicionalmente. Pág. 49.

subterfugio: manera secreta y deshonesta de hacer algo; una acción diseñada para esconder, evitar o escapar de algo. Pág. 237.

subvención: cantidad de dinero que se ha apartado en un presupuesto, especialmente el presupuesto de un gobierno, con un fin concreto. Pág. 26.

subversión: acción, plan o actividad de socavar o corromper los principios de algo. Pág. 6.

subversivo(a): que tiende a socavar o que intenta socavar, corromper, derrocar o destruir un gobierno, institución, creencia, etc., establecidos. Pág. 10.

sufragio universal: el derecho a votar (sufragio) de todas las personas a partir de cierta edad, normalmente dieciocho o veintiún años, y que en otros aspectos satisfacen los requisitos establecidos por la ley. Pág. 15.

sugestión posthipnótica: una sugestión que se hace durante el hipnotismo para que sea efectiva después de despertar. Aquí, *sugestión* significa el proceso de influenciar a una persona para que acepte una idea, orden, impulso, etc., sin su consentimiento consciente. Pág. 121.

superselectos: elegidos (seleccionados) por su adherencia estricta a los puntos de vista extremos de los nazis, que incluían la superioridad racial, con el propósito de destrozar grupos que no se consideraban dignos. Pág. 29.

supresión: acciones o actividades que aplastan, impiden, minimizan, no permiten alcanzar, hacen que alguien esté incierto acerca de su alcance, anulan o reducen en cualquier forma posible, por cualquier medio posible, para perjuicio del individuo; una intención o acción dañina contra la que la persona no puede defenderse. Pág. 1.

supresivo: relacionado con la supresión o que tiene esa naturaleza. *Véase también* **supresión.** Pág. 90.

supresivos: personas que suprime a otras a su alrededor. Una Persona Supresiva estropeará o envilecerá cualquier esfuerzo de ayudar a alguien y en particular atacará con violencia a todo aquello que esté destinado a hacer a los seres humanos más poderosos o más inteligentes. El razonamiento total de una Persona Supresiva se basa en la creencia de que si alguien se pusiera mejor, la persona supresiva estaría acabada, pues entonces los demás podrían vencerle. Está librando una batalla que antes libró y que nunca dejó de librar. Pág. 85.

supurante: llaga cuya infección está aumentando y por lo tanto empeorando. Se usa en sentido figurado para describir una influencia peligrosa, dañina o perversa que se está haciendo más severa. Pág. 173.

T

Tavistock: clínica psiquiátrica en Londres, Inglaterra, establecida en 1920. Desde su fundación, la clínica Tavistock se ha destacado por la investigación y la experimentación en el campo de la salud mental. Pág. 105.

tejido social: elemento que imparte fuerza, dureza o durabilidad. Pág. 200.

telón: se utiliza para indicar el fin de algo, como en *"caer el telón"* o simplemente *"telón"*, de una representación teatral donde se baja una cortina o telón en un escenario para indicar que la actuación ha terminado. Pág. 20.

tenacidad: la cualidad de ser muy persistente; determinación; firmeza. Pág. 92.

Tercer Reich: término adoptado por Adolf Hitler durante los años 20 para describir el régimen milenario que quería crear en Alemania conquistando Europa. *Reich* es una palabra alemana que significa estado o imperio. Pág. 33.

termonuclear: que involucra o tiene que ver con las bombas termonucleares, también llamadas *bombas de hidrógeno,* aparatos explosivos más poderosos que las bombas atómicas, que reciben su energía de la fusión (combinación) de átomos de hidrógeno a temperaturas extraordinariamente altas (varios millones de grados). Pág. 15.

tiempo presente: ahora; el momento o tiempo actual. Pág. 202.

timador: alguien que hurta con engaño; engañar a otro con promesas o esperanzas. Pág. 173.

***Time* revista:** revista semanal estadounidense, publicada por primera vez en 1923 en la ciudad de Nueva York, Nueva York. Pág. 114.

tiranía: crueldad e injusticia al ejercer el poder o autoridad sobre otros. Pág. 2.

títere: alguien cuyas acciones están controladas por una fuerza o influencia exterior. Literalmente, un *títere* es una figurita de pasta u otra materia, vestida y adornada, que se mueve con alguna cuerda o introduciendo una mano en su interior. Pág. 34.

tópico: palabra o frase popular que se repite tan a menudo que se identifica con una idea en particular, una creencia, escuela de pensamiento o algo parecido. Pág. 6.

totalitario: relacionado con un régimen político que se basa en la subordinación del individuo en el estado, y el control estricto de todos los aspectos de la vida y la capacidad productiva de la nación, especialmente mediante medidas opresivas (como la censura y el terrorismo). Pág. 16.

Trabajadores Mineros Unidos: sindicato de trabajadores de las minas de carbón organizado en 1890, uno de los sindicatos más grandes de Estados Unidos. Debido a la importancia del carbón para las industrias, este sindicato ejercía una considerable influencia en los asuntos de la industria. En el periodo de 1933 a 1950, sus frecuentes huelgas por reclamaciones salariales, condiciones de trabajo y otros beneficios resultaron en interrupciones laborales que amenazaron la economía de la nación. Pág. 76.

trabajo de convicto: trabajo impuesto a los criminales aparte del encarcelamiento. Pág. 71.

tragedia del 11 de septiembre: referencia a la destrucción, muerte y sufrimiento que ocurrió el 11 de septiembre de 2001 en el Centro Mundial de Comercio (World Trade Center), un complejo en la ciudad de Nueva York que incluía dos rascacielos idénticos (los edificios más altos de EE. UU., con 110 pisos). Estos edificios fueron destrozados cuando dos aviones tomados por terroristas chocaron contra ellos, causando el peor desastre de la historia relacionado con edificios y matando a unas 2,800 personas. Pág. 116.

tribunal superior: cualquier tribunal que puede escuchar y decidir sobre casos de otros tribunales; tribunal de apelación. Pág. 71.

Tribunal Supremo: tribunal más alto en Estados Unidos. El Tribunal Supremo consiste en nueve jueces designados por el presidente, que toman decisiones sólo en cuestiones constitucionales. Pág. 41.

Tuinal: marca de un medicamento que se usaba como sedante de efectos rápidos y relativamente duraderos o como hipnótico. Pág. 134.

tumulto: conmoción violenta y ruidosa, insurrección, revuelta o disturbio, de una multitud o muchedumbre, alboroto. Pág. 83.

Turrou, Leon: Leon George Turrou (1895–1986), agente estadounidense del FBI de origen polaco, que fue fundamental para el arresto de una banda de espías nazis durante la década de los 30. La película *Confesiones de un Espía Nazi* (1939) se tomó de sus escritos. Pág. 76.

U

ungido: elegido o que dirige como si tuviera derecho divino y por lo tanto considerado incapaz de hacer el mal. De la ceremonia religiosa de ungir a un gobernante con aceite como señal de su derecho sagrado a gobernar. Pág. 31.

Unión Soviética: el primer país comunista y el más poderoso, su nombre completo es Unión de Repúblicas Socialistas Soviéticas, que existió de 1922 a 1991, cuando el partido comunista perdió el poder. La Unión Soviética consistía en quince repúblicas, muchas de las cuales formaron la Comunidad de Estados Independientes después de la separación de la URSS. Pág. 126.

Universidad de Princeton: universidad estadounidense de renombre y la cuarta institución más antigua de enseñanza superior en Estados Unidos, localizada en la ciudad de Princeton, Nueva Jersey, EE.UU. Pág. 3.

usurero: que cobra una cantidad excesivamente alta de intereses por el dinero que se presta. Pág. 83.

usurpador: que se apodera de una propiedad o derecho que legítimamente pertenece a otro, por lo general con violencia. Pág. 37.

utopía: plan impráctico y normalmente increíblemente ideal, especialmente para el mejoramiento social. Originalmente, se consideraba que una utopía era un lugar de perfección ideal en cuanto a las leyes, el gobierno y las condiciones sociales. El nombre fue el título de un libro (1516) escrito por Thomas More, estadista y autor inglés que acuñó la palabra del griego *ou,* que significa "no", y *topos,* que significa "lugar", lo que equivale a ningún lugar. Pág. 34.

utopista: aquellos que hablan, prometen o trabajan hacia una *utopía,* un plan ideal poco práctico y normalmente imposible, especialmente un plan relacionado con mejoras sociales. *Véase también* **utopía.** Pág. 37.

V

vanguardia: al frente de un movimiento, campo o tendencia cultural. Pág. 232.

vejatorio: que causa *vejación,* maltratar, molestar, perseguir a uno o hacerlo padecer. Pág. 64.

venerado: tratado con gran respeto o reverencia. Pág. 9.

"ver un rojo bajo cada matorral": encontrar a un *rojo,* un radical político o revolucionario, especialmente un comunista, en todos los lugares que uno mire. Pág. 198.

Verwoerd, Hendrik: referencia a Hendrik Frensch Verwoerd (1901–1966), líder político de Sudáfrica, el principal arquitecto de la política de separación racial conocida como apartheid. Profesor de psicología durante la década de 1930, Verwoerd llegó a ser senador, llegó a puestos a nivel del gabinete de ministros, y finalmente se convirtió en primer ministro en 1958. Fue asesinado en 1966. Pág. 15.

Vietnam: país tropical del sudeste Asiático, escenario de una guerra a gran escala de 1954 a 1975 entre Vietnam del Sur y Vietnam del Norte (este último controlado por los comunistas). Estados Unidos entró a esta guerra a mediados de la década de 1960 dándole su apoyo al Sur. A finales de la década de 1960, debido a la duración de la guerra, al alto número de bajas estadounidenses y a la participación de Estados Unidos en crímenes de guerra contra los vietnamitas, la participación estadounidense perdió popularidad en Estados Unidos y fue objeto de duras protestas. En 1973, a pesar de que continuaban las hostilidades entre Vietnam del Norte y del Sur, Estados Unidos retiró todas sus tropas. Para 1975, los comunistas habían invadido el Sur de Vietnam y la guerra se dio oficialmente por terminada, llevando a la unificación del país (1976) como la República Socialista de Vietnam. Pág. 16.

Virginia: estado al este de los Estados Unidos, al sur de Washington, D.C. Pág. 176.

virtud: comportamiento que muestra un estándar de moral alta. Pág. 110.

virulento(a): violento y rápido en su acción; mortal. Pág. 86.

visionario de ojos brillantes: soñador cuyas ideas, planes, etc. no son prácticas o son demasiado fantásticos. Se caracteriza por tener *ojos brillantes*, ojos que muestran un fuerte deseo de actuar, de obtener o de conseguir algo. Pág. 94.

vital: de suma importancia o trascendencia. Pág. 20.

Washington, George: (1732–1799) general y líder político de EE.UU. Fue el comandante en jefe de las fuerzas americanas durante la Guerra de Independencia Americana (1775–1783) y el primer presidente de Estados Unidos (1789–1797). Pág. 10.

Watergate: conjunto de edificios en Washington, D.C., que incluye las oficinas de la sede central del Partido Democrático. El nombre *Watergate* se usa para referirse al escándalo político (1972–1974) que resultó en la dimisión del aquel entonces presidente Richard Nixon. El escándalo salió a la luz cuando unos ladrones entraron en las oficinas del partido democrático ubicadas en el complejo de Watergate. Las investigaciones revelaron que los ladrones tenían enlaces con el Partido Republicano, lo que a su vez condujo a oficiales con puestos altos en el gobierno y finalmente hasta el presidente. Se descubrió que oficiales clave del gobierno, actuando bajo las órdenes de Nixon, estuvieron espiando y tramando contra aquellos que consideraban sus enemigos. Los intentos de Nixon para encubrir las acciones ilegales no tuvieron éxito y dimitió en 1974, cuando estaba a punto de ser sacado del puesto debido al escándalo. Pág. 6.

White, Harry Dexter: (1892–1948) Oficial del gobierno de Estados Unidos en el Ministerio de Tesorería, responsable de la política económica exterior en la década de 1940 y que trabajó junto al economista inglés John Keynes. En 1948, defendió a Alger Hiss en su juicio por espionaje. White mismo fue acusado de espionaje por dos espías comunistas reconocidos, Elizabeth Bentley y Whittaker Chambers. Cuando se cuestionaron sus datos, White hizo un dramático testimonio negando su acusación. Tres días más tarde murió de un ataque al corazón. Pág. 95.

Wilson, Woodrow: (1856–1924) vigésimo octavo presidente de Estados Unidos (1913–1921). A finales del siglo XIX, Wilson ejerció una carrera como historiador y profesor, escribiendo varios libros sobre la historia de Estados Unidos. Más tarde, como presidente de Estados Unidos, trabajó para terminar con la Primera Guerra Mundial y para formar una organización internacional que mantuviera la paz, la Liga de las Naciones. Pág. 155.

Wundt: Wilhelm Wundt (1832–1920), psicólogo y fisiólogo alemán; creador de la psicología moderna y de la doctrina falsa según la cual el hombre no es más que un animal. Pág. 127.

yermo: áreas deshabitadas, desiertas o salvajes. Pág. 106.

yugo: algo que se considera opresivo o agobiante. Pág. 20.

Z

zar: referencia a Nicolás II (1868–1918) último zar (emperador) en gobernar Rusia, de 1894 a 1917. Cuando la revolución rusa estaba en su auge, ocho meses más tarde, él y su familia fueron encarcelados y asesinados, lo que puso fin a la monarquía Rusa. Pág. 128.

ÍNDICE TEMÁTICO

A

B

C

D

E

F

H

I

J

K

L

M

N

O

Q

R

S

U

The L. Ron Hubbard Series DIANETICS LETTERS & JOURNALS
The L. Ron Hubbard Series ADVENTURER/EXPLORER DARING DEEDS & UNKNOWN REALMS
The L. Ron Hubbard Series EARLY YEARS OF ADVENTURE LETTERS & JOURNALS
The L. Ron Hubbard Series WRITER THE SHAPING OF POPULAR FICTION
The L. Ron Hubbard Series LITERARY CORRESPONDENCE LETTERS & JOURNALS
The L. Ron Hubbard Series POET/LYRICIST THE AESTHETICS OF VERSE
The L. Ron Hubbard Series MUSIC MAKER COMPOSER & PERFORMER
The L. Ron Hubbard Series PHOTOGRAPHER WRITING WITH LIGHT
The L. Ron Hubbard Series FOR A GREENER WORLD
The L. Ron Hubbard Series MASTER MARINER AT THE HELM ACROSS SEVEN SEAS
RON
The L. Ron Hubbard Series
A PROFILE

Para pedir copias de *La Colección de L. Ronald Hubbard*
o para libros o conferencias de L. Ronald Hubbard
sobre Dianética y Scientology, contacta:

EE.UU. e Internacional

Bridge Publications, Inc.
5600 E. Olympic Blvd.
Commerce, California 90022 USA
www.bridgepub.com
Tel: (323) 888-6200
Número gratuito: 1-800-722-1733

Reino Unido y Europa

New Era Publications
International ApS
Smedeland 20
2600 Glostrup, Denmark
www.newerapublications.com
Tel: (45) 33 73 66 66
Número gratuito: 00-800-808-8-8008